글 읽기 능력 향상을 위한
초등국어
독해왕
5
단계

이룸이앤비
Education & Books

모든 공부를 잘하기 위한 첫걸음
국어 독해(글 읽기)

왜? 초등학생에게 국어 독해(글 읽기)가 중요할까요?

우리에게 전달되는 정보는 국어(문자)로 이루어져 있고 그 정보를 이해하고 습득하는 능력은 독해 능력과 깊이 연관되어 있습니다. 초·중·고교생, 더 나아가 어른이 되어서도 학습 능력의 기본은 독해 능력이라고 해도 무방할 정도입니다. 따라서 독해 능력이 뛰어난 학생은 많은 양의 학습 정보를 다른 학생보다 훨씬 쉽고 빠르게 습득할 수 있습니다.

글 읽기 능력은 **국어뿐 아니라, 사회·과학·수학·영어 등 다른 과목의 학습 능력에도 지대한 영향을 끼친다고 합니다.** 많은 전문가들은 어릴 때 자연스럽게 형성된 독서 습관이 모든 학습의 첫걸음이라고 말합니다.

초등학생 때 글을 읽고 이해하고 문제를 해결하는 능력, 즉 국어 독해 능력은 **모든 공부의 큰 힘이며 평생을 좌우할 학습 능력의 첫걸음이자 디딤돌**입니다.

“초등국어 독해왕” 시리즈는

학부모님들의 의견을 충분히 반영하였습니다

의견 1 → 다양한 글을 읽히고 싶어요. 설명문, 논설문, 전기문, 동화, 동시, 생활문, 기행문 등 다양한 종류의 글과 인문, 사회, 과학, 예술 등 다양한 분야의 글이 모여 있는 책이 있었으면 좋겠어요.

의견 2 → 평소 책을 좋아하지 않는 아이도 쉽고 재미있게 글 읽기 훈련을 할 수 있는 책이 있었으면 좋겠어요.

의견 3 → 글 읽기를 20~30분 정도 짧게 집중해서 하고 글을 잘 이해했는지를 점검할 수 있는 문제집이 있었으면 좋겠어요.

의견 4 → 글 읽기에서 어떤 부분이 부족한지, 또 어떤 종류의 글 읽기를 좋아하고 싫어하는지를 판단할 수 있었으면 좋겠어요.

의견 5 → 글의 주제나 요지 파악, 제목 찾기 등을 쉬운 수준부터 차근차근 단계별로 훈련할 수 있는 책이 필요해요.

의견 6 → 아이 혼자 스스로 조금씩 꾸준하게 공부할 수 있도록 학습 계획(스케줄)을 쉽게 짤 수 있는 교재가 있었으면 좋겠어요.

의견 7 → 학부모가 아이를 지도하기 쉽게 해설이 자세한 독해 연습서가 있었으면 좋겠어요.

구성과 특징

❶ 일차별·단계별 구성

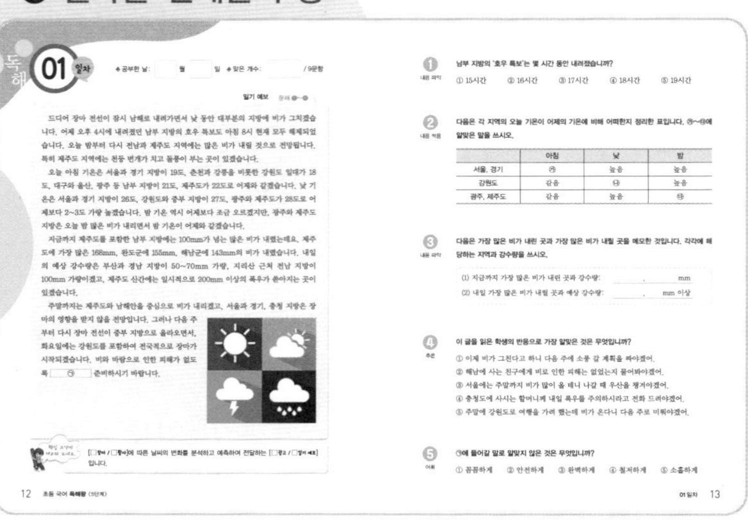

하루의 학습량을
초등학생이 집중력을
유지할 수 있는 약 20~30분
분량, 2~3개 지문으로
구성하였습니다.

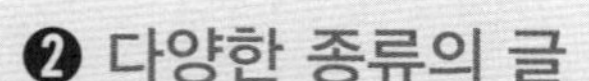

❷ 다양한 종류의 글

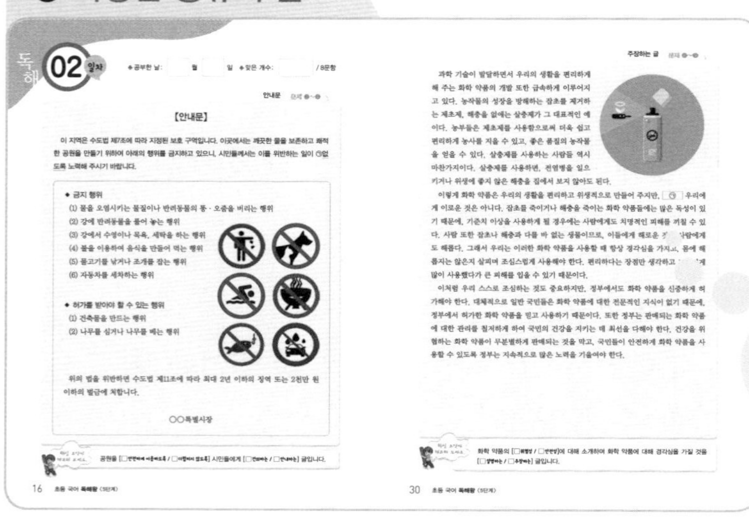

재미와 흥미를 유발할 수
있는 문학(동시, 동화, 기행문,
전기문 등)과 비문학(설명문, 논설문,
안내문, 소개문, 실용문 등) 등
다양한 종류의 글로 구성
하였습니다.

❸ 다양한 문제

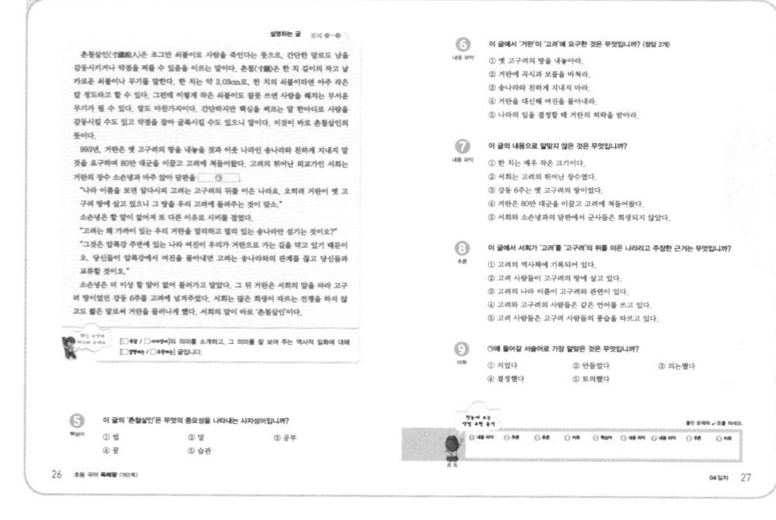

글의 중심 내용, 핵심어, 주제,
목적 등을 정확하게 이해하는지를 묻는
사실적 이해 문항과 이를 바탕으로
다른 상황에 적용, 추론할 수 있는지를
묻는 다양한 문제로 구성하여
효율적인 독해 훈련이
가능하도록 하였습니다.

❹ 핵심 요약 체크 / 한눈에 보는 약점 유형 분석

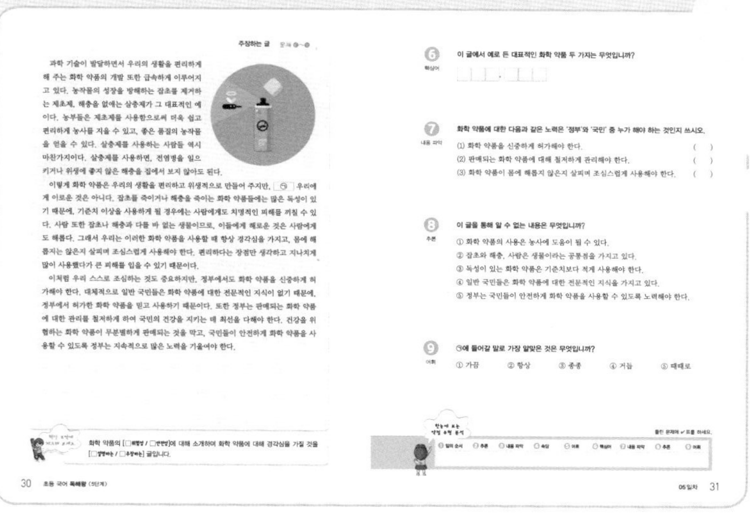

글의 핵심 정보와 글의
목적 등을 파악하여 체크하도록
하였습니다. 또 자기 점검을 통해
학생이 틀린 문제 유형을 한눈에
파악할 수 있도록
하였습니다.

❺ 어휘 학습 및 테스트

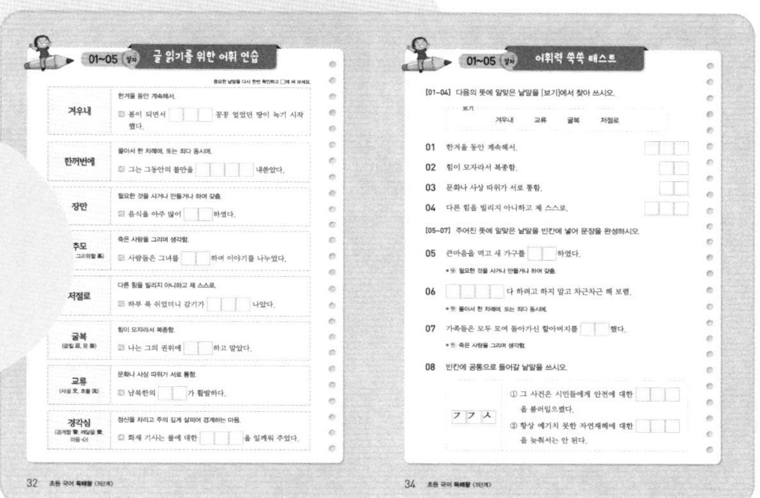

5일 동안 공부한 지문 중에서
주요 어휘들을 골라 다시 써 보고
간단한 문제로 반복 학습을 할 수
있도록 하였습니다. 어휘력은
국어 능력의 주요 지표 중
하나입니다.

❻ 정답 및 해설

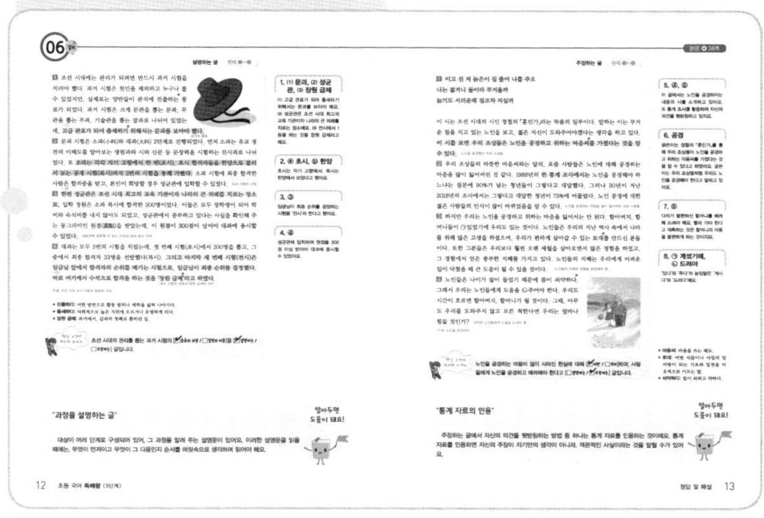

모든 문제는 해설을 통해
자세하고 친절하게 설명하였습니다.
스스로 공부하는 **학생에게는**
자기 주도 학습의 길잡이가 되고
학부모님과 선생님께는
학습 지도 자료로 활용될 수
있도록 하였습니다.

차례 및 학습 계획

하루의 학습량을 초등학생이 집중력을 유지할 수 있는
약 20~30분 분량, 2개 지문으로 구성하였습니다.

일차	제목	갈래	쪽	공부한 날
01 일차	장마가 시작되었어요	일기 예보	12쪽	월
	꽃씨 안이 궁금해	동시	14쪽	일
02 일차	보호 구역에서 지켜야 할 일	안내문	16쪽	월
	우리나라만의 풍속, 김장	설명하는 글	18쪽	일
03 일차	우리나라의 전통 의식, 제사	설명하는 글	20쪽	월
	소중한 문화재를 지키는 방법	주장하는 글	22쪽	일
04 일차	불굴의 천재 음악가 베토벤	설명하는 글	24쪽	월
	서희의 촌철살인	설명하는 글	26쪽	일
05 일차	남한산성에 다녀와서	기행문	28쪽	월
	화학 약품, 조심스럽게 사용하자	주장하는 글	30쪽	일
01~05 일차	글 읽기를 위한 어휘 연습		32쪽	월 일
01~05 일차	어휘력 쑥쑥 테스트		34쪽	
01~05 일차	십자말 풀이		35쪽	
06 일차	조선 시대에도 시험이 있었을까?	설명하는 글	38쪽	월
	노인을 공경하는 마음	주장하는 글	40쪽	일
07 일차	웃음이 명약이다	설명하는 글	42쪽	월
	짜장면 먹는 날	동시	44쪽	일
08 일차	우리는 한 민족이에요	주장하는 글	46쪽	월
	토네이도의 강력한 힘	설명하는 글	48쪽	일

일차	제목	갈래	쪽	공부한 날
09일차	동장군의 기세가 누그러졌어요	일기 예보	50쪽	월
	그리지 않고 찍어내는 그림, 판화	설명하는 글	52쪽	일
10일차	장난감을 빌려 드립니다	안내문	54쪽	월
	순우리말, 한자어, 외래어	설명하는 글	56쪽	일
06~10일차	글 읽기를 위한 어휘 연습		58쪽	월
06~10일차	어휘력 쑥쑥 테스트		60쪽	
06~10일차	십자말 풀이		61쪽	일
11일차	가격은 어떻게 결정되는 것일까?	설명하는 글	64쪽	월
	공유지의 비극	설명하는 글	66쪽	일
12일차	인터넷 실명제를 도입하자	주장하는 글	68쪽	월
	눈 결정을 사진에 담은 벤틀리	설명하는 글	70쪽	일
13일차	「운영전」을 읽고	독서 감상문	72쪽	월
	대한민국 국보 제1호, 숭례문	설명하는 글	74쪽	일
14일차	아름답고 화려한 낭만주의 음악	설명하는 글	76쪽	월
	관습과 도덕, 법의 관계	설명하는 글	78쪽	일
15일차	생활 속의 계면 활성제	설명하는 글	80쪽	월
	존엄한 삶, 존엄한 죽음	주장하는 글	82쪽	일
11~15일차	글 읽기를 위한 어휘 연습		84쪽	월
11~15일차	어휘력 쑥쑥 테스트		86쪽	
11~15일차	십자말 풀이		87쪽	일
16일차	유해한 TV 프로그램에 노출된 학생들	주장하는 글	90쪽	월
	동백꽃	소설	92쪽	일
17일차	서비스업의 성장	설명하는 글	94쪽	월
	핼러윈 데이를 즐기는 좋은 방법	주장하는 글	96쪽	일

일차	제목	갈래	쪽	공부한 날
18일차	오페레타, 『박쥐』	설명하는 글	98쪽	월
	장독의 과학	설명하는 글	100쪽	일
19일차	기본적이고도 중요한 악기, 피아노	설명하는 글	102쪽	월
	외모 지상주의의 시대	주장하는 글	104쪽	일
20일차	제1차 세계 대전의 시작	설명하는 글	106쪽	월
	「마지막 잎새」를 읽고	독서 감상문	108쪽	일
16~20일차	글 읽기를 위한 어휘 연습		110쪽	월
16~20일차	어휘력 쑥쑥 테스트		112쪽	일
16~20일차	십자말 풀이		113쪽	
21일차	음식을 소화시키는 위	설명하는 글	116쪽	월
	안네의 일기	일기	118쪽	일
22일차	시간을 구분하는 방법	설명하는 글	120쪽	월
	두물머리에 다녀와서	기행문	122쪽	일
23일차	김홍도의 「서당」	설명하는 글	124쪽	월
	삼권 분립이 필요한 이유	설명하는 글	126쪽	일
24일차	복약 안내서	안내문	128쪽	월
	고령화 사회를 맞이하는 자세	주장하는 글	130쪽	일
25일차	해마와 신경 세포	설명하는 글	132쪽	월
	선의의 거짓말은 해도 된다	토론	134쪽	일
21~25일차	글 읽기를 위한 어휘 연습		136쪽	월
21~25일차	어휘력 쑥쑥 테스트		138쪽	일
21~25일차	십자말 풀이		139쪽	

■ 정답 및 해설
(자기 주도 학습 또는 학습 지도를 위한 별책)

학부모 및 선생님을 위한

초등국어 독해왕의 공부 지도법

"자기 주도 학습을 실천하도록 돕는 것이 중요합니다!!!"

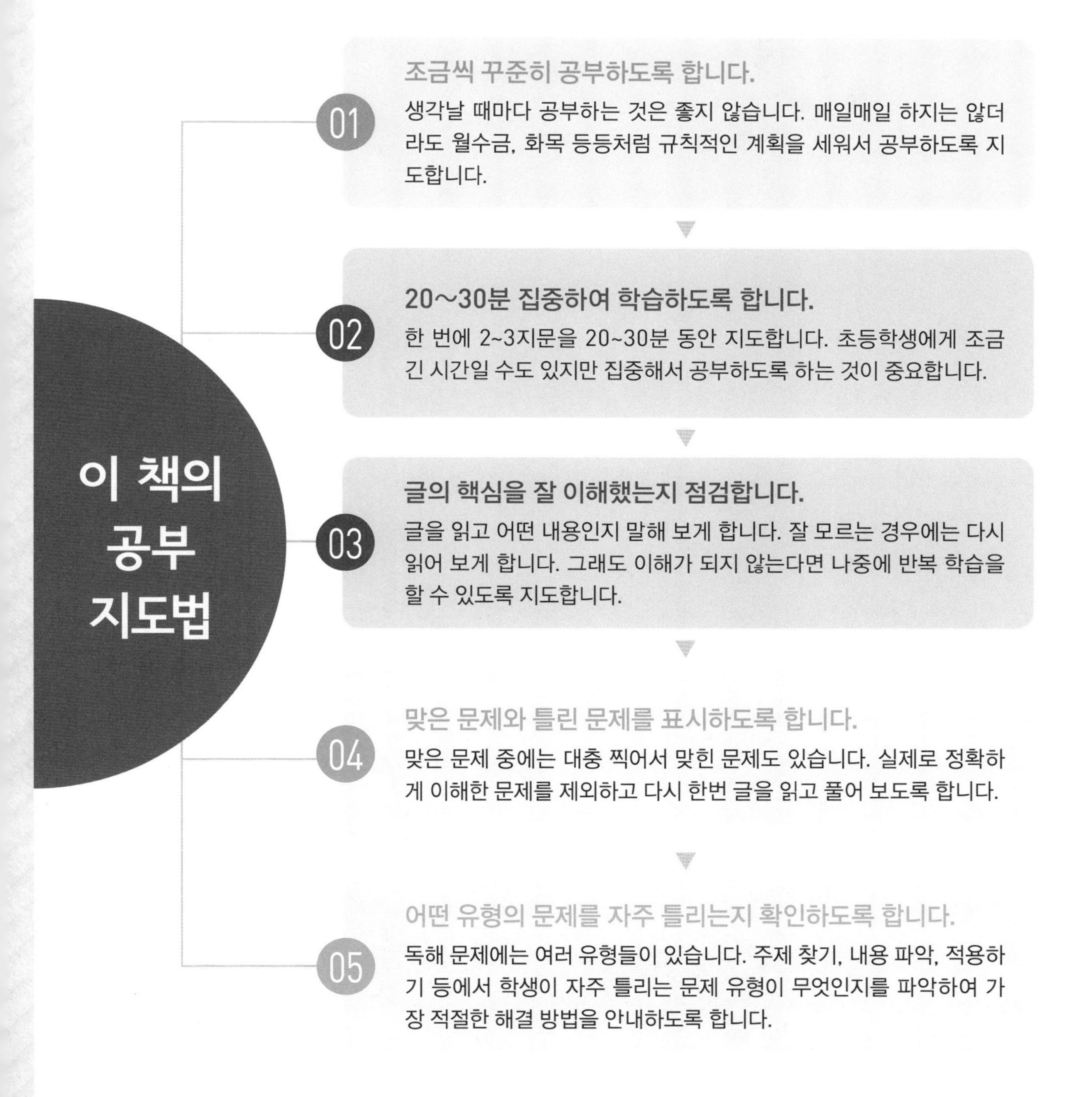

01 조금씩 꾸준히 공부하도록 합니다.

생각날 때마다 공부하는 것은 좋지 않습니다. 매일매일 하지는 않더라도 월수금, 화목 등등처럼 규칙적인 계획을 세워서 공부하도록 지도합니다.

02 20~30분 집중하여 학습하도록 합니다.

한 번에 2~3지문을 20~30분 동안 지도합니다. 초등학생에게 조금 긴 시간일 수도 있지만 집중해서 공부하도록 하는 것이 중요합니다.

03 글의 핵심을 잘 이해했는지 점검합니다.

글을 읽고 어떤 내용인지 말해 보게 합니다. 잘 모르는 경우에는 다시 읽어 보게 합니다. 그래도 이해가 되지 않는다면 나중에 반복 학습을 할 수 있도록 지도합니다.

04 맞은 문제와 틀린 문제를 표시하도록 합니다.

맞은 문제 중에는 대충 찍어서 맞힌 문제도 있습니다. 실제로 정확하게 이해한 문제를 제외하고 다시 한번 글을 읽고 풀어 보도록 합니다.

05 어떤 유형의 문제를 자주 틀리는지 확인하도록 합니다.

독해 문제에는 여러 유형들이 있습니다. 주제 찾기, 내용 파악, 적용하기 등에서 학생이 자주 틀리는 문제 유형이 무엇인지를 파악하여 가장 적절한 해결 방법을 안내하도록 합니다.

01~05 일차

일차	제목	갈래
01 일차	장마가 시작되었어요	일기 예보
	꽃씨 안이 궁금해	동시
02 일차	보호 구역에서 지켜야 할 일	안내문
	우리나라만의 풍속, 김장	설명하는 글
03 일차	우리나라의 전통 의식, 제사	설명하는 글
	소중한 문화재를 지키는 방법	주장하는 글
04 일차	불굴의 천재 음악가 베토벤	설명하는 글
	서희의 촌철살인	설명하는 글
05 일차	남한산성에 다녀와서	기행문
	화학 약품, 조심스럽게 사용하자	주장하는 글
01~05 일차	글 읽기를 위한 어휘 연습	
01~05 일차	어휘력 쑥쑥 테스트	
01~05 일차	십자말 풀이	

일기 예보 문제 ❶~❺

드디어 장마 전선이 잠시 남해로 내려가면서 낮 동안 대부분의 지방에 비가 그치겠습니다. 어제 오후 4시에 내려졌던 남부 지방의 호우 특보도 아침 8시 현재 모두 해제되었습니다. 오늘 밤부터 다시 전남과 제주도 지역에는 많은 비가 내릴 것으로 전망됩니다. 특히 제주도 지역에는 천둥 번개가 치고 돌풍이 부는 곳이 있겠습니다.

오늘 아침 기온은 서울과 경기 지방이 19도, 춘천과 강릉을 비롯한 강원도 일대가 18도, 대구와 울산, 광주 등 남부 지방이 21도, 제주도가 22도로 어제와 같겠습니다. 낮 기온은 서울과 경기 지방이 26도, 강원도와 중부 지방이 27도, 광주와 제주도가 28도로 어제보다 2~3도 가량 높겠습니다. 밤 기온 역시 어제보다 조금 오르겠지만, 광주와 제주도 지방은 오늘 밤 많은 비가 내리면서 밤 기온이 어제와 같겠습니다.

지금까지 제주도를 포함한 남부 지방에는 100mm가 넘는 많은 비가 내렸는데요, 제주도에 가장 많은 168mm, 완도군에 155mm, 해남군에 143mm의 비가 내렸습니다. 내일의 예상 강수량은 부산과 경남 지방이 50~70mm 가량, 지리산 근처 전남 지방이 100mm 가량이겠고, 제주도 산간에는 일시적으로 200mm 이상의 폭우가 쏟아지는 곳이 있겠습니다.

주말까지는 제주도와 남해안을 중심으로 비가 내리겠고, 서울과 경기, 충청 지방은 장마의 영향을 받지 않을 전망입니다. 그러나 다음 주부터 다시 장마 전선이 중부 지방으로 올라오면서, 화요일에는 강원도를 포함하여 전국적으로 장마가 시작되겠습니다. 비와 바람으로 인한 피해가 없도록 [㉠] 준비하시기 바랍니다.

[□장마 / □황사]에 따른 날씨의 변화를 분석하고 예측하여 전달하는 [□광고 / □일기 예보]입니다.

1

내용 파악

남부 지방의 '호우 특보'는 몇 시간 동안 내려졌습니까?

① 15시간 ② 16시간 ③ 17시간 ④ 18시간 ⑤ 19시간

2

내용 적용

다음은 각 지역의 오늘 기온이 어제의 기온에 비해 어떠한지 정리한 표입니다. ㉮~㉰에 알맞은 말을 쓰시오.

	아침	낮	밤
서울, 경기	㉮	높음	높음
강원도	같음	㉯	높음
광주, 제주도	같음	높음	㉰

3

내용 파악

다음은 가장 많은 비가 내린 곳과 가장 많은 비가 내릴 곳을 메모한 것입니다. 각각에 해당하는 지역과 강수량을 쓰시오.

(1) 지금까지 가장 많은 비가 내린 곳과 강수량: ______, ______ mm

(2) 내일 가장 많은 비가 내릴 곳과 예상 강수량: ______, ______ mm 이상

4

추론

이 글을 읽은 학생의 반응으로 가장 알맞은 것은 무엇입니까?

① 이제 비가 그친다고 하니 다음 주에 소풍 갈 계획을 짜야겠어.
② 해남에 사는 친구에게 비로 인한 피해는 없었는지 물어봐야겠어.
③ 서울에는 주말까지 비가 많이 올 테니 나갈 때 우산을 챙겨야겠어.
④ 충청도에 사시는 할머니께 내일 폭우를 주의하시라고 전화 드려야겠어.
⑤ 주말에 강원도로 여행을 가려 했는데 비가 온다니 다음 주로 미뤄야겠어.

5

어휘

㉠에 들어갈 말로 알맞지 않은 것은 무엇입니까?

① 꼼꼼하게 ② 안전하게 ③ 완벽하게 ④ 철저하게 ⑤ 소홀하게

꽃씨 안이 궁금해

유경환

꽃씨 안이 궁금해
쪼개 보기엔 너무 작고 딱딱해

꽃씨 안이 궁금해
귀에 대고 ㉠들어 보나 숨소리도 없어

꽃씨 안이 궁금해
코로 맡아 보지만 냄새도 없어

궁금해도 궁금해도 기다려야지
흙에 묻고 기다려야지

꽃씨만이 아니야
기다려야 할 건 모두 참고 기다려야지

꽃씨 안이 궁금하더라도 [□흙에 묻을 때 / □꽃이 필 때]까지 기다려야 하는 것처럼 세상의 모든 일에 대해서도 참고 기다릴 줄 알아야 한다는 내용의 [□동시 / □동화]입니다.

6 내용 파악

이 글의 내용에 맞으면 ○표, 틀리면 ×표 하시오.

(1) 글쓴이는 꽃씨를 반으로 쪼개어 보았다. (　　)

(2) 글쓴이는 꽃씨에 대해 호기심을 가지고 있다. (　　)

7 표현 방법

글쓴이가 '꽃씨' 안을 궁금해하며 사용한 감각이 아닌 것은 무엇입니까?

① 시각　② 청각　③ 촉각
④ 후각　⑤ 미각

8 중심 내용

글쓴이가 말하고자 하는 것은 무엇입니까?

① 꽃씨 안이 어떤 모습인지 알기 위해서는 쪼개 보아야 한다.
② 궁금한 것이 생겼을 때에는 곧바로 궁금증을 해결해야 한다.
③ 꽃씨뿐만 아니라, 세상의 많은 일은 참고 기다릴 줄 알아야 한다.
④ 꽃씨의 겉모양만 보고서도 어떤 꽃의 씨앗인지 알 수 있어야 한다.
⑤ 아무런 노력도 없이 기다리기만 한다면 좋은 결과를 얻을 수 없다.

9 어휘

㉠과 같은 의미로 쓰인 것끼리 묶인 것은 무엇입니까?

보기

㉮ 그 이야기는 처음 들어 보는 이야기였다.
㉯ 나는 무심코 상자를 들어 보았다가 팔이 빠질 뻔했다.
㉰ 집중해서 들어 보면 무슨 말을 하는 것인지 알 수 있다.
㉱ 목돈을 마련하기 위해서 적금에 들어 보기로 했다.

① ㉮, ㉯　② ㉮, ㉰　③ ㉮, ㉱　④ ㉯, ㉰　⑤ ㉮, ㉯, ㉱

한눈에 보는 약점 유형 분석

틀린 문제에 ✔표를 하세요.

1 내용 파악	2 내용 적용	3 내용 파악	4 추론	5 어휘	6 내용 파악	7 표현 방법	8 중심 내용	9 어휘

♣공부한 날: 월 일 ♣맞은 개수: /8문항

안내문 문제 ❶~❹

【안내문】

이 지역은 수도법 제7조에 따라 지정된 보호 구역입니다. 이곳에서는 깨끗한 물을 보존하고 쾌적한 공원을 만들기 위하여 아래의 행위를 금지하고 있으니, 시민들께서는 이를 위반하는 일이 ㉠없도록 노력해 주시기 바랍니다.

◆ 금지 행위

(1) 물을 오염시키는 물질이나 반려동물의 똥 · 오줌을 버리는 행위

(2) 강에 반려동물을 풀어 놓는 행위

(3) 강에서 수영이나 목욕, 세탁을 하는 행위

(4) 불을 이용하여 음식을 만들어 먹는 행위

(5) 물고기를 낚거나 조개를 잡는 행위

(6) 자동차를 세차하는 행위

◆ 허가를 받아야 할 수 있는 행위

(1) 건축물을 만드는 행위

(2) 나무를 심거나 나무를 베는 행위

위의 법을 위반하면 수도법 제11조에 따라 최대 2년 이하의 징역 또는 2천만 원 이하의 벌금에 처합니다.

○○특별시장

공원을 [□안전하게 이용하도록 / □더럽히지 않도록] 시민들에게 [□건의하는 / □안내하는] 글입니다.

1 내용 파악

다음의 행위가 '금지 행위'이면 '금지', '허가를 받아야 할 수 있는 행위'이면 '허가'라고 쓰시오.

(1) 물고기를 낚거나 조개를 잡는 행위 (　　)

(2) 나무를 심거나 나무를 베는 행위 (　　)

(3) 자동차를 세차하는 행위 (　　)

2 내용 파악

이 글을 통해 알 수 없는 것은 무엇입니까?

① 금지 행위를 정한 이유

② 안내문을 게시하는 사람과 예상 독자

③ 보호 구역을 지정할 때 근거가 되는 법 조항

④ 위반 행동을 했을 때 받을 수 있는 가장 큰 처벌

⑤ 보호 구역에 건축물을 만들려고 할 때 허가를 받을 곳

3 추론

이 글을 읽은 학생의 반응으로 알맞지 않은 것은 무엇입니까?

① 이 보호 구역에서 음식을 먹으면 안 되는구나.

② 이 보호 구역에서 금지 행위를 하면 처벌을 받을 수도 있구나.

③ 이 보호 구역에서 물을 오염시키는 행동을 해서는 안 되는구나.

④ 이 보호 구역은 시민들이 이용할 수 있도록 만들어진 공원이구나.

⑤ 이 보호 구역에서 반려동물과 함께 강에 들어가 놀면 안 되는구나.

표준 발음

㉠을 올바르게 발음한 것은 무엇입니까?

① [엄도록]　② [업도록]　③ [엄또록]

④ [언또록]　⑤ [업또록]

2013년 12월에 열린 유네스코 무형 유산 보호 위원회에서 우리나라의 김장 문화가 인류 무형 유산으로 지정되었다. 인류 무형 유산이란, 사람들이 대대로 보존할 만한 가치가 있는 풍속이나 기술, 예술 등을 말한다. 유네스코 위원회에서는 김장을 '김치를 담그고 나누는 문화'라고 말하였는데, 이 말에서도 알 수 있듯이 김장은 단순히 김치를 담그는 것만 의미하는 것이 아니라, 만들어서 다른 사람들과 함께 나누는 문화까지를 포함한다. 유네스코 위원회에서는 우리 조상들의 나눔의 문화를 높게 평가한 것이다.

김치처럼 채소를 소금에 절이고 다른 양념을 묻혀 만드는 채소 절임류의 음식은 다른 나라에도 있다. 일본에도 배추를 소금에 절이고 담백한 양념을 넣어 먹는 '아사즈케'라는 음식이 있고, 중국에도 배추를 절인 '파오차이'나 오이를 절여 만든 '황과'와 같은 음식이 있다. 그러나 우리나라처럼 겨울이 오기 전, 전국에서 비슷한 날짜에 다 함께 김치를 대량으로 만들어 저장하는 풍속은 다른 나라에서는 찾아볼 수 없는 특이한 풍속이다.

김장은 겨우내 한 가족이 먹을 양의 김치를 만드는 일이다. 가족의 수가 많았던 예전에는 김장이 매우 큰 행사였다. 한꺼번에 많은 양을 만들기 때문에, 혼자의 힘으로는 할 수가 없었다. 혼자 많은 양의 배추를 소금에 절이고 양념하는 것은 너무 힘든 일이기 때문이다. 그래서 김장을 하는 날에는 온 가족과 이웃 사람들이 함께 모여서 [㉠] 이야기를 나누며 일을 한다. 여럿이 하면 김장을 훨씬 쉽게 할 수 있는데다가, 만든 김치를 나누어 가지며 서로의 따스한 정을 느낄 수도 있다. 그래서 우리의 김장 문화에는 겨우내 먹을 음식을 장만한다는 목적 외에도 가족과 이웃 간의 정을 나눈다는 중요한 의미가 들어 있다.

유네스코가 인류 무형 유산으로 지정한 [□김장 / □절임] 문화의 특징과 가치에 대해 [□토의하는 / □설명하는] 글입니다.

5 내용 파악

다음은 우리나라의 '김장 문화'가 유네스코 인류 무형 유산이 된 이유를 설명한 것입니다. 빈칸에 알맞은 말을 쓰시오.

> 김장 문화가 ☐☐할 만한 ☐☐가 있다고 판단되었기 때문입니다.

6 내용 적용

이 글의 내용으로 알맞은 것은 무엇입니까?

① 김장은 김치를 만드는 것만을 의미한다.
② 김장은 예전보다 오늘날 더 큰 행사가 되었다.
③ 채소 절임류의 음식은 우리나라에서만 만든다.
④ 한 번 김장을 하면 몇 년 동안 김치를 먹을 수 있다.
⑤ 김장은 겨울이 오기 전 전국에서 비슷한 날짜에 한다.

7 추론

글쓴이가 중요하게 생각하는 '김장 문화'의 의미는 무엇입니까?

① 먹을 만큼만 음식을 만들어 자원을 아끼는 것.
② 여러 사람이 효율적으로 많은 일을 해내는 것.
③ 다른 사람들과 함께 일하고 따뜻한 정을 나누는 것.
④ 나보다 다른 사람을 더욱 더 배려하고 양보하는 것.
⑤ 우리나라의 전통 음식인 김치를 세계적으로 알리는 것.

8 어휘

㉠에 들어갈 말로 가장 알맞은 것은 무엇입니까?

① 주렁주렁 ② 도란도란 ③ 느릿느릿 ④ 뒤적뒤적 ⑤ 지글지글

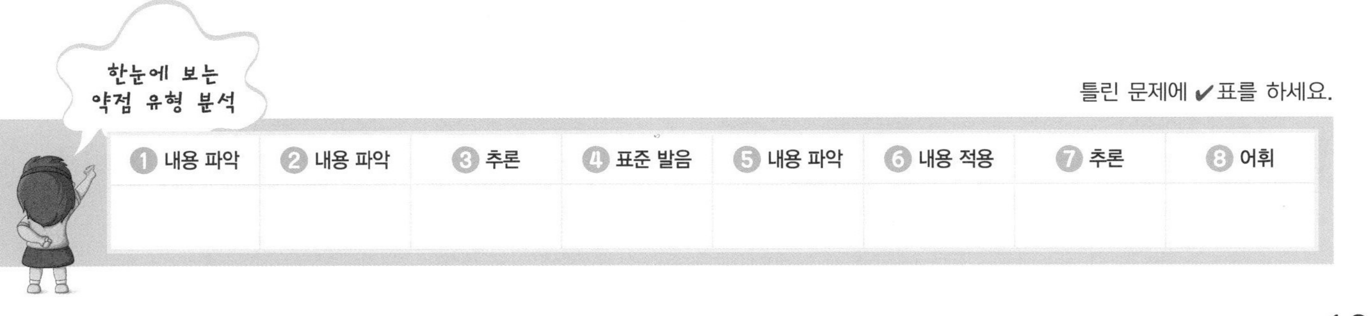

틀린 문제에 ✔표를 하세요.

1 내용 파악	2 내용 파악	3 추론	4 표준 발음	5 내용 파악	6 내용 적용	7 추론	8 어휘

독해 03 일차

♣공부한 날: [ ] 월 [ ] 일 ♣맞은 개수: [ ] / 8문항

설명하는 글 문제 ❶~❹

제사는 돌아가신 분에게 음식을 올리며 그 분을 ㉠추모하는 우리나라의 전통적인 의식이다. 보통은 할머니, 할아버지처럼 가까운 조상이 돌아가신 후에, 매년 돌아가신 날 밤에 제사를 지내게 된다. 하지만 추석이나 설날 같은 명절에는 집안의 조상 모두에게 제사를 지낸다. 제사를 지내는 날에는 자손들이 모두 모여 함께 음식을 만들고, 조상을 생각하며 이야기를 나눈다.

제사는 반드시 조상에게만 지내는 것은 아니다. 나라의 안녕을 위하여 하늘에 제사를 지내기도 하고, 한 해의 농사가 잘 되기를 기원하는 마음에서 땅에 제사를 지내기도 한다. 이러한 제사를 지낼 때에는 가족뿐만이 아니라 동네의 사람들이 모두 모여서 경건한 마음으로 하늘과 땅에 예의를 갖춘다.

제사는 정해진 규칙에 따라 지낸다. 제사를 이끄는 사람이 외치는 구령에 따라서, 절을 하기도 하고 술을 올리기도 한다. 제사상에 올리는 과일 또한 색깔에 따라 놓는 위치가 정해져 있다. 제사 음식을 상에 배열하는 것을 '진설'이라고 하는데, 여기에는 몇 가지 원칙이 있다. 대표적인 것이 어동육서(魚東肉西)로 생선은 동쪽, 육류는 서쪽에 놓는 것이다. 또 조율이시(棗栗梨枾)로 왼쪽부터 대추, 밤, 배, 감의 순서로 놓는다. 이외에도 음식의 수는 홀수로 해야 하고, 복숭아는 올리지 않는다는 규칙 등이 있다.

이처럼 제사를 지내는 방법이 조금 엄격하고 까다로운 것은 제사를 드리는 대상에 대한 예의를 표현하기 위해서이다. 제사는 우리나라의 중요한 전통으로, 조상을 기리고 자연을 우러러보는 우리나라 사람들의 정신이 담겨 있는 것이다.

우리나라의 전통적인 의식인 [□제사 / □명절]의 의미에 대하여 [□주장하는 / □설명하는] 글입니다.

1 내용 파악

집안의 조상 모두에게 '제사'를 지내는 날은 언제입니까?

□□

2 중심 내용

이 글의 내용으로 알맞지 않은 것은 무엇입니까?

① 제사를 지내는 방법은 조금 엄격하고 까다롭다.
② 제사는 조상님뿐만 아니라 하늘이나 땅에 지내기도 한다.
③ 제사를 지낼 때는 경건한 마음으로 예의를 갖추어야 한다.
④ 제사를 이끄는 사람이 따로 있지 않고 다 함께 제사를 진행한다.
⑤ 제사는 조상을 기리고 자연을 우러러보는 우리나라 사람들의 정신을 담고 있다.

3 내용 파악

'진설'과 관련된 원칙으로 알맞지 않은 것은 무엇입니까?

① 음식의 수는 홀수로 해야 한다.
② 생선은 동쪽에, 육류는 서쪽에 놓는다.
③ 복숭아는 제사상의 한가운데에 놓는다.
④ 과일은 색깔에 따라 놓는 위치가 정해져 있다.
⑤ 왼쪽부터 대추, 밤, 배, 감의 순서대로 놓는다.

4 어휘

㉠과 바꾸어 쓸 수 없는 말은 무엇입니까?

① 기리는 ② 생각하는 ③ 기억하는
④ 헤아리는 ⑤ 그리워하는

㉠문화재는우리민족의소중한유산이다. 조상들이 사용하던 물건과 조상들이 세운 건축물들은 단순히 오래되어서 소중한 것이 아니다. 우리 조상들의 정신이 담겨 있기 때문에 소중한 것이다. 그래서 우리는 문화재를 소중하게 보호하고 지켜야 할 의무가 있다.

그런데도 우리 주변에는 문화재를 소중하게 여기지 않고, 관광 상품 정도로 가볍게 생각하는 사람들이 많다. 얼마 전 경주에서는 학생들이 기념사진을 찍기 위해 천 년이 넘은 문화재인 첨성대에 올라간 일이 있었다. 또 세워진 지 오백 년이 넘은 절의 기둥에 자신의 이름을 새기는 사람들의 모습도 가끔씩 보인다.

외국에서는 문화재를 보호하는 일을 매우 중요하게 생각하여, 문화재를 함부로 대하는 사람에게 무거운 벌을 내린다. 중국은 문화재 위에 올라 탄 사람에게 출국을 금지하는 벌을 내렸다. 일본은 문화재에 낙서한 사람에게 400만 원 정도의 벌금을 내게 하였고, 이탈리아는 심지어 2,400만 원의 벌금을 내도록 한 적도 있다. 그러나 우리나라에서는 10만 원 정도의 벌금을 내게 하는 데 그치고, 처벌 또한 그리 무겁지 않은 편이다.

이제 우리나라에서도 문화재를 훼손하는 사람들을 보다 강력히 처벌해야 한다. 우리는 문화재를 보호해야 한다고 배웠지만, 여전히 사람들은 문화재에 낙서를 하고 장난을 친다. 많은 벌금을 내게 하거나 무거운 벌을 내리지 않으면 사람들은 앞으로도 문화재를 보호하는 일에 크게 신경을 쓰지 않을 것이다. 외국처럼 문화재를 훼손하는 사람들을 강력하게 처벌해서 문화재를 잘 보존해야 한다. 법이 강력해지면 사람들도 문화재를 더 소중하게 대할 것이기 때문이다.

문화재를 잘 보호하기 위하여, 문화재를 훼손하는 사람들을 강력히 [□**처벌** / □**교육**]해야 한다고 [□**설명하는** / □**주장하는**] 글입니다.

5 중심 내용

글쓴이가 생각하는 문화재를 소중하게 보호해야 하는 이유는 무엇입니까?

문화재에는 우리 조상들의 ☐☐이 담겨 있기 때문입니다.

6 글의 주장

다음 중 글쓴이의 주장과 같은 생각을 하고 있는 사람은 누구입니까?

> 윤수: 문화재를 훼손하는 것에 대해 강력하게 처벌해야 사람들이 문화재를 소중하게 여길 거야.
>
> 도현: 그것보다는 문화재의 소중함을 사람들에게 반복적으로 교육하는 것이 더 중요해.

____

7 추론

이 글을 읽은 학생의 반응으로 가장 알맞은 것은 무엇입니까?

① 문화재 보호에 대한 교육이 전혀 이루어지지 않고 있어.
② 예전에 비해서 문화재를 소중하게 여기는 사람들이 늘어나고 있어.
③ 중국은 문화재를 함부로 대하는 사람들을 너그럽게 처벌하고 있어.
④ 우리나라는 문화재 훼손에 대한 벌금이 이탈리아에 비해 너무 적어.
⑤ 우리나라에 있는 문화재의 수가 시간이 지날수록 점점 줄어들고 있어.

8 띄어쓰기

㉠을 바르게 띄어쓰기한 것은 무엇입니까?

① 문화재는∨우리민족의∨소중한유산이다.
② 문화재는우리민족의∨소중한∨유산이다.
③ 문화재는∨우리∨민족의∨소중한유산이다.
④ 문화재는∨우리민족의∨소중한∨유산∨이다.
⑤ 문화재는∨우리∨민족의∨소중한∨유산이다.

한눈에 보는 약점 유형 분석

틀린 문제에 ✔표를 하세요.

① 내용 파악	② 중심 내용	③ 내용 파악	④ 어휘	⑤ 중심 내용	⑥ 글의 주장	⑦ 추론	⑧ 띄어쓰기

♣공부한 날: 월 일 ♣맞은 개수: /9문항

설명하는 글 문제 ❶~❹

제가 발표할 음악가는 독일의 작곡가 베토벤입니다. 베토벤은 1770년 독일의 본에서 태어났습니다. 1778년에 당시 8살이던 베토벤은 빈으로 여행을 떠났는데, 거기에서 최고의 음악가인 모차르트를 만나게 되었습니다. 모차르트를 만나게 된 베토벤은 모차르트의 「돈 조반니」를 피아노로 연주하였는데, 이 연주는 모차르트의 마음을 사로잡았습니다. 모차르트는 ㉠"이 젊은이가 머지않아 세상을 향해 천둥을 울릴 날이 있을 것이다."라며 크게 칭찬했습니다. 모차르트와의 만남은 베토벤에게 큰 자신감을 주었습니다.

베토벤은 먼저 탁월한 피아노 연주로 이름을 알렸지만, 곧 작곡으로도 유명세를 탔습니다. 특히 25세에 최초로 개최한 공개 연주회에서 자작곡인 「피아노 협주곡 제2번」을 연주하면서 천재적인 예술가로서 명성을 날렸습니다.

그러나 베토벤에게는 큰 시련이 닥쳤습니다. 29세 즈음부터 귀에 이상을 느낀 베토벤은 귓병을 치료하고자 노력했지만, ㉡ 불치병 진단을 받게 되었습니다. 베토벤의 귀는 점점 나빠져 마침내 소리가 들리지 않는 지경에 이르렀고, 베토벤은 들을 수 없는 음악가가 된 사실에 절망했습니다. 하지만 베토벤은 더욱더 음악에 전념하여 꾸준히 명곡들을 탄생시켰습니다.

「황제」를 비롯하여 베토벤 최고의 작품으로 불리는 「합창 교향곡」 등이 모두 귀가 들리지 않게 된 이후 작곡한 음악들입니다. 웅장하면서도 화려하고 묵직한 울림을 주는 베토벤의 작품들에는 베토벤의 고뇌와 슬픔이 담겨 있습니다. 베토벤의 작품들에서 흘러나오는 아름다운 선율을 들으면, 이 선율을 들을 수 없었던 베토벤의 슬픔이 생각납니다.

천재적인 음악가 베토벤의 [□시련과 업적 / □사랑과 성공]에 대해 [□설명하는 / □주장하는] 글입니다.

1 내용 파악

이 글의 '베토벤'에 대한 설명으로 알맞은 것은 무엇입니까?

① 1770년 빈에서 태어났다.
② 귓병을 치료하지 않고 내버려 두었다.
③ 피아노 연주보다 작곡으로 먼저 유명해졌다.
④ 모차르트와의 만남으로 인해 자신감을 가졌다.
⑤ 귀가 들리지 않게 된 이후 작곡을 하지 못했다.

2 추론

이 글을 통해 얻을 수 있는 교훈으로 가장 알맞은 것은 무엇입니까?

① 다른 사람과 비교하지 말고 자기 자신을 사랑하자.
② 다른 사람에게 도움을 줄 때에는 대가를 생각하지 말자.
③ 어려운 환경에도 좌절하지 말고 꿈을 이루기 위해 노력하자.
④ 곁에 있는 사람을 당연하게 생각하지 말고 소중하게 여기자.
⑤ 분수에 맞지 않는 욕심을 부리지 말고 편안한 마음으로 살자.

3 추론

㉠의 의미로 알맞은 것은 무엇입니까?

① 베토벤은 곧 비극적인 삶을 살 것이다.
② 베토벤은 곧 뛰어난 음악가가 될 것이다.
③ 베토벤은 조만간 과학자로 성공할 것이다.
④ 베토벤은 비 오는 날을 좋아하게 될 것이다.
⑤ 베토벤은 천둥처럼 강렬한 음악을 좋아할 것이다.

4 어휘

㉡에 들어갈 말로 가장 적절한 것은 무엇입니까?

① 결국 ② 비록 ③ 결코 ④ 반드시 ⑤ 기필코

촌철살인(寸鐵殺人)은 조그만 쇠붙이로 사람을 죽인다는 뜻으로, 간단한 말로도 남을 감동시키거나 약점을 찌를 수 있음을 이르는 말이다. 촌철(寸鐵)은 한 치 길이의 작고 날카로운 쇠붙이나 무기를 말한다. 한 치는 약 3.03cm로, 한 치의 쇠붙이라면 아주 작은 칼 정도라고 할 수 있다. 그런데 이렇게 작은 쇠붙이도 잘못 쓰면 사람을 해치는 무서운 무기가 될 수 있다. 말도 마찬가지이다. 간단하지만 핵심을 찌르는 말 한마디로 사람을 감동시킬 수도 있고 약점을 잡아 굴복시킬 수도 있으니 말이다. 이것이 바로 촌철살인의 뜻이다.

993년, 거란은 옛 고구려의 땅을 내놓을 것과 이웃 나라인 송나라와 친하게 지내지 말 것을 요구하며 80만 대군을 이끌고 고려에 쳐들어왔다. 고려의 뛰어난 외교가인 서희는 거란의 장수 소손녕과 마주 앉아 담판을 [㉠].

"나라 이름을 보면 알다시피 고려는 고구려의 뒤를 이은 나라요. 오히려 거란이 옛 고구려 땅에 살고 있으니 그 땅을 우리 고려에 돌려주는 것이 맞소."

소손녕은 할 말이 없어져 또 다른 이유로 시비를 걸었다.

"고려는 왜 가까이 있는 우리 거란을 멀리하고 멀리 있는 송나라만 섬기는 것이오?"

"그것은 압록강 주변에 있는 나라 여진이 우리가 거란으로 가는 길을 막고 있기 때문이오. 당신들이 압록강에서 여진을 몰아내면 고려는 송나라와의 관계를 끊고 당신들과 교류할 것이오."

소손녕은 더 이상 할 말이 없어 물러가고 말았다. 그 뒤 거란은 서희의 말을 따라 고구려 땅이었던 강동 6주를 고려에 넘겨주었다. 서희는 많은 희생이 따르는 전쟁을 하지 않고도 짧은 말로써 거란을 물리나게 했다. 서희의 말이 바로 '촌철살인'이다.

[□속담 / □사자성어]의 의미를 소개하고, 그 의미를 잘 보여 주는 역사적 일화에 대해 [□설명하는 / □주장하는] 글입니다.

5 핵심어

이 글의 '촌철살인'은 무엇의 중요성을 나타내는 사자성어입니까?

① 법 ② 말 ③ 공부
④ 꿈 ⑤ 습관

6 내용 파악

이 글에서 '거란'이 '고려'에 요구한 것은 무엇입니까? (정답 2개)

① 옛 고구려의 땅을 내놓아라.
② 거란에 곡식과 보물을 바쳐라.
③ 송나라와 친하게 지내지 마라.
④ 거란을 대신해 여진을 몰아내라.
⑤ 나라의 일을 결정할 때 거란의 허락을 받아라.

7 내용 파악

이 글의 내용으로 알맞지 <u>않은</u> 것은 무엇입니까?

① 한 치는 매우 작은 크기이다.
② 서희는 고려의 뛰어난 장수였다.
③ 강동 6주는 옛 고구려의 땅이었다.
④ 거란은 80만 대군을 이끌고 고려에 쳐들어왔다.
⑤ 서희와 소손녕과의 담판에서 군사들은 희생되지 않았다.

8 추론

이 글에서 서희가 '고려'를 '고구려'의 뒤를 이은 나라라고 주장한 근거는 무엇입니까?

① 고려의 역사책에 기록되어 있다.
② 고려 사람들이 고구려의 땅에 살고 있다.
③ 고려의 나라 이름이 고구려와 관련이 있다.
④ 고려와 고구려의 사람들은 같은 언어를 쓰고 있다.
⑤ 고려 사람들은 고구려 사람들의 풍습을 따르고 있다.

9 어휘

㉠에 들어갈 서술어로 가장 알맞은 것은 무엇입니까?

① 지었다　② 만들었다　③ 의논했다
④ 결정했다　⑤ 토의했다

틀린 문제에 ✔표를 하세요.

① 내용 파악	② 추론	③ 추론	④ 어휘	⑤ 핵심어	⑥ 내용 파악	⑦ 내용 파악	⑧ 추론	⑨ 어휘

독해 05 일차

♣공부한 날: [ ] 월 [ ] 일 ♣맞은 개수: [ ] / 9문항

기행문 문제 ❶~❺

미세 먼지 없는 화창한 날씨에 우리 가족은 남한산성으로 향했다. 지난주에 가려고 했었지만, ㉠마침 가기로 한 날에 비가 오는 바람에 계획이 취소되었다. 다행히 이번 주말은 화창해서 남한산성에 갈 수 있었다. 남한산성에 도착하여 가장 먼저 구경한 곳은 행궁이었다. 행궁은 자연과 잘 조화를 이루고 있었는데, 그다지 넓지는 않았지만 임금님의 권위를 보여 주기에는 충분했다.

다음으로 찾아간 곳은 수어장대였다. 장대란 전투 시 장수의 지휘가 가장 용이한 곳에 만든 건물이라고 했다. 장수의 지휘가 용이하기 위해서는 지휘 장소가 높아야 한다. 그래서인지 수어장대는 남한산성의 가장 높은 곳에 있으며, 산성의 다른 건물들과 달리 2층으로 만들어져 있었다. 장수가 바라보았던 그 광경을 나도 보고 싶었으나, 안타깝게도 2층으로 올라가는 것이 금지되어 있었다.

수어장대를 한 바퀴 돌아본 후에는 바로 옆에 위치한 청량당을 살펴보았다. 청량당은 남한산성을 쌓을 때 책임자였던 이회의 혼을 ㉡달래기 위해 지은 사당이라고 했다. 이회는 산성을 쌓는 일에 최선을 다하였지만, 모함에 의해 억울하게 죽임을 당했다고 한다. 나중에서야 그의 억울함이 밝혀졌으며, 그가 죽은 곳이 수어장대였기 때문에 수어장대의 바로 옆에 사당을 세운 것이라고 하였다. 한참 동안 청량당을 바라보며, 그의 억울함이 조금이나마 풀어졌기를 마음속으로 빌었다.

다시 행궁으로 내려오는 길은 경사가 꽤 심했다. 발부리에 걸리는 나무등걸과 돌들이 많았다. 조선 시대의 군사들은 이렇게 험한 곳에서 나라를 지키기 위해 열심히 훈련했을 것이다. 지금도 우리나라를 지키기 위해 수고하는 군인 아저씨들이 생각났다. 저절로 감사하는 마음이 들었다.

남한산성에서 본 [□자연 경관 / □여러 건물]을 소개하며 자신의 감상을 기록한 [□기행문 / □광고문]입니다.

1 일의 순서

다음은 글쓴이의 여정을 정리한 것입니다. 빈칸에 알맞은 말을 쓰시오.

행궁 → [   ] → [   ] → 행궁

2 추론

이 글의 '수어장대'가 남한산성의 가장 높은 곳에 위치한 이유는 무엇입니까?

① 자연과의 조화를 이루기 위해서
② 장수의 권위를 드러내기 위해서
③ 적의 침입을 잘 막아 내기 위해서
④ 장수의 지휘를 용이하게 하기 위해서
⑤ 다른 건물들과 달라 보이게 하기 위해서

3 내용 파악

이 글을 읽고 알 수 있는 내용으로 가장 알맞은 것은 무엇입니까?

① 이회는 모함을 받아 청량당에서 억울하게 죽임을 당했다.
② 사람들은 수어장대를 세워 이회의 마음을 달래고자 했다.
③ 글쓴이는 수어장대의 2층에 올라 장수의 마음을 느껴 보았다.
④ 글쓴이는 청량당을 바라보며 이회에 대한 안타까움을 느꼈다.
⑤ 수어장대에서 청량당으로 가는 길은 경사가 심하고 매우 험했다.

4 속담

㉠의 상황을 가장 잘 표현한 속담은 무엇입니까?

① 식은 죽 먹기 ② 티끌 모아 태산 ③ 우물 안 개구리
④ 가는 날이 장날 ⑤ 같은 값이면 다홍치마

5 어휘

㉡과 바꾸어 쓰기에 알맞은 것은 무엇입니까?

① 위로하기 ② 구슬리기 ③ 타이르기
④ 부추기기 ⑤ 혼내주기

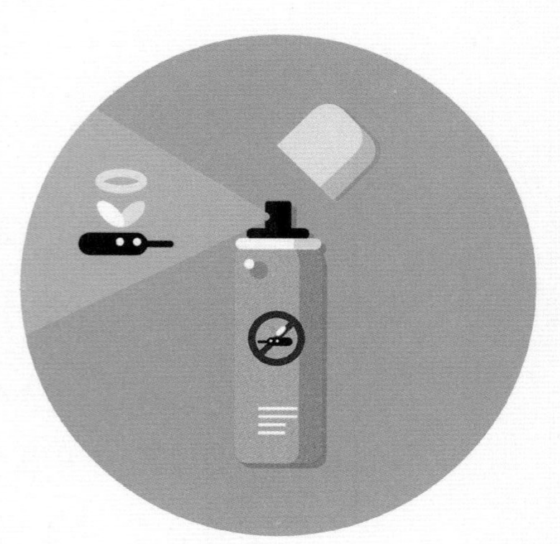

과학 기술이 발달하면서 우리의 생활을 편리하게 해 주는 화학 약품의 개발 또한 급속하게 이루어지고 있다. 농작물의 성장을 방해하는 잡초를 제거하는 제초제, 해충을 없애는 살충제가 그 대표적인 예이다. 농부들은 제초제를 사용함으로써 더욱 쉽고 편리하게 농사를 지을 수 있고, 좋은 품질의 농작물을 얻을 수 있다. 살충제를 사용하는 사람들 역시 마찬가지이다. 살충제를 사용하면, 전염병을 일으키거나 위생에 좋지 않은 해충을 집에서 보지 않아도 된다.

이렇게 화학 약품은 우리의 생활을 편리하고 위생적으로 만들어 주지만, [㉠] 우리에게 이로운 것은 아니다. 잡초를 죽이거나 해충을 죽이는 화학 약품들에는 많은 독성이 있기 때문에, 기준치 이상을 사용하게 될 경우에는 사람에게도 치명적인 피해를 끼칠 수 있다. 사람 또한 잡초나 해충과 다를 바 없는 생물이므로, 이들에게 해로운 것은 사람에게도 해롭다. 그래서 우리는 이러한 화학 약품을 사용할 때 항상 경각심을 가지고, 몸에 해롭지는 않은지 살피며 조심스럽게 사용해야 한다. 편리하다는 장점만 생각하고 지나치게 많이 사용했다가 큰 피해를 입을 수 있기 때문이다.

이처럼 우리 스스로 조심하는 것도 중요하지만, 정부에서도 화학 약품을 신중하게 허가해야 한다. 대체적으로 일반 국민들은 화학 약품에 대한 전문적인 지식이 없기 때문에, 정부에서 허가한 화학 약품을 믿고 사용하기 때문이다. 또한 정부는 판매되는 화학 약품에 대한 관리를 철저하게 하여 국민의 건강을 지키는 데 최선을 다해야 한다. 건강을 위협하는 화학 약품이 무분별하게 판매되는 것을 막고, 국민들이 안전하게 화학 약품을 사용할 수 있도록 정부는 지속적으로 많은 노력을 기울여야 한다.

화학 약품의 [□**위험성** / □**안전성**]에 대해 소개하며 화학 약품에 대해 경각심을 가질 것을 [□**설명하는** / □**주장하는**] 글입니다.

6 핵심어

이 글에서 예로 든 대표적인 화학 약품 두 가지는 무엇입니까?

□□□, □□□

7 내용 파악

화학 약품에 대한 다음과 같은 노력은 '정부'와 '국민' 중 누가 해야 하는 것인지 쓰시오.

(1) 화학 약품을 신중하게 허가해야 한다. (　　)

(2) 판매되는 화학 약품에 대해 철저하게 관리해야 한다. (　　)

(3) 화학 약품이 몸에 해롭지 않은지 살피며 조심스럽게 사용해야 한다. (　　)

8 추론

이 글을 통해 알 수 없는 내용은 무엇입니까?

① 화학 약품의 사용은 농사에 도움이 될 수 있다.

② 잡초와 해충, 사람은 생물이라는 공통점을 가지고 있다.

③ 독성이 있는 화학 약품은 기준치보다 적게 사용해야 한다.

④ 일반 국민들은 화학 약품에 대한 전문적인 지식을 가지고 있다.

⑤ 정부는 국민들이 안전하게 화학 약품을 사용할 수 있도록 노력해야 한다.

9 어휘

㉠에 들어갈 말로 가장 알맞은 것은 무엇입니까?

① 가끔　② 항상　③ 종종　④ 거듭　⑤ 때때로

한눈에 보는 약점 유형 분석

틀린 문제에 ✔표를 하세요.

① 일의 순서	② 추론	③ 내용 파악	④ 속담	⑤ 어휘	⑥ 핵심어	⑦ 내용 파악	⑧ 추론	⑨ 어휘

01~05 일차 글 읽기를 위한 어휘 연습

중요한 낱말을 다시 한번 확인하고 □에 써 보세요.

겨우내

한겨울 동안 계속해서.

예 봄이 되면서 □□□ 꽁꽁 얼었던 땅이 녹기 시작했다.

한꺼번에

몰아서 한 차례에. 또는 죄다 동시에.

예 그는 그동안의 불만을 □□□□ 내쏟았다.

장만

필요한 것을 사거나 만들거나 하여 갖춤.

예 음식을 아주 많이 □□하였다.

추모
(쫓을 追, 그리워할 慕)

죽은 사람을 그리며 생각함.

예 사람들은 그녀를 □□하며 이야기를 나누었다.

저절로

다른 힘을 빌리지 아니하고 제 스스로.

예 하루 푹 쉬었더니 감기가 □□□ 나았다.

굴복
(굽힐 屈, 옷 服)

힘이 모자라서 복종함.

예 나는 그의 권위에 □□하고 말았다.

교류
(사귈 交, 흐를 流)

문화나 사상 따위가 서로 통함.

예 남북한의 □□가 활발하다.

경각심
(경계할 警, 깨달을 覺, 마음 心)

정신을 차리고 주의 깊게 살피어 경계하는 마음.

예 화재 기사는 불에 대한 □□□을 일깨워 주었다.

장마전선 (ㅡ, ㅡ, 앞 前, 줄 線)	여름철에 우리나라의 남쪽 지방에 머물면서 장마를 가져오는 전선. 예 내일은 □□□□이 다가와 전국적으로 비를 뿌릴 것으로 예상된다.
돌풍 (갑자기 突, 바람 風)	갑자기 세게 부는 바람. 예 비가 내리는데 □□까지 불어 우산이 뒤집혔다.
위반 (어길 違, 되돌릴 反)	법률, 명령, 약속 따위를 지키지 않고 어김. 예 교통 신호를 □□하면 큰 사고가 날 수 있다.
반려동물 (짝 伴, 짝 侶, 움직일 動, 만물 物)	사람이 정서적으로 의지하고자 가까이 두고 기르는 동물. 예 춘나는 강아지 한 마리를 □□□□로 키우고 있다.
풍속 (바람 風, 풍속 俗)	옛날부터 그 사회에 전해 오는 생활 전반에 걸친 습관 따위를 이르는 말. 예 추석에 송편을 먹는 것은 우리 민족의 □□이다.
웅장 (수컷 雄, 씩씩할 壯)	규모 따위가 거대하고 성대함. 예 시계탑은 아주 □□하여 보는 사람들을 놀라게 했다.
선율 (돌 旋, 법칙 律)	소리의 높낮이가 길이나 리듬과 어울려 나타나는 음의 흐름. 예 내가 그 곡을 좋아하는 이유는 □□이 아름답기 때문이야.

[01~04] 다음의 뜻에 알맞은 낱말을 [보기]에서 찾아 쓰시오.

보기

겨우내 교류 굴복 저절로

01 한겨울 동안 계속해서.

02 힘이 모자라서 복종함.

03 문화나 사상 따위가 서로 통함.

04 다른 힘을 빌리지 아니하고 제 스스로.

[05~07] 주어진 뜻에 알맞은 낱말을 빈칸에 넣어 문장을 완성하시오.

05 큰마음을 먹고 새 가구를 ☐☐하였다.

* 뜻: 필요한 것을 사거나 만들거나 하여 갖춤.

06 ☐☐☐☐ 다 하려고 하지 말고 차근차근 해 보렴.

* 뜻: 몰아서 한 차례에. 또는 죄다 동시에.

07 가족들은 모두 모여 돌아가신 할아버지를 ☐☐했다.

* 뜻: 죽은 사람을 그리며 생각함.

08 빈칸에 공통으로 들어갈 낱말을 쓰시오.

ㄱ ㄱ ㅅ	① 그 사건은 시민들에게 안전에 대한 ☐☐☐을 불러일으켰다. ② 항상 예기치 못한 자연재해에 대한 ☐☐☐을 늦춰서는 안 된다.

01~05 일차 십자말 풀이

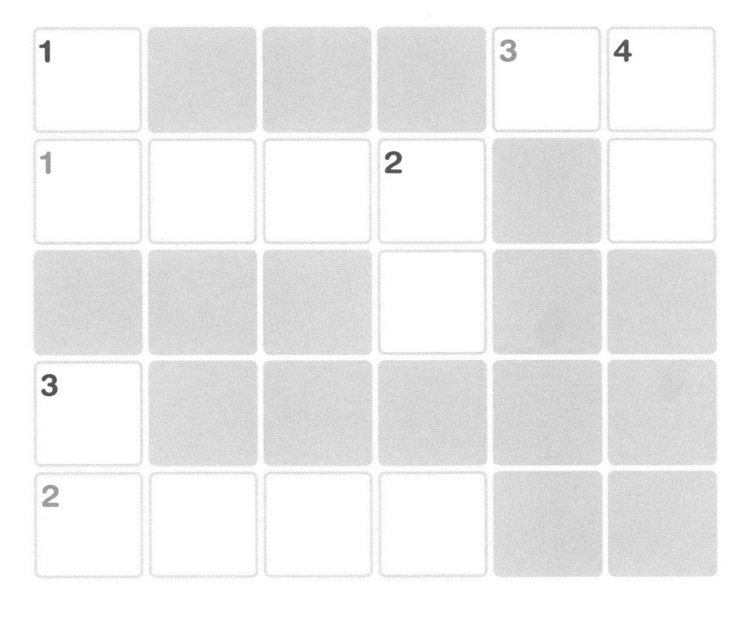

가로 열쇠

1. 여름철에 우리나라의 남쪽 지방에 머물면서 장마를 가져오는 전선.
2. 사람이 정서적으로 의지하고자 가까이 두고 기르는 동물.
3. 갑자기 세게 부는 바람.

세로 열쇠

1. 규모 따위가 거대하고 성대함.
2. 소리의 높낮이가 길이나 리듬과 어울려 나타나는 음의 흐름.
3. 법률, 명령, 약속 따위를 지키지 않고 어김.
4. 옛날부터 그 사회에 전해 오는 생활 전반에 걸친 습관 따위를 이르는 말.

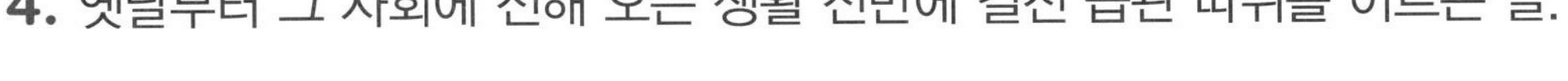

06~10 일차

일차	제목	갈래
06 일차	조선 시대에도 시험이 있었을까?	설명하는 글
	노인을 공경하는 마음	주장하는 글
07 일차	웃음이 명약이다	설명하는 글
	짜장면 먹는 날	동시
08 일차	우리는 한 민족이에요	주장하는 글
	토네이도의 강력한 힘	설명하는 글
09 일차	동장군의 기세가 누그러졌어요	일기 예보
	그리지 않고 찍어내는 그림, 판화	설명하는 글
10 일차	장난감을 빌려 드립니다	안내문
	순우리말, 한자어, 외래어	설명하는 글
06~10 일차	글 읽기를 위한 어휘 연습	
06~10 일차	어휘력 쑥쑥 테스트	
06~10 일차	십자말 풀이	

♣공부한 날: 월 일 ♣맞은 개수: /8문항

설명하는 글 문제 ❶~❹

조선 시대에는 관리가 되려면 반드시 과거 시험을 치러야 했다. 과거 시험은 천민을 제외하고 누구나 볼 수 있었지만, 실제로는 양반들이 관직에 진출하는 통로가 되었다. 과거 시험은 크게 문관을 뽑는 문과, 무관을 뽑는 무과, 기술관을 뽑는 잡과로 나뉘어 있었는데, 고급 관료가 되어 출세하기 위해서는 문과를 보아야 했다.

문과 시험은 소과(小科)와 대과(大科) 2단계로 진행되었다. 먼저 소과는 유교 경전의 이해도를 알아보는 생원과와 시와 산문 등 문장력을 시험하는 진사과로 나뉘었다. 또 소과는 각각 자기 고향에서 한 번(초시), 초시 합격자들을 한양으로 불러서 보는 공개 시험(복시)까지 2번의 시험을 통해 가렸다. 소과 시험에 최종 합격한 사람은 합격증을 받고, 본인이 희망할 경우 성균관에 입학할 수 있었다.

한편 성균관은 조선 시대 최고의 교육 기관이자 나라의 큰 의례를 치르는 장소로, 입학 정원은 소과 복시에 합격한 200명이었다. 이들은 모두 장학생이 되어 학비와 숙식비를 내지 않아도 되었고, 성균관에서 공부하고 있다는 사실을 확인해 주는 동그라미인 원점(圓點)을 받았는데, 이 원점이 300점이 넘어야 대과에 응시할 수 있었다.

대과는 모두 3번의 시험을 치렀는데, 첫 번째 시험(초시)에서 200명을 뽑고, 그중에서 최종 합격자 33명을 선발했다(복시). 그리고 마지막 세 번째 시험(전시)은 임금님 앞에서 합격자의 순위를 매기는 시험으로, 임금님이 최종 순위를 결정했다. 바로 여기에서 수석으로 합격을 하는 것을 '장원 급제'라고 하였다.

조선 시대의 관리를 뽑는 과거 시험의 [□종류와 과정 / □일정과 비용]을 [□설명하는 / □주장하는] 글입니다.

1 중심 내용

이 글에서 다음 설명에 해당하는 것을 찾아 쓰시오.

(1) 고급 관료가 되어 출세하기 위해 치러야 하는 시험 (　　　)

(2) 조선 시대 최고의 교육 기관이자 나라의 큰 의례를 치르는 장소 (　　　)

(3) 임금님 앞에서 합격자의 순위를 매겨, 수석으로 합격하는 것 (　　　)

2 내용 파악

다음은 '소과'의 시험에 대해 정리한 것입니다. ⓐ와 ⓑ에 알맞은 말은 무엇입니까?

	소과의 시험 과정		
시험 명칭	ⓐ	→ 복시	→ 합격증
시험 장소	고향	ⓑ	

3 내용 적용

[보기]의 이 시험에 해당하는 것은 무엇입니까?

보기

김 진사는 대과를 치르고 있다. 대과의 첫 시험에서 100등을 하였고, 두 번째 시험에서는 30등을 하여 최종 합격자가 되었다. 이제 마지막으로 이 시험만을 남겨 두고 있다. 이 시험에서는 임금님께서 직접 합격자들의 순위를 정해 주실 것이다.

① 초시 ② 복시 ③ 전시 ④ 무과 ⑤ 잡과

4 추론

이 글을 통해 알 수 <u>없는</u> 것은 무엇입니까?

① 원칙적으로 천민은 관리가 될 수 없었겠구나.

② 모두가 성균관에 입학할 수 있는 것은 아니었구나.

③ 성균관에서 공부할 때에는 학비가 필요하지 않았겠구나.

④ 성균관에 입학만 하면 대과를 치를 수 있는 자격이 주어졌구나.

⑤ 잡과에 합격하는 것은 문과에 합격하는 것과 다르게 여겨졌겠구나.

이고 진 저 늙은이 짐 풀어 나를 주오
나는 젊거니 돌이라 무거울까
늙기도 서러운데 짐조차 지실까

이 시는 조선 시대의 시인 정철의 「훈민가」라는 작품의 일부이다. 말하는 이는 무거운 짐을 지고 있는 노인을 보고, 젊은 자신이 도와주어야겠다는 생각을 하고 있다. 이 시를 보면 우리 조상들은 노인을 공경하고 위하는 마음씨를 가졌다는 것을 알 수 있다.

우리 조상들의 따뜻한 마음씨와는 달리, 요즘 사람들은 노인에 대해 공경하는 마음을 많이 잃어버린 것 같다. 1988년의 한 통계 조사에서는 노인을 공경해야 하느냐는 질문에 90%가 넘는 청년들이 그렇다고 대답했다. 그러나 30년이 지난 2018년의 조사에서는 그렇다고 대답한 청년이 75%에 머물렀다. 노인 공경에 대한 젊은 사람들의 인식이 많이 바뀌었음을 알 수 있다.

하지만 우리는 노인을 공경하고 위하는 마음을 잃어서는 안 된다. 할아버지, 할머니들이 ㉠있었기에 우리도 있는 것이다. 노인들은 우리의 지난 역사 속에서 나라를 위해 많은 고생을 하셨으며, 우리가 편하게 살아갈 수 있는 토대를 만드신 분들이다. 또한 그분들은 우리보다 훨씬 오랜 세월을 살아오면서 많은 경험을 하였고, 그 경험에서 얻은 풍부한 지혜를 가지고 있다. 노인들의 지혜는 우리에게 어려운 일이 닥쳤을 때 큰 도움이 될 수 있을 것이다.

노인들은 나이가 많이 들었기 때문에 몸이 쇠약하다. 그래서 우리는 노인들에게 도움을 ㉡주어야 한다. 우리도 시간이 흐르면 할아버지, 할머니가 될 것이다. 그때, 아무도 우리를 도와주지 않고 모른 척한다면 우리는 얼마나 힘들 것인가?

노인을 공경하는 마음이 많이 사라진 현실에 대해 [□비판 / □격려]하며, 사람들에게 노인을 공경하고 배려해야 한다고 [□설명하는 / □주장하는] 글입니다.

5 설명 방식

글쓴이가 자신의 주장을 효과적으로 펼치기 위해 사용한 방법은 무엇입니까? (정답 2개)

① 자신이 직접 경험한 일화를 소개하고 있다.
② 다른 나라의 상황을 제시하여 우리나라와 비교하였다.
③ 예상되는 반대 의견에 대해 미리 생각하여 대비하였다.
④ 자신의 의견과 같은 내용을 담고 있는 시를 인용하였다.
⑤ 통계 조사를 제시하며 오늘날의 현실이 어떠한지 보여 주었다.

6 글의 주제

다음은 글쓴이가 정철의 「훈민가」를 통해 느낀 내용입니다. 빈칸에 알맞은 말을 쓰시오.

> 우리 조상들처럼 노인을 [   ]하고 위하는 마음씨를 가져야 한다.

7 내용 적용

글쓴이의 주장을 실천한 내용으로 알맞지 않은 것은 무엇입니까?

① 버스의 노약자석을 비워 놓고 손잡이를 잡고 서 있었다.
② 동네 복지관에서 할아버지, 할머니께 책을 읽어 드렸다.
③ 스마트폰을 사용하실 줄 모르는 할아버지께 방법을 알려드렸다.
④ 친구와 싸우고 난 후 어떻게 화해하면 좋을지 할머니께 여쭤보았다.
⑤ 다리가 불편해 늦게 걸어오시는 할머니께 빨리 가야한다고 재촉했다.

8 문법 지식

㉠과 ㉡을 높임법에 맞게 고쳐 쓰시오.

㉠ 있었기에 → [   ]
㉡ 주어야 → [   ]

한눈에 보는 약점 유형 분석

틀린 문제에 ✔표를 하세요.

❶ 중심 내용	❷ 내용 파악	❸ 내용 적용	❹ 추론	❺ 설명 방식	❻ 글의 주제	❼ 내용 적용	❽ 문법 지식

♣공부한 날: [ ] 월 [ ] 일 ♣맞은 개수: [ ] / 9문항

설명하는 글 문제 ❶~❹

웃음에 대한 연구를 통해 밝혀낸 핵심 연구 결과는 한마디로 '[㉠]'라는 서양 속담으로 요약될 수 있다. 웃음은 15개의 안면 근육을 동시에 수축하게 하고 몸속에 있는 650여 개의 근육 가운데 230개를 움직이게 만드는 '자연적인 운동'이며 몸의 저항력을 키워 주는 명약이다.

웃음으로 인한 근육 운동은 온몸에 긍정적인 영향을 미친다. 흔히 말하는 ㉡'배꼽 빠지는 웃음'은 뱃속으로부터 뻗쳐오르는 웃음을 말하는데, 이런 웃음을 터트리게 되면 자연스럽게 복식 호흡을 하게 된다. 복식 호흡을 하면 횡격막이 아래위로 움직이면서 폐의 구석구석까지 산소와 혈액이 원활히 공급된다.

1996년 미국의 로마린다 의대 교수팀은 성인 60명을 대상으로 편안한 상태에서 채혈한 혈액과 한 시간 동안 코미디 프로그램을 시청하게 한 후 채혈한 혈액을 비교해 보았다. 그 결과 코미디 프로그램 시청 후 세균에 저항할 수 있는 백혈구의 양이 증가하고, 면역 기능이 좋아졌으며 스트레스 상황에서 분비되는 호르몬인 코르티솔의 양은 줄어든 것으로 나타났다. 몸속의 독성 물질과 싸우는 세포의 활동 영역도 넓어졌다. 자주 웃는 사람이 질병에 대한 면역력이나 스트레스를 이겨내는 힘이 훨씬 강하다는 이야기이다.

그러나 ⓐ웃음이 명약이라고 해서 반드시 많이 웃는 사람이 더 오래 산다. 실제로 과학적인 분석에 따르면 결과는 그 반대이다. 미국 캘리포니아 대학 하워드 프리드먼 교수는 한 조사에서 어렸을 때부터 긍정적인 사고를 하고 유머 감각을 가진 사람이 오히려 수명이 짧다는 사실을 발견했다. 그는 이것을 긍정적인 사고가 때로는 '지나치게 작동해' 모험을 즐기는 일에 과감해지기 때문이라고 추정했다.

–정재승의 과학콘서트 _ 정재승

웃음이 건강에 끼치는 [□**긍정적인** / □**부정적인**] 영향에 대하여 [□**주장하는** / □**설명하는**] 글입니다.

1

추론

㉠에 들어갈 속담으로 알맞은 것은 무엇입니까?

① 웃음이 명약이다.
② 웃음 속에 칼이 있다.
③ 웃는 낯에 침 못 뱉는다.
④ 웃음은 만국 공통의 언어이다.
⑤ 마지막에 웃는 자가 최후의 승자이다.

2

내용 파악

다음은 ㉡에 의한 우리 몸의 변화를 정리한 것이다. ㉮~㉱에 알맞은 말을 쓰시오.

㉮: ________, ㉯: ________, ㉰: ________, ㉱: ________

3

추론

이 글에서 알 수 있는 '웃음'이 우리 몸에 끼치는 긍정적인 영향이 아닌 것은 무엇입니까?

① 혈액 속의 백혈구의 양을 증가시킨다.
② 모험을 즐기는 일에 과감하게 만든다.
③ 근육을 자연적으로 운동하도록 해 준다.
④ 스트레스를 이겨 내는 힘을 훨씬 강하게 해 준다.
⑤ 몸의 저항력을 키워 주고 면역 기능을 좋게 해 준다.

4

문장 호응

ⓐ를 다음과 같이 글의 흐름에 맞게 수정할 때, 빈칸에 알맞은 말을 쓰시오.

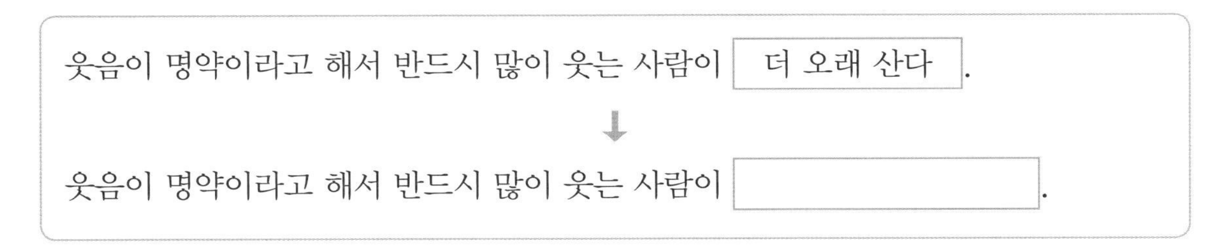

짜장면 먹는 날

송명원

"우리 집에 여섯 시까지 저녁 드시러
꼭 오셔야 돼요, 꼬옥!"

저 위쪽 집 대구 할아버지한테 뛰어갔다가
감자 캐는 영식이 할머니한테 뛰어갔다가
민섭이 아재네 비닐하우스에 들렀다가
오는 길에 재구 삼촌네 축사까지 갔다.

아빠 엄마 나
세 그릇 가지고는 배달 못 한다는
중국집 아저씨의 말에
우리 동네 일곱 명 모두 우리 집에 모았다.

"이리 모인 것도 오랜만이네 그려."
"오늘 무슨 날인가벼? 읍내 짜장면이 여그까지 오고."
"이게 다 우리 현수 덕분이여, 현수."

동네 사람들의 칭찬 들으면서
후루룩후루룩
짜장면 그릇 제일 먼저 비웠다.

[□**현수네 집** / □**마을 회관**]에서 동네 사람들이 모두 모여 짜장면을 먹은 이야기를 다룬 [□**동화** / □**동시**]입니다.

5 시의 구조

이 시의 구성으로 알맞은 것은 무엇입니까?

① 4연 16행 ② 4연 20행 ③ 5연 16행 ④ 5연 20행 ⑤ 6연 20행

6 중심 소재

이 시의 중심 소재는 무엇입니까?

① 우리 집 ② 짜장면 ③ 우리 가족
④ 중국집 아저씨 ⑤ 동네 사람들

7 시의 표현

다음은 이 시에 대한 설명입니다. 빈칸에 알맞은 말을 쓰시오.

이 시는 표준어가 아닌 [　　　]를 사용하여, 시골에 살고 있는 동네 사람들의 향토적인 정서를 잘 살리고 있습니다.

8 추론

이 시의 내용으로 알맞지 않은 것은 무엇입니까?

① 민섭이 아재는 여러 마리의 가축을 기르고 있다.
② 동네 사람들이 모두 모인 것은 오랜만의 일이다.
③ 처음에 현수네는 가족끼리 저녁 식사를 하려고 했다.
④ 현수는 사람들 중에서 짜장면을 제일 먼저 다 먹었다.
⑤ 중국집 아저씨는 짜장면 세 그릇은 배달할 수 없다고 했다.

9 어휘

이 시에서 '짜장면을 먹는 소리'를 효과적으로 표현한 말은 무엇입니까?

[　][　][　][　][　][　]

한눈에 보는 약점 유형 분석

틀린 문제에 ✔표를 하세요.

① 추론	② 내용 파악	③ 추론	④ 문장 호응	⑤ 시의 구조	⑥ 중심 소재	⑦ 시의 표현	⑧ 추론	⑨ 어휘

♣공부한 날: [ ] 월 [ ] 일 ♣맞은 개수: [ ] / 10문항

주장하는 글 문제 ❶~❺

북한의 많은 사람들이 식량 부족과 경제적 어려움을 겪었던 1990년대 중반 이후, 북한을 떠나 남한에 들어온 북한 이탈 주민은 2만 명을 넘어섰다. 한 조사 기관에 따르면, 2009년 한 해에만 3천 명에 가까운 사람들이 북한을 이탈하였다고 한다.

그런데 북한 이탈 주민들은 남한 사회에 적응하는 데 많은 어려움을 겪고 있다. 복잡한 지하철과 버스를 타는 것, 은행에서 공과금을 내는 것, 대형 상점에서 물건을 사는 것이 이들에게는 낯선 일이기 때문이다. 또 북한 이탈 주민들은 북한에 두고 온 가족에 대한 그리움과 새로운 생활에 대한 불안감으로 심리적인 안정을 찾기 어렵다. 그렇다면 분단된 현실에서 북한 이탈 주민들과 더불어 살아가기 위하여 우리에게 필요한 것은 무엇일까?

무엇보다 중요한 것은 그들에 대한 존중과 배려이다. 북한 이탈 주민들은 우리와 다른 사회에서 살다 온 사람들이다. 북한 사회는 평등과 집단의 이익을 지나치게 우선시하는 반면에, 남한 사회는 자유와 개인의 이익을 더 중요시하기 때문에 두 사회가 추구하는 가치가 매우 다르다고 할 수 있다. 그러므로 그들의 생각과 생활 방식에 대한 편견을 버리고 우리와 다르다는 것을 이해하고 존중해야 한다.

북한 이탈 주민들이 우리의 이웃으로 살아갈 수 있도록 실질적인 도움을 주는 방안도 모색할 필요가 있다. 북한을 이탈하여 처음 남한에 오게 되면, 주거와 생활, 일자리 구하기 등의 많은 부분에서 어려움을 겪게 된다. 그래서 우리는 북한 이탈 주민이 남한 사회에 와서도 북한에서 쌓은 학력이나 경력을 바탕으로 자신의 능력을 발휘할 수 있도록 제도적 장치를 마련하고, 이들을 고용하는 기업을 [㉠]해야 한다.

–초등학교 사회 교과서

북한 이탈 주민이 남한 사회에서 겪는 어려움을 이야기하며, 북한 이탈 주민들과 [□**경쟁하며** / □**더불어**] 살아가자고 [□**광고하는** / □**주장하는**] 글입니다.

1 중심 내용

글쓴이가 주장하는 내용은 무엇입니까?

(1) 북한 이탈 주민을 [ ] 하고 [ ] 해야 한다.

(2) 북한 이탈 주민들에게 실질적인 [ ] 을 주어야 한다.

2 내용 파악

다음은 1990년대 중반 이후에 북한 이탈 주민이 늘어나게 된 이유입니다. 빈칸에 알맞은 말을 쓰시오.

북한의 [　　　] 부족과 [　　　] 어려움.

3 내용 적용

이 글의 내용으로 보아 북한 이탈 주민들이 남한에서 겪는 어려움으로 볼 수 없는 것은 무엇입니까?

① 대형 상점에서 물건을 사는 일이 익숙하지 않다.
② 새로운 생활을 시작하며 심리적으로 불안정하다.
③ 겪어 보지 않은 복잡한 대중교통을 이용해야 한다.
④ 집단의 이익을 우선시하는 문화에 적응하기가 힘들다.
⑤ 공과금을 내기 위해 은행을 이용하는 방법을 잘 모른다.

4 내용 적용

글쓴이의 주장을 실천한 사례로 알맞지 않은 것은 무엇입니까?

① 정부는 북한 이탈 주민을 고용하는 기업에 보조금을 지급하였다.
② 정부는 북한 이탈 주민을 위한 진로 진학 상담 프로그램을 개설하였다.
③ 연희는 평등을 강조하는 북한 이탈 친구의 생각이 잘못되었음을 지적하였다.
④ 정부는 북한에서 한의학 공부를 마친 북한 이탈 주민에게 한의사 자격 시험을 볼 수 있는 기회를 주었다.
⑤ 평양냉면 식당을 하는 박 씨는 북한에서 요리사로 일한 경험이 있는 북한 이탈 주민을 직원으로 고용하였다.

5 어휘

㉠에 들어갈 말로 알맞은 것은 무엇입니까?

① 지원　② 지향　③ 지연　④ 지도　⑤ 지명

미국 중남부 지역에서 자주 일어나는 강렬한 회오리바람인 토네이도(tornado)는 특히 봄에서 여름에 걸쳐 많이 발생한다. 이 회오리바람은 성격이 다른 두 개의 공기 덩어리가 만날 때 주로 발생한다. 토네이도는 물체를 튕겨 버리는 성질이 있어 회오리바람 안에 들어간 물체는 무엇이든지 위로 날려 버린다. 토네이도는 남극을 제외한 모든 대륙에서 발생하지만, 특히 미국 중남부 지역에서 빈번히 만들어진다. 그 이유는 이 지역의 환경 조건 때문이다. 미국 중남부 지역은 로키 산맥에서 불어오는 차고 건조한 바람과 멕시코 만에서 불어오는 따뜻하고 습한 바람이 만나서 토네이도가 잘 만들어진다고 한다.

토네이도는 F0~F5로 등급이 나눠지는데 최저 등급인 F0은 나뭇가지를 부러뜨리거나 간판을 부수는 정도이지만, 최고 등급인 F5는 자동차를 들어 올리거나 기차를 감아올릴 정도로 강력한 파괴력을 갖고 있다. 실제로 1931년 미국 미네소타 주에서 발생한 토네이도는 83톤의 기차를 들어 올렸다고 한다. 토네이도가 지면에 도달하여 지나갈 때는 소용돌이가 강하여 제트기가 날고 있을 때와 같은 요란한 소리를 내며, 나무를 뿌리째 뽑아 쓰러뜨리고 지붕을 송두리째 날려 버리는 등의 엄청난 피해를 준다.

토네이도는 연평균 기온이 10~20℃ 사이에 있는 온대 지방에서 발생하는 경우가 많으며, 열대 지방에서는 발생할 확률이 극히 적다. 한 통계에 의하면, 토네이도는 1960년 이후 미국에서만 연간 500~900개 정도가 발생하고 있다고 한다. 지상에서 강력한 힘을 발휘하는 토네이도는 그 발생 빈도나 위력으로 보아 지진이나 화산 등과 같은 심각한 자연 재난으로 보아야 할 것이다.

토네이도의 특징과 [□**발생 조건** / □**이름의 유래**]에 대해 이야기하며, 토네이도를 심각한 자연 재난으로 보아야 하는 이유에 대해 [□**설명하는** / □**광고하는**] 글입니다.

6 내용 파악

이 글의 '토네이도'가 가장 자주 발생하는 지역은 어디입니까?

① 남극 ② 북극 ③ 아시아 ④ 아프리카 ⑤ 미국 중남부

이 글에서 '토네이도'는 총 몇 개의 등급으로 나누어진다고 하였습니까?

내용 파악

① 2개 ② 3개 ③ 4개 ④ 5개 ⑤ 6개

8 이 글의 내용으로 보아 '토네이도'가 잘 만들어지는 조건은 무엇입니까?

내용 적용

① 따뜻하고 건조한 공기와 차고 습한 공기가 만날 때
② 차고 건조한 공기와 따뜻하고 습한 공기가 만날 때
③ 따뜻하고 습한 공기가 차고 건조한 공기로 바뀔 때
④ 차고 습한 공기가 따뜻하고 건조한 공기로 바뀔 때
⑤ 차고 건조한 공기가 따뜻하고 습한 공기로 바뀔 때

9 글쓴이가 '토네이도'를 심각한 자연 재난으로 보는 근거로 가장 알맞은 것은 무엇입니까?

내용 적용

① 소용돌이를 일으키고 요란한 소리를 내기 때문에
② 피해 정도를 기준으로 등급을 나누고 있기 때문에
③ 지진과 같이 지면이 갈라지는 피해를 주기 때문에
④ 발생 횟수가 많고 파괴력이 매우 강력하기 때문에
⑤ 지역을 가리지 않고 세계 곳곳에서 발생하고 있기 때문에

10 이 글을 읽은 학생의 반응으로 알맞지 않은 것은 무엇입니까?

추론

① 토네이도의 발생은 기온과도 관계가 있구나.
② 계절에 따라 토네이도의 발생 빈도가 다르구나.
③ 토네이도는 1960년대 이후에 처음 발생하였구나.
④ 토네이도의 등급이 높을수록 파괴력이 강하구나.
⑤ 토네이도는 소용돌이 속에 들어온 물체를 위로 들어 올리는구나.

틀린 문제에 ✔표를 하세요.

❶ 중심 내용	❷ 내용 파악	❸ 내용 적용	❹ 내용 적용	❺ 어휘	❻ 내용 파악	❼ 내용 파악	❽ 내용 적용	❾ 내용 적용	❿ 추론

♣공부한 날: 월 일 ♣맞은 개수: /9문항

일기 예보 문제 ❶~❹

10년 만에 찾아온 기록적인 한파가 지겨울 만큼 오래도록 이어지고 있습니다. 하지만 드디어 동장군의 기세도 서서히 누그러지겠습니다. 기상청은 오늘 아침에 한파 특보를 해제했습니다. 또한 당분간 이동성 고기압의 영향권에 들면서 설 연휴인 목요일까지는 큰 추위가 없을 것으로 내다봤습니다.

오늘 아침 기온은 서울이 영하 14도까지 내려가면서 여전히 춥겠지만, 낮부터는 서울 1도, 대전 2도, 대구가 3도까지 오르면서 드디어 일주일 만에 수은주가 영상을 가리키겠습니다. 내일은 추위가 더 누그러져 오늘보다 약 1도 가량이 더 높은 기온을 유지할 예정입니다. 하지만 주말부터는 다시 추위에 대비하셔야겠습니다. 설 연휴가 끝나고 금요일부터는 전국적으로 다시 추위가 맹위를 떨칠 전망입니다.

당분간은 한파가 물러가겠는데요, 그 틈을 타서 미세 먼지가 말썽을 부리겠습니다. 오늘 오전까지는 비교적 대기질이 양호하겠지만, 오후에는 중국발 스모그가 유입되면서 전국의 미세 먼지 농도가 한때 '나쁨' 수준이 되겠고요, 모레 오전이 되어서야 '보통' 수준으로 떨어지겠습니다. 옷차림이 가벼워져 바깥 활동하기에는 한결 편하겠지만 대신 황사용 마스크를 챙기시길 바랍니다.

또한 신경 써야 할 것이 바로 건조 특보입니다. 현재 서울과 경기 지역을 포함한 대부분의 지역에 건조 특보가 내려져 있고 충청권은 건조 경보가 내려져 있습니다. 전국적으로 당분간 눈비 소식이 없기 때문에 대기가 한동안 [㉠] 있겠습니다. 기상청은 바람이 강하게 불면서 산불 등의 화재 위험이 있다며 주의를 당부했습니다. 오늘도 화재가 발생하지 않도록 조심해 주시고 시설물도 한 번 더 점검해 주시기 바랍니다. 지금까지 날씨였습니다.

앞으로의 날씨를 전망하며 그에 따른 [□대비 / □대피]를 당부하는 [□광고문 / □일기 예보]입니다.

1 내용 파악

이 글에서 겨울 추위를 사람에 빗댄 표현은 무엇입니까?

____

2 글의 목적

이 글에서 설명한 내용으로 알맞지 않은 것은 무엇입니까?

① 기상청의 당부를 전달하고 있다.
② 겨울철의 날씨에 대한 일기 예보이다.
③ 날씨에 따라 준비해야 할 것을 말해 주고 있다.
④ 설 연휴를 기준으로 달라지는 날씨를 안내하고 있다.
⑤ 기온과 미세 먼지 농도, 자외선 지수를 알려 주고 있다.

3 추론

이 글을 읽은 학생의 반응으로 가장 알맞은 것은 무엇입니까?

① 오늘 아침에는 얇은 봄옷을 입고 나가도 되겠구나.
② 요즘 날씨가 너무 습하니 당분간 빨래를 하지 말아야겠어.
③ 미세 먼지 때문에 내일 오후에나 바깥 활동을 할 수 있겠구나.
④ 주말에 다시 추워진다니 계획했던 외출을 내일로 당겨야겠어.
⑤ 오늘 낮에 기온이 더 떨어진다니 목도리를 들고 학교에 가야겠어.

4 어휘

㉠에 들어갈 말로, '물기가 없고 기름지지 아니한.'의 뜻을 가진 낱말을 바르게 쓴 것은 무엇입니까?

매말라	메말라

판화는 고무판, 나무판 등을 이용해서 표현하고자 하는 그림을 찍어 내는 것을 말한다. 판화는 '그린다'거나, '만든다'는 방법보다는 '찍는다'라고 하는 대량 복제의 수단으로서 자연스럽게 등장한 것이다. 판화의 일반적인 특징은 다음과 같다.

첫째, 회화가 캔버스에 미술가가 원하는 이미지를 바로 표현하는 직접적인 표현 방식이라고 한다면, 판화는 '판'을 이용해서 원하는 이미지를 얻는다는 점에서 간접적인 표현 방식이라고 할 수 있다. 둘째, 판화는 원래 만든 하나의 판을 가지고 똑같은 그림을 여러 장 찍을 수도 있고, 여러 가지 방법으로 다른 느낌의 그림을 여러 장 찍어 낼 수도 있다. 셋째, 판화는 회화와 같은 직접적인 표현 방식에서 느낄 수 없는 독특한 아름다움을 지니고 있다. 고무판이나 나무판 등의 재료나 여러 기법들에 따라 같은 판이라도 찍어 낸 그림의 효과가 달라진다.

판화는 잉크가 '판'의 어느 곳에 묻느냐에 따라 볼록 판화, 오목 판화, 평판화, 공판화 등으로 나눌 수 있는데, 가장 대표적인 것은 볼록 판화와 오목 판화이다. 먼저 볼록 판화는 판의 필요 없는 곳을 파내고 볼록하게 돌출한 곳에 잉크를 묻혀서 찍는 판화 기법을 말한다. 볼록 판화의 표현에는 크게 나누어 음각과 양각의 표현이 있다. 양각은 형태 이외의 필요 ㉠없는 부분은 파내어서 형태에 잉크가 묻어 찍히게 되고, 음각은 형태를 파냄으로써 형태는 찍히지 않고 주위가 찍히게 된다.

오목 판화는 오목하게 패인 홈에 잉크를 메워 넣고 닦아 낸 다음 종이를 판에 얹어 기계로 압력을 주어 잉크로 메워진 선이 종이에 옮겨지는 판화이다. 오목 판화는 동판이나 아연판 등의 금속판에 바늘이나 금속판을 새기는 칼 등으로 날카롭고 세밀하게 표현하거나 부식에 의한 화학 처리 방법을 이용하는 판화 기법이다.

– 음악 미술 개념사전 _ 양소영

판화의 개념을 소개한 다음 판화의 [□특징과 종류 / □작가와 가격]에 대해 [□토의하는 / □설명하는] 글입니다.

5 내용 적용

'판화'의 특징과 가장 잘 어울리는 표현은 무엇입니까?

① 긋다 ② 갈다 ③ 그린다 ④ 찍는다 ⑤ 만든다

6 다음은 '판화'와 '회화'의 특징을 비교한 것입니다. ⓐ, ⓑ에 들어갈 말을 쓰시오.

내용 파악

	판화	회화
표현 방식	간접적	ⓐ
대량 복제 가능 여부	ⓑ	불가능

7 다음은 '양각'과 '음각'의 표현 기법을 정리한 것입니다. 빈칸에 알맞은 말을 쓰시오.

내용 파악

양각은 형태 이외의 부분은 파내어서 [   ] 부분에 잉크가 묻게 되고, 음각은 형태를 파냄으로써 [   ]에 잉크가 묻게 된다.

8 이 글의 내용으로 알맞지 <u>않은</u> 것은 무엇입니까?

추론

① 판화는 '판'을 이용해서 원하는 이미지를 얻는다.
② 판화의 종류는 잉크가 묻는 위치를 기준으로 나뉜다.
③ 판화는 재료나 기법에 따라 다른 효과를 낼 수 있다.
④ 판화에 사용되는 판에는 고무판, 나무판, 금속판 등이 있다.
⑤ 오목 판화에서는 주변보다 돌출된 부분이 그림으로 옮겨진다.

9 ㉠을 바르게 발음한 것은 무엇입니까?

표준 발음

① [억는]　② [언는]　③ [엄는]　④ [업는]　⑤ [엉는]

한눈에 보는 약점 유형 분석

틀린 문제에 ✔표를 하세요.

❶ 내용 파악	❷ 글의 목적	❸ 추론	❹ 어휘	❺ 내용 적용	❻ 내용 파악	❼ 내용 파악	❽ 추론	❾ 표준 발음

♣공부한 날: 월 일 ♣맞은 개수: /8문항

안내문 문제 ❶~❹

【장난감을 ㉠빌려 드립니다.】

우리 주민 센터에서는 놀이마당을 운영하며 장난감을 빌려 드리고 있습니다. 주민들께서는 경제적 부담을 덜고, 아이들에게 좋은 장난감을 제공하시길 바랍니다.

★ 이용 안내 ★

☆ 이용 대상

- 우리 동에 거주하는 만 13세 이하 아동 및 보호자
- 우리 동에 있는 영유아 기관 및 시설 관련자

☆ 이용 시간

- 운영: 화요일~일요일, 09:00~18:00
- 휴관일: 매주 월요일, 법정 공휴일
- 놀이마당은 매시 정각에 입장 가능하나, 인원 제한(20명)이 있으므로, 이용시 반드시 예약하시기 바랍니다.

☆ 이용 요금

구분	이용료	비고
연회비 (회원 가입 필수)	1인당 10,000원	• 회원 유지 기간은 가입일로부터 1년 • 1년 후 다시 회원 가입
장난감 대여	1,000~5,000원 (장난감 가격에 따라 다름.)	• 연체료 500원/1일
놀이마당	1인당 1,000원(1시간 기준)	

☆ 문의: ○○동 주민센터 (☏ 02-123-4567)

주민센터에서 놀이마당을 운영하고 주민들에게 [□책 / □장난감]을 대여해 준다는 것을 알리는 [□안내문 / □기행문]입니다.

1 내용 파악

'○○동 주민센터'에서 장난감을 빌려 주는 이유가 무엇인지 찾아 쓰시오.

(1) 주민들의 경제적 [   ]을 덜기 위해서입니다.

(2) 아동들에게 좋은 장난감을 [   ]하기 위해서입니다.

2 내용 적용

이 글의 내용으로 보아 [보기]에서 장난감을 빌릴 수 있는 사람을 고른 것은 무엇입니까?

보기

ⓐ ○○동에 있는 어린이집의 원장 선생님
ⓑ ○○동에 있는 초등학교 선생님
ⓒ ○○동에 사는 초등학생 학부모

① ⓐ ② ⓐ, ⓑ ③ ⓐ, ⓒ ④ ⓑ, ⓒ ⑤ ⓐ, ⓑ, ⓒ

3 내용 적용

[보기]는 ○○동에 사는 초등학생 원석이의 생각입니다. ㉮~㉲ 중 알맞지 않은 것은 무엇입니까?

보기

평일에는 놀이마당에 갈 시간이 없는데… ㉮하지만 주말에 이용하는 것도 가능하네. ㉯아, 그런데 놀이마당을 이용하려면 먼저 회원 가입이 되어 있는지 확인해야겠는데! 그리고 토요일에는 학원이 3시 30분에 끝나니까, 놀이마당에는 4시에 가면 되겠다. ㉰4시 정각에 맞추어 가면 예약을 하지 않아도 되겠구나. ㉱이용료는 1시간에 1,000원으로 계산해서 미리 준비해야지. ㉲그런데 아쉽게도 오후 6시까지는 놀이를 끝내야겠네.

① ㉮ ② ㉯ ③ ㉰ ④ ㉱ ⑤ ㉲

4 어휘

㉠과 바꾸어 쓸 수 있는 말로 가장 알맞은 것은 무엇입니까?

① 대응해 ② 대비해 ③ 대여해
④ 대처해 ⑤ 대표해

우리말의 단어는 성격에 따라 순우리말, 한자어, ㉠외래어로 나눌 수 있다. 순우리말은 단어에 한자나 외국어가 포함되어 있지 않은 말로서, 모든 부분이 우리말로만 이루어진 단어를 뜻한다. 순우리말 중에는 현대에 들어 만들어진 말도 있지만, 대부분의 순우리말은 예로부터 대대로 내려온 말들이다. 순우리말은 '고유어'라고도 하는데, 순우리말에는 우리 민족의 정신과 문화, 그리고 민족 고유의 정서가 잘 반영되어 있다. 그래서 순우리말을 살려 쓰는 것은 우리 민족의 정신을 이해하고 전통문화를 이어나가는 데 도움이 된다. 순우리말의 예로는 하늘, 바람, 각시, 함초롬, 싱그럽다, 발그레하다 등이 있다.

한자어란 한자를 바탕으로 만들어진 말이다. 조선 시대에 한글이 만들어지기 전까지 우리나라에서는 한자를 주로 사용하였기 때문에 우리말에는 한자어가 절반 이상을 차지한다. 한자어가 워낙 많기 때문에, 순우리말이라고 생각했던 단어 중 알고 보면 한자어인 것도 꽤 있다. 한자어는 한 글자 한 글자가 뜻을 가지고 있는 글자이기 때문에 복잡하고 어려운 뜻을 표현하기에 적절하다. 한자어의 예로는 주말(週末), 학교(學校), 방학(放學) 등이 있다.

외래어란 외국으로부터 우리나라에 들어온 말로서, 다른 나라 말을 빌려 와서 우리말처럼 쓰는 말을 뜻한다. 다른 나라와의 관계가 넓어지고 새로운 문물이 우리나라에 들어오게 되면서, 외래어는 점점 많이 생겨나게 되었다. 새로운 물건이나 개념이 들어오면 그에 맞는 이름을 붙여 주어야 하기 때문이다. 이럴 때 누리꾼(netizen), 비행기(airplain)처럼 그 말을 순우리말이나 한자어로 바꾸어 쓰기도 하고, 라디오(radio)처럼 그 말을 우리말과 비슷한 발음으로 받아들여 쓰기도 한다. 외래어의 예로는 뉴스(news), 파티(party), 티셔츠(T-shirt) 등이 있다.

우리말의 [□단어 / □구조]를 성격에 따라 나눠 보고, 그 의미와 특성을 [□설명하는 / □주장하는] 글입니다.

5 내용 파악

다음은 '순우리말'에 반영된 특성을 설명한 것입니다. 빈칸에 알맞은 말을 쓰시오.

우리 민족의 [　　　]과 [　　　], 그리고 민족 고유의 [　　　]입니다.

이 글의 구조를 다음과 같이 나타낼 때, ㉮에 알맞은 말은 무엇입니까?

글의 구조

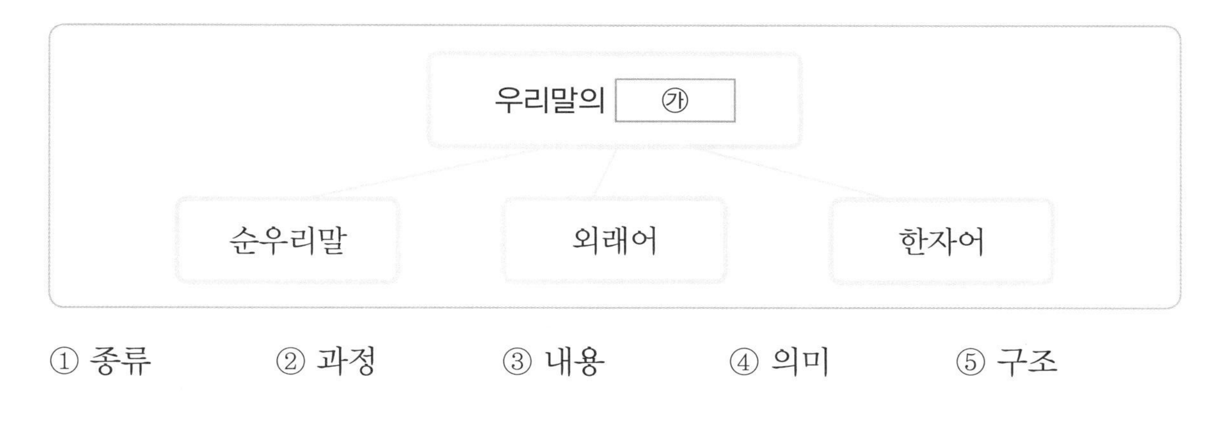

① 종류 ② 과정 ③ 내용 ④ 의미 ⑤ 구조

7 **이 글에서 설명한 내용으로 알맞은 것은 무엇입니까?**

내용 파악

① 외래어는 점점 줄어들고 있다.
② '학교, 방학, 주말'은 외래어이다.
③ 순우리말은 한자가 섞이면 안 된다.
④ 우리말에서 가장 많은 것은 순우리말이다.
⑤ 대부분의 순우리말은 현대에 만들어진 것이다.

8 **㉠에 대한 내용으로 알맞은 것은 무엇입니까?**

추론

① 우리말의 단어에 포함되지 않는다.
② 우리나라의 말이 외국으로 전해진 것이다.
③ 나라 간의 교류가 많아지면서 생겨나게 되었다.
④ 순우리말이나 한자어로 바꾸는 것은 불가능하다.
⑤ '티셔츠'는 기존에 있던 순우리말 이름을 영어로 바꾼 것이다.

틀린 문제에 ✔표를 하세요.

❶ 내용 파악	❷ 내용 적용	❸ 내용 적용	❹ 어휘	❺ 내용 파악	❻ 글의 구조	❼ 내용 파악	❽ 추론

06~10  글 읽기를 위한 어휘 연습

중요한 낱말을 다시 한번 확인하고 □에 써 보세요.

응시 (응할 應, 시험 試)	시험에 응함. 예 그는 이번 시험에 □□하지 않을 생각이다.
토대 (흙 土, 돈대 臺)	어떤 사물이나 사업의 밑바탕이 되는 기초와 밑천을 비유적으로 이르는 말. 예 이 책은 글쓴이가 실제 겪은 일을 □□로 쓴 것이다.
스트레스 (Stress)	적응하기 어려운 환경에 처할 때 느끼는 심리적 · 신체적 긴장 상태. 예 □□□□가 많이 쌓이면 일의 능률이 떨어진다.
당분간 (당할 當, 나눌 分, 사이 間)	앞으로 얼마간. 또는 잠시 동안. 예 그 가게는 □□□ 문을 열지 않는다.
한결	전에 비하여서 한층 더. 예 그의 얼굴이 예전보다 □□ 밝아 보인다.
볼록	물체의 거죽이 조금 도드라지거나 쏙 내밀린 모양. 예 개구리의 배가 □□ 튀어나왔다.
함초롬	젖거나 서려 있는 모습이 가지런하고 차분한 모양. 예 그녀는 눈에 □□□ 물기를 머금고 있어.
누리꾼	사이버 공간에서 활동하는 사람. 예 □□□들은 그 기사에 댓글을 달았다.

진출 (나아갈 進, 나아갈 出)	어떤 방면으로 활동 범위나 세력을 넓혀 나아감. 예 최근 국내 기업들의 외국 □□이 크게 늘고 있다.
출세 (날 出, 인간 世)	사회적으로 높은 지위에 오르거나 유명하게 됨. 예 그는 □□를 꿈꾸며 고향을 떠나 서울로 올라왔다.
장원 급제 (씩씩할 壯, 으뜸 元, 미칠 及, 차례 第)	과거에서, 갑과의 첫째로 뽑히던 일. 예 이 도령이 열심히 공부하더니 □□□□를 했다네.
등급 (가지런할 等, 등급 級)	높고 낮음이나 좋고 나쁨 따위의 차이를 여러 층으로 구분한 단계. 예 고기를 신선도에 따라 세 □□으로 나누었다.
말썽	일을 들추어내어 트집이나 문젯거리를 일으키는 말이나 행동. 예 딸이 너무 □□을 피워서 골치가 아프다.
모레	내일의 다음 날. 예 내일이 12일이면 □□는 13일이다.
순우리말	우리말 중에서 고유어만을 이르는 말. 예 아름다운 □□□□은 민족의 자랑이다.
발그레	엷게 발그스름한 모양. 예 소녀의 볼이 □□□ 물들었다.

06~10 일차 어휘력 쑥쑥 테스트

[01~04] 다음의 뜻에 알맞은 낱말을 [보기]에서 찾아 쓰시오.

보기

볼록 응시 토대 함초롬

01 시험에 응함. □□

02 젖거나 서려 있는 모습이 가지런하고 차분한 모양. □□□

03 물체의 거죽이 조금 도드라지거나 쏙 내밀린 모양. □□

04 어떤 사물이나 사업의 밑바탕이 되는 기초와 밑천을 비유적으로 이르는 말. □□

[05~07] 주어진 뜻에 알맞은 낱말을 빈칸에 넣어 문장을 완성하시오.

05 우리 □□□ 만나지 말자.

*뜻: 앞으로 얼마간. 또는 잠시 동안.

06 해야 할 일이 너무 많아서 □□□□를 받고 있다.

*뜻: 적응하기 어려운 환경에 처할 때 느끼는 심리적·신체적 긴장 상태.

07 인터넷 □□□들의 의견은 찬반으로 갈리었다.

*뜻: 사이버 공간에서 활동하는 사람.

08 **빈칸에 공통으로 들어갈 낱말을 쓰시오.**

ㅎ ㄱ	① 친구의 얼굴을 보니 □□ 마음이 놓다. ② 운동을 하고 나니 □□ 몸이 가뿐해졌다.

06~10 일차 십자말 풀이

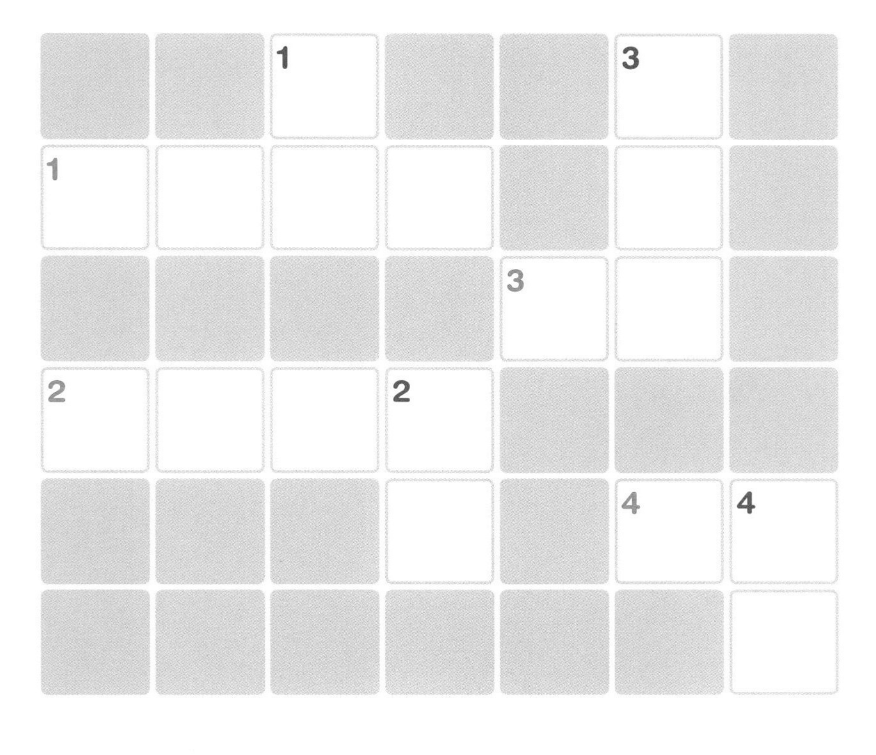

가로 열쇠

1. 과거에서, 갑과의 첫째로 뽑히던 일.
2. 우리말 중에서 고유어만을 이르는 말.
3. 내일의 다음 날.
4. 어떤 방면으로 활동 범위나 세력을 넓혀 나아감.

세로 열쇠

1. 높고 낮음이나 좋고 나쁨 따위의 차이를 여러 층으로 구분한 단계.
2. 일을 들추어내어 트집이나 문젯거리를 일으키는 말이나 행동.
3. 엷게 발그스름한 모양.
4. 사회적으로 높은 지위에 오르거나 유명하게 됨.

11~15 일차

일차	제목	갈래
11일차	가격은 어떻게 결정되는 것일까?	설명하는 글
	공유지의 비극	설명하는 글
12일차	인터넷 실명제를 도입하자	주장하는 글
	눈 결정을 사진에 담은 벤틀리	설명하는 글
13일차	「운영전」을 읽고	독서 감상문
	대한민국 국보 제1호, 숭례문	설명하는 글
14일차	아름답고 화려한 낭만주의 음악	설명하는 글
	관습과 도덕, 법의 관계	설명하는 글
15일차	생활 속의 계면 활성제	설명하는 글
	존엄한 삶, 존엄한 죽음	주장하는 글
11~15 일차	글 읽기를 위한 어휘 연습	
11~15 일차	어휘력 쑥쑥 테스트	
11~15 일차	십자말 풀이	

11 일차

♣공부한 날: 월 일 ♣맞은 개수: /9문항

설명하는 글 문제 ❶~❺

공급은 재화와 용역을 팔려고 하는 것을 말한다. 팔고 싶어 하는 사람을 공급자, 공급자가 시장에 팔려고 내놓은 재화와 용역의 양을 ㉠공급량이라고 한다. 공급자는 공급량을 어떻게 결정할까? 예를 들어, 일기장을 만들어서 3천 원에 파는 기업이 있는데 일기장 값이 5백 원으로 떨어졌다고 가정해 보자. 기업은 손해를 보지 않으려고 공급량을 줄일 것이다. 반대로 일기장이 1만 원으로 오른다면 물건을 더 많이 팔고 싶기 때문에 공급량을 늘릴 것이다. 그래서 시장에서 물건의 가격이 오르면 공급량은 늘어나고, 가격이 내리면 공급량은 줄어든다. 이렇게 가격에 따라 공급량이 변하는 것을 '공급의 법칙'이라고 한다.

수요는 재화와 용역을 사려고 하는 것을 말한다. 수요자의 입장에서 생각해 보자. 물건의 가격이 내리면 수요량은 늘어난다. 3천 원에 팔던 일기장을 어떤 문구점에서 하루 동안 5백 원에 판다면 훨씬 많은 사람들이 살 것이다. 반대로 1만 원에 판다면 웬만해서는 사지 않을 것이다. 이렇게 가격이 내리면 수요량이 늘어나고, 가격이 오르면 수요량이 줄어든다. 이처럼 가격에 따라 수요량이 변하는 것을 '수요의 법칙'이라고 한다.

그렇다면 가격은 어떻게 결정될까? 시장은 공급과 수요가 모두 모이는 곳이다. 그래서 공급과 수요가 어떻게 변하는지 알 수 있다. 상품을 팔려는 사람은 가능하면 비싼 가격을 받고 싶어 한다. 반대로 상품을 사려는 사람은 되도록 싼 가격에 사려고 한다. 하지만 가격은 팔려는 사람과 사려는 사람이 둘 다 동의하는 지점에서 결정된다. 그렇게 결정된 가격은 공급량과 수요량에 따라 끊임없이 변화한다. 공급이 많거나 수요가 줄면 가격은 내려가고, 반대로 공급이 줄거나 수요가 많아지면 가격은 오르게 된다.

공급과 수요의 법칙에 따라 [□가격 / □재화와 용역]이 결정되는 원리를 예를 들어 가며 쉽게 [□설명하는 / □주장하는] 글입니다.

1 '공급'과 '수요'가 모두 모이는 곳은 어디인지 이 글에서 찾아 쓰시오.

내용 파악

____

2 내용 파악

이 글을 이해한 내용으로 알맞은 것은 무엇입니까?

① 용역은 공급의 대상이 될 수 없다.
② 가격은 한번 정해지면 변하지 않는다.
③ 가격은 물건을 파는 사람이 단독으로 정하는 것이다.
④ 수요자의 입장에서는 같은 물건이면 가격이 낮을수록 좋다.
⑤ 물건의 가격을 높게 정하면 기업은 물건을 많이 팔 수 있다.

3 내용 적용

상품의 가격이 오를 경우에 '공급량'과 '수요량'의 변화로 알맞은 것은 무엇입니까?

① 공급량은 늘어나고 수요량은 줄어든다.
② 공급량은 줄어들고 수요량은 늘어난다.
③ 공급량은 변하지 않고 수요량은 줄어든다.
④ 공급량은 늘어나고 수요량은 변하지 않는다.
⑤ 공급량은 줄어들고 수요량은 변하지 않는다.

4 추론

[보기]는 사과의 공급과 수요의 변화를 보여 준다. 사과의 가격은 어떻게 될 것인지 빈칸에 알맞은 말을 쓰시오.

보기

올해는 사과 농사가 잘 되지 않아 수확량이 작년에 비해 절반으로 줄었다. 그래서 사람들이 추석을 맞아 제사상에 사과를 올리지 못할까봐 애를 태우고 있다.

▶ 사과의 가격은 [ ] 것이다.

5 표준 발음

㉠을 바르게 발음한 것은 무엇입니까?

① [공:금냥] ② [공:궁냥] ③ [공:급냥] ④ [공:금량] ⑤ [공:극량]

공유지의 비극은 1978년 미국의 생물학자 개럿 하딘이 ㉠공동 목초지의 사례를 들어 제시한 개념이야. 하딘은 소 100마리를 먹일 수 있는 마을 소유의 목초지를 예로 들었어. 마을 소유라면 소를 키우는 데 비용이 들지 않으니 사람들은 소를 한 마리라도 더 공동 목초지에 풀어놓고 키우려 하겠지? 문제는 소 100마리가 넘어가면 풀이 자라는 속도보다 소가 먹어 치우는 속도가 빨라진다는 거야. 결국 공동 목초지는 황폐해지고 '모두에게 손해'라는 비극적 결말을 맞게 돼.

공동 자원은 어김없이 ㉡공유지의 비극이 일어나. 자신의 이익만을 좇다 보면 공동 자원은 아주 빠르게 사라져 끝내 복원이 불가능한 상태가 돼. "나 하나쯤이야."가 전체에는 큰 손실을 초래하는 공유지의 비극이 일어나는 거야.

하딘은 공유지의 비극을 해결하는 방법으로 공유 자원을 국유화해 국가가 통제해야 한다고 주장했어. 어족 자원의 남획을 막기 위해 국가가 일정량 이상의 어족 자원을 잡는 것을 규제하는 것은 그런 이유야. 하지만 국유화가 늘 정답은 아니야. 국유화 대신 사유화가 더 나은 경우도 있어. 아프리카의 많은 나라들이 야생 동물을 국유화하고 사냥을 금지하니까 오히려 밀렵이 유행했어. 고민 끝에 몇몇 나라는 야생 동물을 국유화하지 않고 주변 부족에게 소유권을 줬어. 그 결과 부족민이 자신의 소유물이 야생 동물을 앞장서서 보호하고 밀렵꾼들을 쫓아냈지. 부족민의 철저한 보호 아래 야생 동물은 관광 수입을 올리는 보물이 됐어.

공유지의 비극은 의식 수준이 후진적인 국가에서 심하게 나타나. 당장 눈앞의 이익에 눈이 멀어 장기적인 이익을 보지 못하기 때문이지. 함께 망하는 길로 치닫는다는 점에서 공유지의 비극은 ㉢치킨 게임의 모습을 띠고 있어.

공동 목초지의 [□사례 / □유래]를 통해 공유지의 비극에 대한 심각성, 그리고 문제를 해결하기 위한 방법들을 [□설명하는 / □주장하는] 글입니다.

내용 파악

이 글에 대한 설명으로 알맞지 않은 것은 무엇입니까?

① 공유지의 비극은 의식 수준이 낮은 국가에서 잘 나타난다.
② 공유지의 비극은 미국의 생물학자 개럿 하딘이 제시한 개념이다.
③ 공유지의 비극은 장기적인 이익을 생각하지 않기 때문에 일어난다.
④ 공유지의 비극이 일어나면 공동 자원의 복원이 불가능한 상태가 된다.
⑤ 공유지의 비극을 해결하는 가장 좋은 방법은 공유 자원을 국유화하는 것이다.

7 추론

'개럿 하딘'이 ㉠을 통해 말하고자 하는 바는 무엇입니까?

① 공동 자원은 가급적 사용하지 않아야 한다.
② 개인이 사용할 수 있는 공동 자원이란 있을 수 없다.
③ 공동 자원을 사용했다면 마땅히 비용을 지불해야 한다.
④ 개인의 이기심만을 추구하다 보면 공동체 전체가 피해를 입을 수 있다.
⑤ 공동 자원은 나만의 것이 아니므로 양보할 줄 아는 마음을 가져야 한다.

8 내용 적용

㉡의 구체적 예로 알맞지 않은 것은 무엇입니까?

① 어부들이 물고기의 치어까지 싹쓸이 하는 것
② 우물을 마을 주민들만 사용하도록 제한하는 것
③ 중동 국가들이 경쟁적으로 원유를 퍼 올리는 것
④ 종이 원료로 쓰기 위해 산림 보호 구역에서 나무를 베는 것
⑤ 여러 개의 생수 공장이 다투어 지역의 지하수를 뽑아내는 것

9 추론

다음은 ㉢에 대한 설명입니다. 빈칸에 들어갈 말로 가장 알맞은 것은 무엇입니까?

> 치킨 게임의 규칙은 두 대의 자동차가 마주보고 돌진하다가 먼저 핸들을 꺾어 피하는 쪽이 겁쟁이가 되어 지는 것이다. [   ] 상황을 비유할 때 쓰이는 말이다. 예를 들어, 경쟁 관계에 있는 두 기업은 손해를 보면서까지 가격을 낮추어 치킨 게임을 벌이는데, 경쟁이 계속될수록 두 기업은 막대한 피해를 입게 되기도 한다.

① 경쟁을 피하려고 하는
② 배짱을 가지고 경쟁을 하는
③ 쓸데없이 극단적인 경쟁을 하는
④ 경쟁을 최고의 미덕으로 여기는
⑤ 강자에게는 약하고 약자에게는 강하게 구는

한눈에 보는 약점 유형 분석

틀린 문제에 ✔표를 하세요.

① 내용 파악	② 내용 파악	③ 내용 적용	④ 추론	⑤ 표준 발음	⑥ 내용 파악	⑦ 추론	⑧ 내용 적용	⑨ 추론

12 일차

♣공부한 날: [ ] 월 [ ] 일 ♣맞은 개수: [ ] / 9문항

주장하는 글 문제 ❶~❺

누구나 한 번쯤 인터넷 공간에서 자신의 생각을 글로 써서 올리거나, 다른 사람이 쓴 글에 댓글을 달아 본 경험이 있을 것이다. 인터넷 공간에서는 자유롭게 자신의 의견을 표현할 수 있고, 다른 사람이 어떻게 생각하는지에 대해서도 쉽게 찾아볼 수 있다. 이렇게 인터넷 공간에서 사람들 간에 생각을 나누는 활동은 그 방법과 범위 면에서 점점 더 발전하고 있다.

그러나 ㉠모든 일에는 밝음과 어두움이 있듯이, 인터넷 공간에서 자유롭게 의사를 표현하는 일은 좋은 점도 있지만 때로는 부작용을 가져오기도 한다. 대표적인 것이 악성 댓글이다. 악성 댓글이란 특정인과 관련된 댓글을 지나치게 공격적으로 쓰는 것이다. 또 인터넷 공간에 악의적으로 루머를 퍼뜨리는 것도 문제이다. 인터넷 공간에 전혀 사실이 아닌 일을 사실인 것처럼 글을 쓰면, 인터넷 공간의 특성상 글은 순식간에 퍼지고 그 글의 내용이 사실로 인식된다. 특히 그것이 나쁜 내용일 경우 관련자가 받게 되는 상처는 매우 심각하다.

이러한 부작용을 해소하기 위하여 글쓴이를 밝히는 인터넷 실명제를 도입할 필요가 있다. 글쓴이가 누구인지 밝히고 글을 쓴다면, 인터넷 공간에서 악성 댓글을 쓰거나 루머를 만들어 내는 일이 훨씬 줄어들 것이다. 실제로 최근 실명제를 실시한 한 사이트에서는 다른 사람을 비난하는 글의 수가 실명제를 실시하기 전보다 절반 이상 줄었다고 한다.

인터넷 실명제의 필요성은 꾸준히 제기되었지만, 표현의 자유를 침해한다는 이유로 실시되지 못했다. 그러나 자신의 생각을 표현할 권리보다도 악성 댓글로 인해 상처받지 않을 권리가 더 중요하다고 생각한다. 악성 댓글이나 루머의 강도가 점점 심해져서, 이로 인해 극단적인 선택을 하는 사람들도 늘어나고 있다. 이제 인터넷 실명제는 더 이상 미룰 수 없는 과제로 남아 있다.

인터넷 공간에서 자유롭게 의사를 표현하는 것의 [□장점 / □부작용]을 소개하고, 인터넷 [□실명제 / □종량제]를 도입하자고 주장하는 글입니다.

1 추론

다음은 ㉠의 의미를 설명한 것입니다. 빈칸에 알맞은 말을 쓰시오.

모든 일에는 [　　　] 과 나쁜 점이 있다.

2 내용 파악

글쓴이가 생각하는 인터넷 공간에서 발생할 수 있는 부작용은 무엇입니까? (정답 2개)

① 악의적인 루머를 퍼뜨릴 수 있다.
② 정보를 빠른 속도로 전달할 수 있다.
③ 자유롭게 자신의 의견을 표현할 수 있다.
④ 다른 사람들의 생각을 쉽게 알아볼 수 있다.
⑤ 특정인과 관련된 댓글을 지나치게 공격적으로 쓸 수 있다.

3 추론

글쓴이의 생각으로 알맞은 것은 무엇입니까?

① 인터넷 실명제의 필요성은 최근에 처음으로 알려졌다.
② 인터넷 공간에서 받는 피해의 강도가 점점 커지고 있다.
③ 아직 인터넷 실명제를 실시하고 있는 인터넷 공간은 없다.
④ 인터넷 공간에서 글이 퍼지기 위해서는 시간이 많이 필요하다.
⑤ 인터넷 공간에서 자신의 의견을 표현하는 것은 아직 일반적이지 않다.

4 내용 요약

이 글의 구조를 다음과 같이 정리할 때, ⓐ~ⓒ에 알맞은 내용을 쓰시오.

1문단	(　ⓐ　) 공간에서 의견을 나누는 활동의 발전.

↓

2문단	인터넷 공간에 허용된 표현의 자유에 따른 (　ⓑ　).

↓

3~4문단	인터넷 (　ⓒ　)를 도입했을 때의 효과와 도입 이유.

ⓐ: ________　ⓑ: ________　ⓒ: ________

5 내용 적용

이 글을 참고하여, [보기]의 의견을 반박하시오. (띄어쓰기를 포함하여 40자 내외로 쓰시오.)

보기

모든 사람에게는 표현의 자유가 있어. 그런데 인터넷 실명제를 실시하면 사람들은 자유롭게 자신의 의견을 표현할 수 없게 돼. 그건 표현의 자유를 억압하는 거야.

대부분의 눈 결정은 육각형 나뭇가지를 닮은 모양으로 그 종류가 수백 가지나 될 만큼 다양하다. 눈 결정의 모양은 무척 아름다워 예술이나 디자인 등 다양한 분야에서도 활용되고 있다. 그러면 사람들은 언제부터 이토록 다양하고 아름다운 눈 결정의 모양을 알게 되었을까?

눈 결정을 최초로 사진에 담은 사람은 1865년에 태어난 미국의 사진가 윌슨 벤틀리이다. 그가 처음 눈 결정을 사진으로 찍은 것은 1885년 1월 15일, 19살 때였다. 벤틀리는 15살이 되던 해에 선물로 받은 현미경으로 눈을 관찰하다가, 눈 결정의 매력에 빠지게 되었다. 이 일을 계기로 벤틀리는 어머니를 설득해, 당시로서는 매우 비싼 사진기를 구입했다. 그리고 이때부터 눈 결정을 촬영하는 일에 도전하기 시작했다.

그러나 눈 결정을 촬영하는 것은 무척 어려운 일이었다. 채집한 눈을 꺼내면 금방 녹아 버려 형체가 사라져 버렸기 때문이다. 벤틀리는 현미경과 사진기를 조합한 특수한 장치를 만들어 눈 결정을 찍으려 했지만, 결정의 모양은 좀처럼 잘 드러나지 않았다. 벤틀리는 주로 한낮에 태양 빛을 조명 삼아 사진을 찍었는데, 하얀 눈 배경이 너무 밝아 결정의 모양이 잘 찍히지 않았던 것이다. 벤틀리는 이런 상황을 개선하기 위해 사진을 찍을 때마다 필름을 한 장씩 더 부착한 후, 눈 결정의 주위에 묻어 있는 감광제를 조심스럽게 제거해 보았다.

이렇게 빛을 ㉠막기 위해 ㉡한 시간이 넘는 작업을 수차례 시행한 결과, 드디어 까만 배경에서 선명하게 드러나는 눈 결정 사진을 얻을 수 있었다. 눈 결정 촬영을 시도한 지 2년 만의 일이었다. 이후 벤틀리는 66살이 될 때까지 무려 5천 장이 넘는 눈 결정 사진을 찍었다. 벤틀리는 자신이 찍은 수천 장의 눈 결정 사진 중에 똑같은 눈 결정은 단 한 개도 없었다며 자연의 신비로움에 감탄했다.

– 수학동아

윌슨 벤틀리가 눈 결정 사진을 찍게 된 [□지역 / □과정]을 시간 순서에 따라 자세하게 [□주장하는 / □설명하는] 글입니다.

6 내용 파악

이 글을 통해 알 수 있는 내용으로 알맞은 것은 무엇입니까?

① 벤틀리는 어머니와 함께 눈 결정 사진을 찍었다.
② 벤틀리는 1865년에 처음으로 눈 결정 사진을 찍었다.
③ 벤틀리는 66살 이후에는 눈 결정 사진을 찍지 않았다.
④ 벤틀리는 특수한 장치를 만들어 단번에 눈 결정을 찍는 데 성공했다.
⑤ 벤틀리가 찍은 눈 결정 사진 중에 같은 모양의 눈 결정은 하나도 없었다.

7 내용 파악

이 글에서 '벤틀리'가 눈을 촬영하는 과정에서 겪은 어려움은 무엇입니까? (정답 2개)

① 나이가 들어 시력이 점점 나빠지고 있었다.
② 눈이 금방 녹아 버려 형체를 건질 수 없었다.
③ 하얀 눈 배경이 너무 밝아 결정을 촬영할 수 없었다.
④ 경제적인 어려움으로 비싼 사진기를 구입할 수 없었다.
⑤ 당시에는 작은 대상을 확대해서 관찰할 수 있는 현미경이 없었다.

8 어휘

㉠과 바꾸어 쓰기에 가장 알맞은 것은 무엇입니까?

① 방해하기 ② 금지하기 ③ 차단하기 ④ 공격하기 ⑤ 훼방하기

9 속담

㉡의 상황에 알맞은 속담은 무엇입니까?

① 가재는 게 편이다.
② 지성이면 감천이다.
③ 소 잃고 외양간 고친다.
④ 발 없는 말이 천 리 간다.
⑤ 낫 놓고 기역 자도 모른다.

한눈에 보는 약점 유형 분석

틀린 문제에 ✔표를 하세요.

① 추론	② 내용 파악	③ 추론	④ 내용 요약	⑤ 내용 적용	⑥ 내용 파악	⑦ 내용 파악	⑧ 어휘	⑨ 속담

♣공부한 날: 월 일 ♣맞은 개수: /8문항

독서 감상문 문제 ❶~❹

그동안 고전 소설은 모두 행복한 결말을 맺는 것으로 알았다. 그런데 「운영전」의 소개 글을 보니 이 작품은 일반적인 고전 소설과는 다르게 비극으로 끝나는 소설이라고 적혀 있었다. 그래서 나는 이 책이 어떤 내용인지 호기심이 생겼다.

주인공 운영은 안평대군의 궁녀였다. 조선 시대의 궁녀는 모시는 주인 외의 다른 남자와는 사랑을 할 수 없는 신분이었다. 그런데 어느 날 운영은 안평대군과 함께 시를 짓기 위해 궁에 들어온 김 진사를 만나게 되었고, 그와 사랑에 빠져 버렸다. 그 마음을 안평대군에게 들키면서 운영과 김 진사는 비극을 맞게 되었다. 주변의 도움에도 불구하고, 신분의 한계를 뛰어넘을 수 없었던 두 사람은 자신들의 처지에 좌절하여 결국 죽음에 이르게 된 것이다.

나는 소설을 읽으면서 신분 때문에 사랑을 할 수 없었던 두 사람의 상황이 너무 안타까웠다. 김 진사를 향한 운영의 마음을 알게 된 안평대군은 그녀를 독방에 가두어 버렸다. 그러자 같은 궁녀이자 운영의 친구인 자란이 안평대군에게 "사람이 사랑을 하는 것은 본능이고 자연스러운 것일진대, 어찌 사랑을 한다는 이유로 운영에게 벌을 내리려 하십니까?"라고 눈물로 호소했다. 나는 이 장면이 제일 인상 깊었다. 자란의 말처럼 누군가를 사랑하는 감정은 사람이라면 누구나 느낄 수 있는 것이고 매우 소중하고 아름다운 것이다. 이것은 금지한다고 해서 사라지는 것도 아니기에 안평대군의 행동은 옳지 않은 일이라고 생각했다.

신분 제도는 없어졌지만, 나이나 국적 등이 사랑의 장애가 되는 경우는 아직도 많다. 소설 속에서 운영과 김 진사는 신분의 ㉠벽을 결국 뛰어넘지 못했지만, 나는 자란의 말이 이 소설의 결말보다 더 중요한 내용이라고 생각한다. 자란의 말이 힘든 사랑을 하는 모든 사람들에게 힘이 될 수 있으면 좋겠다.

「운영전」을 읽고 난 후에 작품에 대한 [□사람들의 비판 / □자신의 의견과 느낌]을 쓴 [□안내문 / □독서 감상문]입니다.

내용 파악

다음은 글쓴이가 「운영전」에 호기심을 갖게 된 이유입니다. 빈칸에 알맞은 말을 쓰시오.

일반적인 고전 소설과는 달리 [   ]으로 끝나는 소설이기 때문입니다.

2

내용 적용

[보기]는 등장인물 간의 관계를 나타낸 것입니다. ㉮, ㉯에 알맞은 내용은 무엇입니까?

보기

김 진사 ↔(사랑하는 관계)↔ 운영 ↔(㉯)↔ 자란

운영 ↕(㉮)↕ 안평대군

	㉮	㉯
①	아버지와 딸의 관계	연인 관계
②	주인과 궁녀의 관계	친구 관계
③	양반과 하인의 관계	자매 관계
④	임금과 왕비의 관계	남매 관계
⑤	남편과 아내의 관계	형제 관계

3

추론

다음은 '자란'의 생각을 짐작하여 적은 것입니다. 알맞지 않은 것은 무엇입니까?

①궁녀가 다른 남자를 사랑하는 것은 잘못된 일이야. ②하지만 김 진사를 사랑한다는 이유로 운영을 독방에 가두는 것은 너무한 일이라고 생각해. ③사랑은 강요한다고 해서 되는 것이 아니잖아? ④우리에게 안평대군만을 바라보라고 강요하는 것은 자연의 이치에 어긋나는 일이야. ⑤안평대군도 이 점을 인정하고 우리의 마음을 구속하지 말았으면 좋겠어.

4

어휘

㉠과 같은 의미로 쓰인 것은 무엇입니까?

① 방의 분위기를 바꾸기 위해 벽의 도배를 새로 했다.
② 그는 벽에 기대어 고개를 떨군 채 눈물을 흘리기 시작했다.
③ 페인트를 새로 칠한 초록의 벽은 상큼하고 시원한 느낌을 주었다.
④ 그는 몸을 벽에 기대며 더 이상 말하고 싶지 않다는 표정을 지었다.
⑤ 우리나라는 결국 브라질의 벽을 넘지 못하고 최종 예선에서 탈락했다.

숭례문은 대한민국 국보 제1호이다. 국보는 국가가 지정하여 법률로 보호하는 문화재이다. 시대를 대표하면서 보물의 가치를 지니고 있는 것 중에서 제작 연대가 오래되고 유례가 드물며 우수하고 특이한 것들이 국보로 지정된다. 숭례문은 조선 초기에 지어진 건축물로 역사적 가치가 높고, 고려에서 조선으로 넘어오는 건축 양식의 변화를 엿볼 수 있기 때문에 국보로 지정되었다.

숭례문은 한양 도성의 정문이다. 남쪽에 있는 문이라고 해서 '남대문'이라고도 불렸다. 우리 조상은 남쪽을 매우 중요하게 생각하였다. 남쪽을 향해야 햇빛도 잘 들고, 좋은 일도 많이 생긴다는 믿음 때문이었다. [㉠] 도성 남쪽에 나 있는 숭례문을 도성의 정문으로 여긴 것은 당연한 일이다.

조선 시대에는 날마다 밤 10시 무렵에 통행을 금지하기 위하여 종을 치면서 숭례문을 닫았다가 다음 날 새벽 4시 무렵에 통행금지를 해제하기 위하여 종을 치면서 문을 열었는데, 이때 문 위에 종을 달아 그 시간을 알렸다. [㉡] 장마나 가뭄이 심할 때는 숭례문 등에서 임금이 몸소 기청제와 기우제를 지내는 등 국가의 중요한 행사를 거행하였다. 또, 숭례문은 조선의 얼굴이자 선진 문물을 받아들이는 통로였다. 그 당시 조선은 명나라, 청나라와 외교 관계를 맺으면서 많은 사신이 드나들었는데, 그들이 드나들었던 문이 바로 숭례문이었다.

고려를 무너뜨리고 새 나라 조선을 세운 이성계는 도읍을 한양으로 옮겼다. 그러고는 새로 궁궐을 짓고 그 후에, 도읍을 감싸고 있는 백악산(북악산), 타락산(낙산), 목멱산(남산), 인왕산을 연결하여 성곽인 도성을 쌓았다. 한양 도성과 함께 짓기 시작한 숭례문은 1398년에 완공되었다.

대한민국 [□**국보** / □**보물**] 제1호인 숭례문의 기능과 역할, 건축 시기 등에 대하여 [□**설명하는** / □**주장하는**] 글입니다.

5 내용 파악

조선 시대의 '통행금지'는 몇 시부터 몇 시까지였습니까?

____

6 글의 주제

다음은 '숭례문'이 '국보'로 지정된 이유를 정리한 것입니다. ⓐ~ⓒ에 알맞은 말을 쓰시오.

> 숭례문은 [ⓐ]가 높고, [ⓑ]에 지어져 당시의 [ⓒ]의 변화를 엿볼 수 있기 때문에 국보로 지정되었습니다.

7 내용 파악

숭례문에 대한 설명으로 알맞지 않은 것은 무엇입니까?

① 문 위에는 종이 있어 통행금지를 알렸다.
② 임금이 국가의 중요한 행사를 치르는 곳이었다.
③ 도성의 정문이 된 것은 방향과 깊은 관련이 있다.
④ 한양이 도읍으로 정해진 후 궁궐과 동시에 완공되었다.
⑤ 사신이 드나드는 곳으로, 외교적으로 중요한 역할을 했다.

8 어휘

㉠과 ㉡에 들어갈 말로 알맞은 것은 무엇입니까?

	㉠	㉡
①	그러니	그리고
②	그리고	그러니
③	그러니	그러나
④	그러나	그리고
⑤	그리고	그러나

한눈에 보는 약점 유형 분석

틀린 문제에 ✔표를 하세요.

❶ 내용 파악	❷ 내용 적용	❸ 추론	❹ 어휘	❺ 내용 파악	❻ 글의 주제	❼ 내용 파악	❽ 어휘

♣공부한 날: 월 일 ♣맞은 개수: /8문항

설명하는 글 문제 ❶~❹

18세기 이후 중산층과 평민들은 부와 명성을 쌓으면서, 점차 문화생활을 즐기는 시간이 많아졌다. 앞선 시대의 고전주의 음악이 반복과 대비를 통해 형식의 우아함을 표현하고자 했다면, 낭만주의 시대에는 기쁨, 슬픔 등 감정의 강렬함을 표현하고자 했다. 또한, 악기들도 많이 개량되어 더 쉽게 연주할 수 있게 되었다. 따라서 다양한 악기를 위한 연주곡이 생겨나고 그전엔 없던 기법으로 연주하는 연주자들이 생겨나기 시작했다. 교향곡 역시 고전파 음악보다 더 웅장하며 길어진 음악들이 성행했다.

낭만주의 시대의 음악은 아름다운 멜로디와 화려한 화음이 특징이다. 또한, 다양한 악기의 발달로 깊고 화려한 소리를 낼 수 있게 되었다. 그래서 오케스트라의 규모도 커지고, 다양한 음악 표현이 가능해졌다. 또한, 낭만파 시대에 스타 작곡가와 연주가들이 탄생하게 되면서 음악이 더욱 발전했다.

「군대 행진곡」의 작곡가로 유명한 슈베르트는 낭만주의 시대의 대표적인 음악가이다. 슈베르트 음악의 특징은 물 흐르듯 아름다운 선율이다. 슈베르트의 곡을 듣고 있으면 가곡뿐만 아니라 피아노곡이나 교향곡마저도 선율이 시처럼 아름답다. 그의 대표적인 작품에는 「아름다운 물방앗간의 아가씨」, 「겨울 나그네」 등이 있다.

이 시대에 ㉠활약한 또 다른 음악가로는 쇼팽이 있다. 폴란드에서 태어난 쇼팽은 20세가 되었을 때, 파리로 떠나면서 그의 피아노 인생이 새롭게 빛을 발하게 되었다. 훌륭한 피아니스트였던 쇼팽은 오로지 피아노로만 표현할 수 있는 가장 아름다운 음악을 만들기 위해 노력했다. 그래서 「마주르카」, 「녹턴」, 「폴로네즈」, 「발라드와 즉흥곡」, 「소나타」, 「에튀드」 등 많은 형식의 피아노 작품을 남겼다.

– 음악 미술 개념사전 _양소영

[□고전주의 / □낭만주의] 음악의 특징을 소개하고 대표적인 음악가인 [□슈베르트와 쇼팽 / □모차르트와 베토벤]에 대해 설명하는 글입니다.

내용 파악

이 글에 나타난 '고전주의 음악'과 '낭만주의 음악'의 특징으로 알맞은 것은 무엇입니까?

	고전주의 음악	낭만주의 음악
①	화음의 화려함	형식의 우아함
②	형식의 우아함	감정의 강렬함
③	화음의 화려함	감정의 강렬함
④	감정의 강렬함	선율의 다양함
⑤	감정의 강렬함	형식의 우아함

2 글의 구조

이 글의 구조를 다음과 같이 나타낸다고 할 때, ⓐ, ⓑ에 알맞은 내용을 쓰시오.

1문단	(　ⓐ　) 시대 음악의 변화.
↓	
2문단	낭만주의 시대 음악의 특징.
↓	
3, 4문단	낭만주의 시대의 대표적인 (　ⓑ　)들.

3 내용 파악

이 글의 '슈베르트'와 '쇼팽'에 대한 설명으로 알맞지 않은 것은 무엇입니까?

① 쇼팽의 대표적인 작품에는 「폴로네즈」가 있다.
② 슈베르트 음악의 특징은 물 흐르듯 아름다운 선율이다.
③ 슈베르트와 쇼팽은 고전주의 시대의 대표적인 음악가들이다.
④ 슈베르트의 대표적인 작품에는 「아름다운 물방앗간의 아가씨」가 있다.
⑤ 쇼팽은 오로지 피아노로만 표현할 수 있는 음악을 만들기 위해 노력했다.

표준 발음

㉠을 소리 나는 대로 바르게 쓰시오.

인간은 오랜 역사를 거치면서 여러 방면에서 살기 편하고 효율적인 방법을 찾아냈고, 그것을 반복적으로 지키다 보니 관습이 생겨났다. 인사도 일종의 관습이다. 인사를 잘하면 자연스레 사이가 좋아지고 서로 협력하는 게 수월해진다. 인사를 안 하면 버릇없는 사람이라고 욕을 먹듯이, 관습을 지키지 않으면 사회적으로 따돌림을 당하거나 ⓐ눈총을 받는다.

도덕은 관습 중에서도 중요한 것을 논리적으로 정리한 것으로, 교육을 통해 사람의 마음속에 자리잡은, 마땅히 스스로 지켜야 할 바람직한 행동 기준을 말한다. 누가 강요해서 지키는 것이 아니라 스스로 알아서 지킬 때 도덕적이라고 한다. 도덕적인 사람은 '훌륭하다, 믿을 수 있다, 협력할 수 있다'와 같은 칭찬을 들으며 양심의 가책으로부터 자유롭다. 그러나 ㉠도덕을 지키지 않는 사람은 '비인간적이다, 믿을 수 없다, 함께 일할 수 없는 사람이다'와 같은 비난을 받고 양심의 가책을 느낀다.

법은 국가가 만들어 집행하는 사회 규범이다. 이 법을 위반하면 국가 기관이 감옥에 보내거나 벌금을 물리는 등의 대가를 치르게 한다. 다른 사람을 헐뜯는 것은 도덕적으로 옳지 않다. 어떤 사람을 헐뜯는 말을 많은 사람에게 퍼뜨리면, 당하는 사람은 매우 불쾌하고 화가 난다. 그래서 국가는 이러한 행위를 '명예훼손죄'로 정하고 처벌을 한다. 도덕 중에서도 중요한 것을 법으로 만들어 반드시 지키도록 한 것이다.

'㉡법은 도덕의 최소한'이라는 말이 있다. 인간 생활에서 중요한 것은 되풀이되면서 관습이 되었고, 관습 중에서 중요한 것은 논리적으로 정리되어 도덕이 되었고, 도덕 중에서 중요한 것은 국가에 의하여 강제력을 부여받은 법이 되었다.

– 사회 선생님도 궁금한 101가지 사회 질문 사전

관습과 도덕, 법의 [□의미 / □종류]를 알려 주고, 그 관계에 대해 [□설명하는 / □광고하는] 글입니다.

5 내용 파악

'관습', '도덕', '법'의 관계에 대한 설명으로 알맞은 것은 무엇입니까?

① 관습은 도덕과 법을 포함한다.
② 도덕은 관습과 법을 포함한다.
③ 법은 관습과 도덕을 포함한다.
④ 법의 범위는 도덕보다 크고 관습보다 작다.
⑤ 관습의 범위는 도덕보다 작고 법보다는 크다.

6 내용 적용

[보기]는 '관습, 도덕, 법'의 관계를 그림으로 나타낸 것입니다. 이를 참고할 때, ㉠의 예로 가장 적절한 것은 무엇입니까?

보기

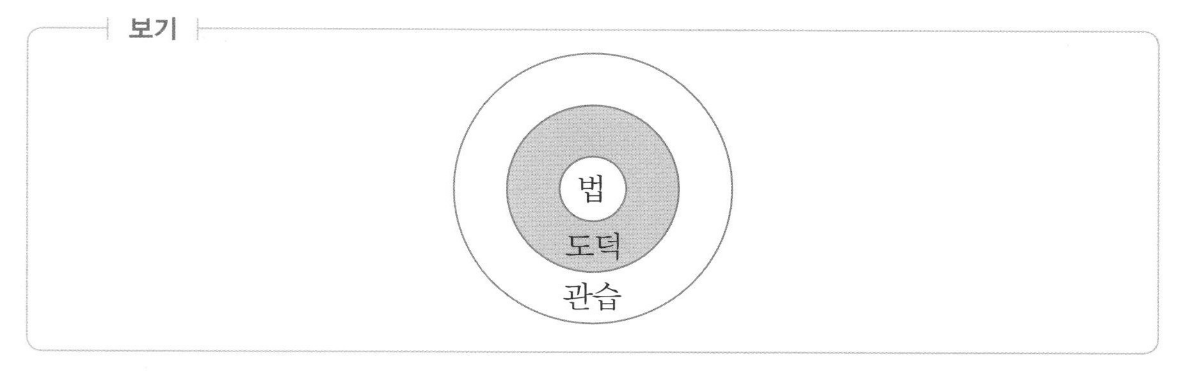

① 점원이 보지 않는 틈을 타서 편의점에서 음료수를 훔쳤다.
② 식당에서 맛있는 음식을 먹고 나서 돈을 내지 않고 몰래 나왔다.
③ 신호등의 빨간 불을 보고도 정지하지 않고 속력을 내어 지나갔다.
④ 같은 반 친구에 대한 확인되지 않은 나쁜 소문을 인터넷에 올렸다.
⑤ 버스에서 할머니가 타신 것을 모른 척하고 노약자석에 앉아 있었다.

7 추론

㉡의 의미로 가장 알맞은 것은 무엇입니까?

① 법과 도덕은 그 성격이 다르다.
② 법은 지키지 못해도 도덕은 지켜야 한다.
③ 도덕 중에서도 꼭 지켜야 하는 것이 법이다.
④ 도덕을 지키는 것보다 법을 지키는 것이 더 어렵다.
⑤ 법을 지키는 사람은 도덕을 지키는 사람보다 착하다.

8 어휘

ⓐ와 비슷한 의미를 가진 것은 무엇입니까?

① 눈살 ② 눈길 ③ 눈빛 ④ 눈동자 ⑤ 눈꼬리

틀린 문제에 ✔표를 하세요.

① 내용 파악	② 글의 구조	③ 내용 파악	④ 표준 발음	⑤ 내용 파악	⑥ 내용 적용	⑦ 추론	⑧ 어휘

♣공부한 날: [ ] 월 [ ] 일 ♣맞은 개수: [ ] / 9문항

설명하는 글 문제 ❶~❹

계면 활성제란 성질이 다른 두 물질이 [㉠] 경계면을 허물어뜨려서 두 물질이 잘 섞이게 하는 물질을 말한다. 물에 기름을 넣거나 기름에 물을 넣고 흔들어 보면 처음에는 섞이는 것 같지만 결국은 두 액체가 섞이지 않고 분리되어 층을 이룬다. 그러나 여기에 계면 활성제를 넣고 흔들어 주면 층이 없어지고 두 액체가 섞인다.

우리가 섭취하는 식품에도 계면 활성제가 들어 있는 것이 많다. 음식을 조리하는 과정에서 계면 활성제 성질을 가진 재료는 여러 가지 식재료를 잘 섞이게 하고, 새로운 맛을 낸다. 우유에는 단백질, 지방 등의 필수 영양소가 골고루 들어 있는데, 사실 이 영양소들은 물에 잘 녹지 않는 성분이다. 하지만 레시틴이라는 천연 계면 활성제의 역할 덕분에 우유 속 단백질과 지방은 물에 녹을 수 있다. 레시틴이 단백질과 지방, 물 모두와 섞이면서 단백질과 지방이 물에 녹을 수 있도록 돕는 것이다.

레시틴은 우리 식탁에 자주 올라오는 계란에 많이 들어 있는 영양소이기도 하다. 계란 노른자와 콩기름은 서로 성질이 달라 쉽게 섞이지 않는다. 그러나 이 둘을 충분히 저어 가며 섞어 주면 계란 노른자 속의 천연 계면 활성제인 레시틴 때문에 잘 섞여서 마요네즈를 만들 수 있다.

비누 또한 아주 오래전부터 사용해 온 계면 활성제이다. 손이나 옷에 묻어 있는 기름때는 물과 섞이지 않기 때문에 물만으로는 깨끗하게 씻을 수가 없다. 그러나 비누는 계면 활성제이기 때문에, 비누를 사용하면 물과 기름때가 섞이게 되어 기름때를 씻어 낼 수가 있다. 손만 깨끗이 씻어도 기름때로 인한 세균 감염을 크게 예방할 수 있기 때문에, 비누의 사용은 질병 예방에도 큰 도움을 주었다.

– 친절한 과학사전 화학편 _ 이종단

계면 활성제의 [□감염 / □기능]과 우리 생활 속에서 계면 활성제가 쓰이는 사례에 대해 [□설명하는 / □주장하는] 글입니다.

내용 파악

다음은 물에 기름을 넣고 흔들었을 때 나타나는 결과입니다. 빈칸에 알맞은 말을 쓰시오.

처음에는 물과 기름이 □□□ 것 같지만 곧 □□된다.

내용 적용

다음은 비누로 손을 씻는 과정입니다. ⓐ, ⓑ에 각각 들어갈 말을 쓰시오.

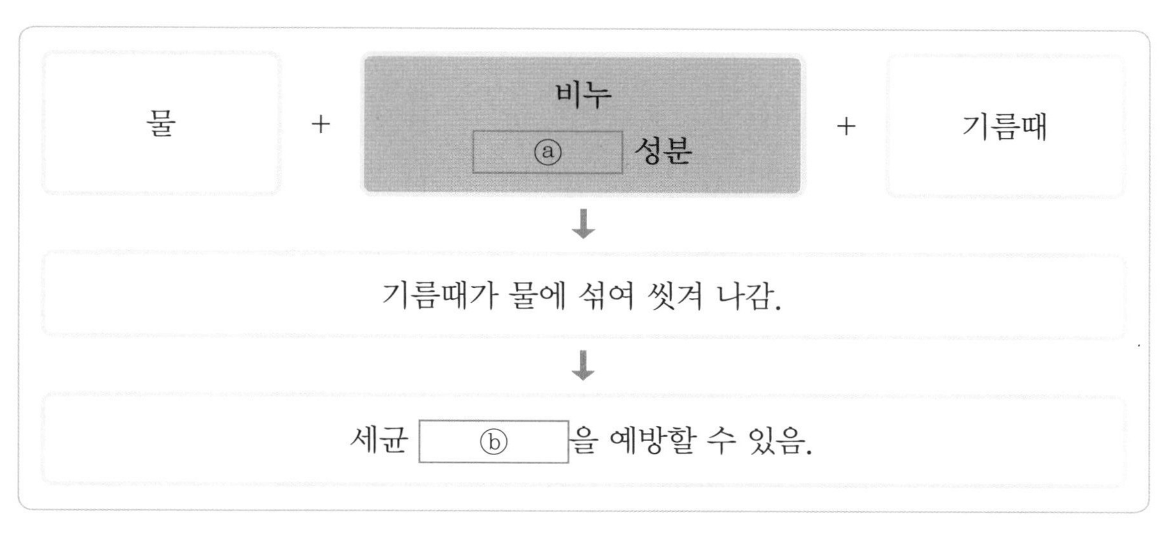

3 중심 내용

이 글의 '레시틴'에 대한 설명으로 알맞지 않은 것은 무엇입니까?

① 우유 속에 들어 있는 천연 계면 활성제이다.
② 우리가 자주 먹는 콩 속에 많이 들어 있다.
③ 단백질과 지방이 물에 녹을 수 있도록 도와준다.
④ 마요네즈를 만들 때 계란 노른자와 콩기름이 잘 섞이게 해 준다.
⑤ 식재료를 잘 섞이게 해 줄 뿐만 아니라 새로운 맛을 내기도 한다.

맞춤법

㉠에 들어갈 말로, '마주 닿다.'라는 뜻의 낱말을 바르게 쓴 것은 무엇입니까?

① 맞닿은 ② 맏닿은 ③ 맞다은
④ 맏다은 ⑤ 맞닫은

연명 치료는 질병의 회복이 불가능하다는 의사의 판단 하에서 생명의 연장을 위해 이루어지는 치료로, 연명 치료를 중단하게 되면 환자는 자연적으로 죽음에 이르게 된다. 연명 치료를 하는 중에는 심장이 뛰고 호흡이 이루어지기 때문에 환자는 의학적으로 살아 있는 상태이다. 그래서 연명 치료를 중단하는 행위에 대하여 생명 연장을 할 수 있는 의료 기술이 있는데, 이를 시행하지 않는 것은 살인과 다름없다는 의견도 있다.

그러나 연명 치료를 하는 환자가 과연 진정으로 살아 있는 것인지를 생각해 보아야 한다. 연명 치료를 하는 환자는 중환자실에 계속 누워 아무것도 하지 못한 채, 병으로 인한 극심한 고통을 느끼면서 살아간다. 회복될 가망이 없는 상태에서 엄청난 고통을 느끼며 지내는 것은 죽는 것보다 더 힘든 일일 수도 있다. 그리하여 환자들 중에는 연명 치료를 중단하는 행위를 문제 삼지 않는 나라를 찾아가 치료를 중단하는 경우도 있다.

환자의 자유로운 의지에 따라 연명 치료는 중단할 수 있어야 한다. 인간에게는 존엄하게 살아갈 권리가 있고 존엄하게 죽을 권리도 있다. 우리에게는 편안하고 품위를 지킬 수 있는 상태에서 죽을 권리가 보장되어야 한다. 연명 치료를 원하지도 않는 사람이 정해진 법 때문에 어쩔 수 없이 남은 인생을 중환자실에 누워서 고통 속에 살아야 한다면 그것이 [㉠] 존엄한 삶과 존엄한 죽음일까?

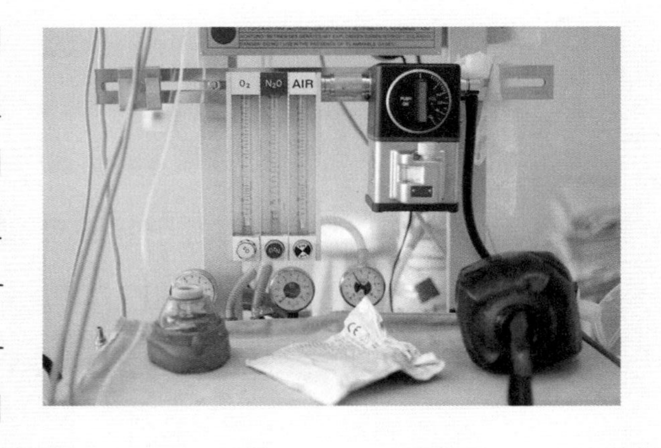

물론 연명 치료를 중단하는 것을 법으로 허용하면 이것을 살인에 악용하는 경우가 생길 수도 있다. 그러나 이것은 조건을 엄격하게 하면 막을 수 있는 일이다. 반드시 환자 본인의 의사에 따르도록 하고, 의사와의 상담을 여러 번 거쳐 시행한다면 문제는 생기지 않을 것이다. 환자가 원치 않는 생명 연장을 강제로 하게 하는 것은 법이 국민에게 폭력을 행사하는 일이다.

환자의 의사에 따라 연명 치료를 [□중단할 수 있어야 한다 / □중단해서는 안 된다]는 것을 [□설명하는 / □주장하는] 글입니다.

5 내용 파악

다음은 이 글에 나타난 '연명 치료'의 의미를 설명한 것입니다. 빈칸에 알맞은 말을 쓰시오.

> '연명 치료'란 질병의 회복이 [　　　] 하다는 의사의 판단하에서 생명의 [　　　] 을 위해 이루어지는 치료입니다.

6 내용 파악

이 글의 내용에 맞으면 ○표, 틀리면 ×표 하시오.

(1) 연명 치료를 하는 환자는 의학적으로 살아 있는 상태이다. (　　)

(2) 우리나라는 연명 치료를 할 수 있는 기술이 많이 부족하다. (　　)

(3) 연명 치료를 하는 과정에서 환자는 극심한 고통을 느낄 수 있다. (　　)

7 추론

글쓴이의 생각으로 알맞지 않은 것은 무엇입니까?

① 연명 치료를 중단할 때에는 보호자의 의사가 가장 중요하다.

② 인간에게는 존엄하게 살 권리와 존엄하게 죽을 권리가 있다.

③ 연명 치료를 중단하는 행위가 모든 나라에서 불법인 것은 아니다.

④ 연명 치료를 시행하지 않는 행위를 살인이라고 생각하는 사람도 있다.

⑤ 회복 가망이 거의 없는 환자가 연명 치료를 계속하는 것은 매우 힘든 일이다.

8 내용 적용

이 글을 참고하여, [보기]의 의견을 반박하시오. (띄어쓰기 포함 30자 내외로 쓰시오.)

> **보기**
>
> 연명 치료를 중단할 수 있는 법 제도가 마련되면, 이것을 이용하여 죽음을 원하지 않는 환자를 죽음에 이르게 하는 일이 벌어질 수도 있어. 따라서 연명 치료 중단을 허용해서는 안 돼.

9 어휘

㉠에 들어갈 말로, '결과에 있어서도 참으로.'를 뜻하는 것은 무엇입니까?

① 비록　② 역시　③ 결코　④ 짐짓　⑤ 과연

한눈에 보는 약점 유형 분석

틀린 문제에 ✔표를 하세요.

❶ 내용 파악	❷ 내용 적용	❸ 중심 내용	❹ 맞춤법	❺ 내용 파악	❻ 내용 파악	❼ 추론	❽ 내용 적용	❾ 어휘

11~15 일차 글 읽기를 위한 어휘 연습

중요한 낱말을 다시 한번 확인하고 □에 써 보세요.

손실 (줄 損, 잃을 失)	줄어들거나 잃어버려서 손해를 봄. 예 공장의 화재로 사장은 큰 □□을 입었다.
국유화 (나라 國, 소유할 有, 될 化)	나라의 소유가 됨. 또는 그렇게 되게 함. 예 사회주의 국가는 모든 산업을 □□□하고 있다.
인식 (알 認, 알 識)	사물을 분별하고 판단하여 앎. 예 역사에 대한 올바른 □□을 갖는 것이 중요하다.
제거 (덜 除, 갈 去)	없애 버림. 예 책상에 붙은 스티커를 깨끗하게 □□했다.
호소 (부를 呼, 하소연할 訴)	억울하거나 딱한 사정을 남에게 간곡히 알림. 예 그는 억울한 사정을 사람들에게 □□했다.
거행 (들 擧, 갈 行)	의식이나 행사 따위를 치름. 예 곧 졸업식을 □□하겠습니다.
눈총	눈에 독기를 띠며 쏘아보는 시선. 예 그는 공공장소에서 떠들어 □□을 받았다.
가책 (꾸짖을 呵, 꾸짖을 責)	자기나 남의 잘못에 대하여 꾸짖어 책망함. 예 그녀는 양심의 □□을 느껴 경찰에 자수했다.

공급량 (이바지할 供, 넉넉할 給, 헤아릴 量)	공급의 크기를 나타내는 양. 예 물건을 찾는 사람들이 많아서 □□□을 늘렸다.
소유권 (바 所, 있을 有, 권리 權)	소유한 물건에 대한 권리. 예 아버지는 건물의 □□□을 아들에게 넘겼다.
어김없이	어기는 일 없이. 틀림없이. 예 아침이 되면 □□□□ 해가 뜬다.
침해 (침노할 侵, 해칠 害)	침범하여 해를 끼침. 예 다른 사람의 일기장을 훔쳐보는 것은 사생활을 □□하는 것이다.
해제 (풀 解, 덜 除)	묶인 것이나 행동에 제약을 가하는 법령 따위를 풀어 자유롭게 함. 예 누구나 자유롭게 드나들 수 있도록 출입문의 암호를 □□하였다.
완공 (완전할 完, 장인 工)	공사를 완성함. 예 이 건물은 이달에 □□될 예정이다.
개량 (고칠 改, 좋을 良)	나쁜 점을 보완하여 더 좋게 고침. 예 우리나라 기후에 맞게 품종을 □□했다.
기법 (재주 技, 법 法)	기술이나 솜씨를 나타내는 방법. 예 이 사진은 독특한 □□으로 촬영된 것이다.

11~15 일차 어휘력 쑥쑥 테스트

[01~04] 다음의 뜻에 알맞은 낱말을 [보기]에서 찾아 쓰시오.

보기
가책　　거행　　눈총　　인식

01 의식이나 행사 따위를 치름. □□

02 사물을 분별하고 판단하여 앎. □□

03 눈에 독기를 띠며 쏘아보는 시선. □□

04 자기나 남의 잘못에 대하여 꾸짖어 책망함. □□

[05~07] 주어진 뜻에 알맞은 낱말을 빈칸에 넣어 문장을 완성하시오.

05 청소를 하여 방 안의 쓰레기를 모두 □□했다.

*뜻: 없애 버림.

06 그는 법정에서 자신의 억울함을 눈물로 □□했다.

*뜻: 억울하거나 딱한 사정을 남에게 간곡히 알림.

07 다섯 시까지는 □□□□ 돌아와야 한다.

*뜻: 어기는 일 없이. 틀림없이.

08 빈칸에 공통으로 들어갈 낱말을 쓰시오.

ㅅ ㅅ	① 기계를 한번 세우면 여러모로 □□이 크다. ② 그는 부동산에 투자해서 막대한 □□을 입었다.

11~15 일차 십자말 풀이

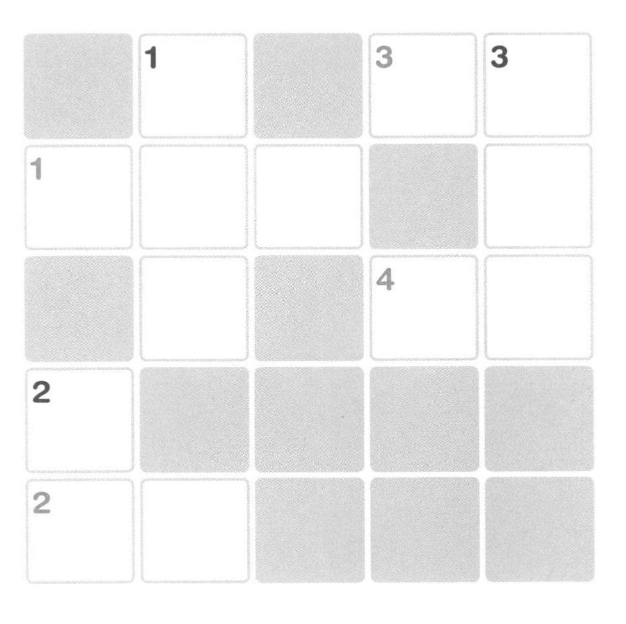

가로 열쇠

1. 나라의 소유가 됨. 또는 그렇게 되게 함.
2. 묶인 것이나 행동에 제약을 가하는 법령 따위를 풀어 자유롭게 함.
3. 공사를 완성함.
4. 나쁜 점을 보완하여 더 좋게 고침.

세로 열쇠

1. 소유한 물건에 대한 권리.
2. 침범하여 해를 끼침.
3. 공급의 크기를 나타내는 양.

16~20 일차

일차	제목	종류
16일차	유해한 TV 프로그램에 노출된 학생들	주장하는 글
	동백꽃	소설
17일차	서비스업의 성장	설명하는 글
	핼러윈 데이를 즐기는 좋은 방법	주장하는 글
18일차	오페레타, 『박쥐』	설명하는 글
	장독의 과학	설명하는 글
19일차	기본적이고도 중요한 악기, 피아노	설명하는 글
	외모 지상주의의 시대	주장하는 글
20일차	제1차 세계 대전의 시작	설명하는 글
	「마지막 잎새」를 읽고	독서 감상문
16~20일차	글읽기를 위한 어휘 연습	
16~20일차	어휘력 쑥쑥 테스트	
16~20일차	십자말 풀이	

독해 16 일차

♣공부한 날: [ ] 월 [ ] 일 ♣맞은 개수: [ ] / 8문항

주장하는 글 문제 ❶~❹

텔레비전은 우리 주변에서 가장 쉽게 접할 수 있는 대중 매체이다. 전원만 누르면 어느 시간, 어떤 프로그램이라도 시청할 수 있는 편리한 매체이기도 하다. ㉠그런데 이런 편리성이 학생들에게는 독이 될 수 있다. 텔레비전 프로그램을 시청하는 데에 아무런 제약이 없기 때문에, 학생들은 자신에게 부적절한 프로그램들을 쉽게 접할 수가 있다.

물론 각 프로그램에는 시청 가능한 연령별 등급이 매겨져 있지만 이것은 크게 효과가 없다. 이 등급은 모든 연령, 12세, 15세, 18세 관람 가능 등급으로 나누어져 있다. 이 등급 규정에 따르면 초등학생은 모든 연령이 관람할 수 있는 프로그램만을 자유롭게 볼 수 있고, 그 외의 프로그램은 부모님의 지도를 받아 시청해야 한다. 그러나 실제로 등급 규정에 따라 프로그램을 시청하는 경우는 극히 드물다. 텔레비전은 부모님이 안 계셔도 볼 수 있기 때문에, 적절한 관람가의 프로그램이 아니어도 얼마든지 시청할 수 있다.

따라서 프로그램에 시청 가능한 연령별 등급을 매기는 것보다 더 실질적인 방안이 필요하다. 가장 좋은 방안은 프로그램의 내용을 전체적으로 더 건전하게 만드는 것이다. 잘못된 언어를 사용하는 장면, 지나치게 폭력적인 장면, 음주를 하는 장면 등은 프로그램에서 과감히 삭제해야 한다. 유해한 장면으로부터 어린 학생들을 보호하기 위해서는 프로그램 제작자들의 노력이 필요하다.

유해한 텔레비전 프로그램으로부터 학생들을 보호하는 데에는 시청자들의 노력도 필요하다. 시청자들이 프로그램 속 유해한 내용을 제보하는 것이다. 프로그램을 보면서 정서에 유해하거나 적절하지 않은 장면들이 나온다면 방송국이나 다른 언론을 통해 해당 내용을 제보해야 한다. 이러한 제보는 제작자들에게 전달되어 그들이 프로그램을 더욱 신중하게 만들 수 있도록 도울 것이다.

유해한 텔레비전 프로그램으로부터 어린 학생들을 보호하기 위해 [□제작자와 시청자들 / □선생님과 부모님들]이 노력할 것을 [□설명하는 / □주장하는] 글입니다.

1 서술 방식

이 글에 대한 설명으로 가장 알맞은 것은 무엇입니까?

① 대상에 대해 찬성하는 입장과 반대하는 입장을 모두 보여 주고 있다.
② 다른 나라의 상황을 예로 들어 문제점을 해결하려고 노력하고 있다.
③ 서로 대립하는 두 입장을 모두 만족시킬 수 있는 대책을 내놓고 있다.
④ 현재 해결 방법의 문제점을 지적하면서 실질적인 방안을 내놓고 있다.
⑤ 현재 상황에 대한 문제점만 지적하고 해결책을 제시하지는 못하고 있다.

2 내용 파악

다음은 글쓴이가 이야기한 텔레비전 프로그램의 유해한 장면들입니다. 빈칸에 알맞은 말을 쓰시오.

(1) 잘못된 [   ]를 사용하는 모습
(2) 지나치게 [   ]적인 장면
(3) [   ]를 하는 장면

3 내용 파악

다음은 글쓴이가 '시청 가능한 연령별 등급'을 표시하는 일이 효과가 없다고 한 이유입니다. 빈칸에 알맞은 말을 쓰시오.

학생들은 [   ]이 안 계신 상황에서도 텔레비전을 볼 수 있기 때문입니다.

4 추론

㉠의 예로 볼 수 없는 것은 무엇입니까?

① 칼이 너무 잘 들어서 손을 베고 말았다.
② 더워서 에어컨을 오래 켰더니 감기에 걸렸다.
③ 열심히 우리 팀을 응원했지만 경기에 지고 말았다.
④ 조리하기 편한 가공식품을 많이 먹어서 건강이 나빠졌다.
⑤ 기억하기 쉽게 만든 비밀번호를 다른 사람들이 알아챘다.

나흘 전 감자 조각만 하더라도 나는 저에게 조금도 잘못한 것은 없다. 계집애가 나물을 캐러 가면 갔지 남 울타리 엮는 데 귀찮게 하는 것은 다 뭐냐. 그것도 발소리를 죽여 가지고 등 뒤로 살며시 와서,

"얘! 너 혼자만 일하니?"

하고 수작을 하는 것이다. 어제까지도 저와 나는 이야기도 잘 않고 서로 만나도 본척만척하고 이렇게 점잖게 지내던 터이련만 오늘로 갑작스레 대견해진 것은 웬일인가. 더군다나 망아지만한 계집애가 남 일하는 놈 보고,

"그럼 혼자 하지 떼로 하니?"

내가 이렇게 퉁명스런 소리를 하니까,

"너 일하기 좋니?" / 또는,

"한여름이나 되거든 하지 벌써 울타리를 하니?"

잔소리를 두루 늘어놓다가 남이 들을까 봐 손으로 입을 틀어막고는 그 속에서 [ⓐ] 댄다. 별로 우스울 것도 없는데 날씨가 풀리더니 이놈의 계집애가 미쳤나 하고 의심하였다. 게다가 조금 뒤엔 제 집 쪽을 [ⓑ] 돌아보더니 행주치마 속으로 꼈던 오른손을 뽑아서 나의 턱밑으로 불쑥 내미는 것이다. 언제 구웠는지 아직도 더운 김이 홱 끼치는 굵은 감자 세 개가 손에 뿌듯이 쥐였다.

"느 집엔 이거 없지?"

하고 생색 있는 큰소리를 하고는 제가 준 것을 남이 알면 큰일 날 테니 여기서 얼른 먹어 버리란다. 그리고 또 하는 소리가,

"너 봄감자가 맛있단다." / "난 감자 안 먹는다, 너나 먹어라."

나는 고개도 돌리려 하지 않고 일하던 손으로 그 감자를 도로 어깨너머로 쑥 밀어 버렸다. 그랬더니 그래도 가는 기색이 없고 뿐만 아니라 [ⓒ] 하고 심상치 않게 숨소리가 점점 거칠어진다. 이건 또 뭐야, 싶어서 그때서야 비로소 돌아다보니 나는 참으로 놀랐다. 우리가 이 동리에 들어온 것은 근 삼 년째 되어 오지만 ㉠<u>여태껏 가무잡잡한 점순이의 얼굴이 이렇게까지 홍당무처럼 새빨개진 법이 없었다.</u>

– 동백꽃 _김유정

시골에 사는 나와 점순이가 옥신거리는 모습을 통해 [□순수한 / □성숙한] 사랑을 보여 주고 있는 [□소설 / □동시]입니다.

5 내용 파악

'나'에 대한 점순이의 호의를 보여 주는 소재는 무엇인지 찾아 쓰시오.

____

6 추론

㉠에서 알 수 있는 점순이의 마음을 가장 잘 표현한 말은 무엇입니까?

① 가여움　② 불안함　③ 민망함
④ 반가움　⑤ 유쾌함

7 추론

이 글을 이해한 내용으로 알맞지 않은 것은 무엇입니까?

① 나는 이제까지 점순이에게 별로 관심이 없었다.
② 나는 점순이의 호의를 기쁜 마음으로 받아들였다.
③ 점순이와 나는 서로 인사도 잘 하지 않는 사이였다.
④ 나는 점순이에게 잘못한 것이 전혀 없다고 생각한다.
⑤ 점순이는 다른 사람들 모르게 내게 잘해 주고 싶어 한다.

8 어휘

ⓐ~ⓒ에 들어갈 말로 알맞은 것끼리 연결하시오.

ⓐ •　　• 깔깔
ⓑ •　　• 쌔근쌔근
ⓒ •　　• 힐끔힐끔

한눈에 보는 약점 유형 분석

틀린 문제에 ✔표를 하세요.

① 서술 방식	② 내용 파악	③ 내용 파악	④ 추론	⑤ 내용 파악	⑥ 추론	⑦ 추론	⑧ 어휘

♣공부한 날: 월 일 ♣맞은 개수: /9문항

설명하는 글 문제 ❶~❺

현대에 이르러 다양한 서비스업의 등장과 함께 국가 경제에서 서비스업이 차지하는 비중이 점차 커지고 있다. 그래서 서비스업의 발전 정도는 경제 및 생활 향상의 지표로 간주되며 서비스업의 발달은 산업 사회의 특징으로 인식되고 있다. 산업 구조가 고도화되면서 서비스업의 비중이 커지는 것이다.

서비스업은 소득이 증가할수록 수요가 크게 늘어나는 특성이 있다. 소득이 10% 늘어났다고 가정했을 때, 농산물이나 공산품의 수요 증가보다 서비스업의 수요 증가가 훨씬 크게 나타난다. 한 국가의 경제가 성장하면 소득 수준이 높아져 서비스업의 수요가 증가하지만 서비스업의 특성상 기계화가 어렵기 때문에 서비스업 수요가 늘어날수록 고용도 함께 늘어나는 것이다.

서비스업, 즉 3차 산업은 생산품 종류에 관계없이 농수산업과 공업 등의 1, 2차 산업을 제외한 그 밖의 모든 산업을 지칭하는 것으로 여러 성격의 경제 활동을 포함한 개념이다. 서비스업의 비중이 늘어나면서 서비스업의 종류 또한 엄청나게 늘어나 서비스업을 범주화할 필요성이 제기되었다. 이에 따라 편의상 3차 산업을 금융 · 보험 · 운송 등으로 한정하고, 4차 산업은 정보 · 의료 · 교육 등 지식 집약형 산업으로, 5차 산업은 취미 · 오락 · 패션 산업 등으로 구분하기도 한다.

서비스업이라고 하면 흔히 편의점처럼 물건을 파는 가게나 음식점 등을 떠올린다. 이는 서비스업이 소비 산업이라는 편견을 가지고 있기 때문이다. 이제 서비스업도 고도의 지식과 정보를 필요로 하며 고소득을 올릴 수 있는 산업이라는 인식의 전환이 필요하다. 탈공업화 단계에 접어든 선진국의 경우 다른 산업의 발전을 지원하는 생산자 서비스가 활성화되어 서비스업 부문의 생산성이 향상되고 있다.

– 살아있는 지리 교과서

핵심 요약에 체크해 보세요.

산업 구조가 고도화되면서 서비스업의 비중이 [□줄어드는 / □늘어나는] 현상에 대해 [□설명하는 / □주장하는] 글입니다.

1 내용 파악

이 글에서 '서비스업의 발달'은 어떤 사회의 특징으로 인식된다고 하였는지 찾아 쓰시오.

____

2 추론

[보기 1]을 참고하여, [보기 2]의 빈칸에 알맞은 부등호를 넣으시오.

보기1

ⓐ: 소득이 100만 원일 때의 농산물의 수요
ⓑ: 소득이 100만 원일 때의 서비스업의 수요
ⓒ: 소득이 110만 원일 때의 농산물의 수요
ⓓ: 소득이 110만 원일 때의 서비스업의 수요

보기2

ⓒ−ⓐ ☐ ⓓ−ⓑ

3 내용 적용

이 글을 바탕으로 이해한 내용으로 알맞지 않은 것은 무엇입니까?

① A씨는 트럭으로 화물을 운반하는 3차 산업에 종사하고 있다.
② B씨는 환자를 치료하고 보살피는 4차 산업에 종사하고 있다.
③ C씨는 인터넷으로 영어를 강의하는 5차 산업에 종사하고 있다.
④ D씨는 드레스를 디자인하고 전시하는 5차 산업에 종사하고 있다.
⑤ E씨는 생명 보험 회사에서 보험 상품을 판매하는 3차 산업에 종사하고 있다.

4 내용 파악

이 글의 내용으로 알맞지 않은 것은 무엇입니까?

① 산업 구조가 고도화되면 서비스업의 비중이 커진다.
② 서비스업은 기계화가 어렵다는 특성을 가지고 있다.
③ 서비스업의 수요가 늘어날수록 고용은 줄어들게 된다.
④ 서비스업의 비중이 늘면서 서비스업의 종류도 늘어났다.
⑤ 사람들은 서비스업이 소비 산업이라는 편견을 가지고 있다.

5 어휘

'소득'과 '비중'에 공통적으로 쓸 수 있는 서술어를 모두 고른 것은 무엇입니까?

㉠ 높다　　㉡ 무겁다　　㉢ 늘다

① ㉠　② ㉡　③ ㉠, ㉡　④ ㉠, ㉢　⑤ ㉠, ㉡, ㉢

몇 년 전부터 10월의 마지막 날이면 기괴한 복장과 분장을 하고 거리를 행진하는 무리를 만날 수 있게 되었다. 바로 핼러윈 데이를 기념하는 사람들이다. 핼러윈 데이는 원래 고대 아일랜드 민족인 켈트족이 악령을 쫓기 위해서 귀신 복장을 하고 돌아다니는 풍습에서 비롯된 축제이다. 그런데 어느새 이 문화가 우리나라에 들어와 우리나라 젊은이들의 새로운 문화로 자리 잡고 있다.

외국으로부터 들어온 문화라고 해서 문제가 되는 것은 아니다. 문제는 사람들이 핼러윈 데이의 유래나 정확한 의미도 모르면서, 보이는 것에만 ㉠치중하여 핼러윈 데이가 과시적인 성격으로 변질되었다는 것이다. 핼러윈 데이를 즐기는 사람들 중에 일부는 기괴한 분장과 함께 보기에 불쾌한 복장으로 거리를 활보하여 사람들의 눈살을 찌푸리게 만드는 경우가 있다.

핼러윈 데이가 너무 상업적으로 이용되는 것도 문제이다. 핼러윈 데이에 입는 의상이 평소에 입는 의상이 아니다 보니, 사람들은 이날 하루를 위해 새로 의상이나 소품을 구입하게 된다. 그런데 어린 학생들 중에는 핼러윈 데이의 의상을 구입하기 위해 과도한 소비를 하는 경우가 있다. 독특한 복장을 위해 비싼 의상이나 많은 소품을 사들이다 보니 과소비가 이루어지는 것이다.

핼러윈 데이를 즐기는 것은 좋다. 그러나 핼러윈 데이가 과시적인 행사로 흐르거나 상업적으로 휩쓸리는 것은 바람직하지 않다. 독특한 의상으로 개성을 뽐내되, 다른 사람들의 눈살을 찌푸리게 하거나 너무 비싼 의상을 사 입는 것은 삼가야 한다. 진정한 핼러윈 데이의 재미는 신선한 아이디어에서 나온다. 꼭 자극적이고 값비싼 치장이 아니더라도, 기발한 아이디어를 통해 핼러윈 데이를 즐길 수 있다.

핼러윈 데이가 [□**과시적·상업적** / □**독단적·폐쇄적**]으로 변질되지 않도록 노력하자고 [□**주장하는** / □**설명하는**] 글입니다.

6 내용 파악

다음은 글쓴이가 지적한 '핼러윈 데이'의 문제점입니다. 빈칸에 알맞은 말을 쓰시오.

핼러윈 데이가 [　　　] 이고 [　　　] 으로 변질되는 것입니다.

7 문단 요약

이 글을 문단별로 정리한 내용으로 알맞지 않은 것은 무엇입니까?

① 1문단: 우리나라 젊은이들의 문화로 자리잡은 핼러윈 데이.
② 2문단: 핼러윈 데이의 문제점 1 – 과시적인 성격으로 변질됨.
③ 3문단: 핼러윈 데이의 문제점 2 – 지나치게 상업적으로 이용됨.
④ 3문단: 핼러윈 데이의 장점 – 새로운 문화를 전파함.
⑤ 4문단: 핼러윈 데이를 즐기는 바람직한 방법.

8 추론

글쓴이가 주장하는 내용으로 알맞은 것은 무엇입니까?

① 지금보다 이른 시간대에 거리 행진을 하자.
② 핼러윈 데이보다는 우리 고유의 명절을 기념하자.
③ 앞으로 외국으로부터 문화를 들여오는 것을 금지하자.
④ 기발한 아이디어를 통해 핼러윈 데이에 개성을 뽐내자.
⑤ 거리에서 독특한 의상을 입고 돌아다니는 행위를 자제하자.

9 어휘

㉠과 바꾸어 쓰기에 알맞지 않은 것은 무엇입니까?

① 고개를 저어　② 무게를 두어　③ 중점을 두어
④ 관심을 가져　⑤ 초점을 맞추어

한눈에 보는 약점 유형 분석

틀린 문제에 ✔표를 하세요.

① 내용 파악	② 추론	③ 내용 적용	④ 내용 파악	⑤ 어휘	⑥ 내용 파악	⑦ 문단 요약	⑧ 추론	⑨ 어휘

독해 18 일차

♣공부한 날: 월 일 ♣맞은 개수: /9문항

설명하는 글 문제 ❶~❺

오페레타는 음악과 연극이 합쳐진 음악극으로 그 형식이 오페라와 비슷하다. 하지만 오페라보다 가볍고, 줄거리는 조금 더 낭만적이며, 대사는 훨씬 더 구어체에 가깝다. 노래가 아닌 일반 대사도 섞여 있다. 또, 화려한 춤이 어우러져 오페라보다는 더 편하게 즐길 수 있는 음악극이다. 오페레타는 이후에 탄생한 뮤지컬에도 커다란 영향을 미친 장르이다.

『박쥐』는 작곡가 요한 슈트라우스 2세의 대표적인 오페레타이다. 이 작품은 섣달그믐 밤 가장 무도회에서 일어나는 해프닝을 소재로 하고 있다. 주인공인 아이젠슈타인 남작은 시장을 모욕한 죄로 일주일간 집 밖에 나다니지 못하는 벌을 받게 되었는데, 어느 날 밤 오를로프스키 공작의 파티에 가자는 친구의 말에 솔깃하여 집을 나선다. 그리고 그를 포함하여 파티에 모인 모든 사람들은 가면을 쓰고 자신이 누구인지를 [㉠].

『박쥐』에서 가장 유명한 곡은 극중의 선율을 모은 「서곡」이다. 이 곡은 경쾌한 춤곡인데 거기에 슈트라우스 특유의 우아함과 화려함이 더해졌다. 그래서인지 최근 들어 피겨 스케이팅 선수들이 경기 주제곡으로 많이 선택하고는 한다. 한국의 피겨 여왕으로 불리는 김연아 선수도 2007~2008년 시즌 쇼트 프로그램에서 이 곡을 사용했다.

『박쥐』에는 「서곡」 외에도 귀에 익은 명곡들이 많이 있다. 하녀가 자기 신분을 의심하는 남작 앞에서 부르는 「여보세요, 백작님」과 헝가리 귀족 부인으로 변장한 남작 부인이 부르는 「차르다슈」, 오를로프스키 공작이 손님들에게 술을 권하며 부르는 「샴페인의 노래」 등이다. 요한 슈트라우스 2세는 이렇게 흥겨운 음악으로 당시 사람들의 모습을 묘사하였다.

– 서희태의 더 클래식 _ 서희태

오페레타의 특징을 언급하고, 대표적 오페레타인 『박쥐』의 줄거리와 [□음악 / □무대 미술] 에 대하여 [□설명하는 / □주장하는] 글입니다.

1 내용 파악

'오페레타'는 무엇과 무엇이 합쳐진 장르입니까?

__________ , __________

2 내용 적용

'오페레타'와 '오페라'를 비교한 것으로 알맞지 않은 것은 무엇입니까?

① 오페라에는 오페레타에 없는 화려한 춤이 있다.
② 오페라의 줄거리는 오페레타보다 덜 낭만적이다.
③ 오페레타의 대사는 오페라보다 더 구어체에 가깝다.
④ 오페라는 오페레타보다 더 무거운 느낌을 가지고 있다.
⑤ 오페레타와 오페라에는 모두 인물들의 노래가 등장한다.

3 글의 구조

다음은 이 글의 구조에 대해 설명한 것입니다. 빈칸에 알맞은 숫자를 쓰시오.

이 글은 총 4문단으로 구성되어 있다. 이 중 □문단과 □문단은 설명하고 있는 대상이 유사하기 때문에 하나로 묶을 수 있다.

4 추론

이 글을 읽은 후의 반응으로 알맞지 않은 것은 무엇입니까?

① 『박쥐』에서 가장 유명한 곡이 무엇인지 궁금해졌어.
② '샴페인의 노래'가 얼마나 흥겨운지 직접 들어 보고 싶어.
③ 「서곡」을 사용한 김연아 선수의 경기 영상을 찾아보고 싶어.
④ 오페레타가 뮤지컬에 어떤 영향을 주었는지 검색해 보아야지.
⑤ 어떤 피겨 스케이팅 선수들이 「서곡」을 경기 주제곡으로 사용했는지 알아봐야겠어.

5 어휘

㉠에 들어갈 말로 알맞은 것을 모두 고르시오.

① 밝힌다 ② 숨긴다 ③ 감춘다 ④ 드러낸다 ⑤ 표시한다

시골 할머니 댁에 가면 줄지어 늘어서 있는 장독들을 볼 수 있다. 볼록한 배에 무거운 뚜껑으로 덮여 있는 장독은 그냥 보기에는 된장과 고추장이 들어 있는 일반적인 양동이와 다를 바가 없어 보인다. 하지만 장독과 양동이에는 큰 차이점이 있다. 그것은 바로, 장독은 숨을 쉰다는 것이다.

장독의 겉면을 현미경으로 관찰해 보면 아주 작은 구멍들이 송송 뚫려 있는 것을 볼 수 있다. 이것은 루사이트 현상에 의한 것이다. 루사이트 현상은 800℃ 이상의 온도에서 흙이 루사이트로 변하면서 수분이 빠져나가는 현상을 말한다. 장독은 고령토를 사용하여 만드는데, 고령토는 800℃ 이상의 열을 받으면 루사이트라는 성분으로 변한다. 이 과정에서 흙 속에 있던 수분이 빠져나가면서 미세한 구멍을 만들어 낸다. 이 구멍은 산소는 통과시키지만 물은 통과시키지 못하는 정도의 아주 작은 구멍이다. 이 구멍을 통해 산소가 장독 속을 드나들게 된다. 말 그대로 장독은 표면의 구멍을 통해 숨을 쉬는 것이다.

이처럼 장독은 산소를 들여보낼 수 있기 때문에, 장독 속에 저장되어 있는 음식들은 발효되는 과정에서 산소를 공급받을 수 있다. 신선한 산소를 받아들인 김치나 간장은 더욱 깊은 맛을 낸다. 장독 속에 ㉠스며드는 산소 덕분에, 일반 통에 넣어둔 김치와 장독 속에 보관한 김치의 맛은 하늘과 땅 차이가 난다.

우리 조상들은 장독에 이러한 놀라운 과학적 원리가 숨겨져 있으리라 짐작이나 했을까? 조상들은 음식을 보관하는 과정에서 무수한 경험과 숱한 시행착오를 겪었을 것이다. 그런 후에야 장독을 활용해 음식을 저장하는 방법을 생활 속에서 자연스레 터득하게 되었을 것이다. 이처럼 장독에는 우리 조상들의 생활 속 지혜가 깃들어 있다고 할 수 있다.

[□루사이트 현상 / □발효 현상]을 통해 산소를 받아들이는 장독의 과학적 원리에 대해 [□설명하는 / □주장하는] 글입니다.

6 중심 내용

다음은 장독과 양동이의 가장 큰 차이점을 설명한 것입니다. 빈칸에 알맞은 말을 쓰시오.

장독은 양동이와 달리 [   ]을 쉰다는 점입니다.

7 내용 적용

다음은 '루사이트 현상'을 정리한 것이다. ⓐ, ⓑ에 들어갈 말을 쓰시오.

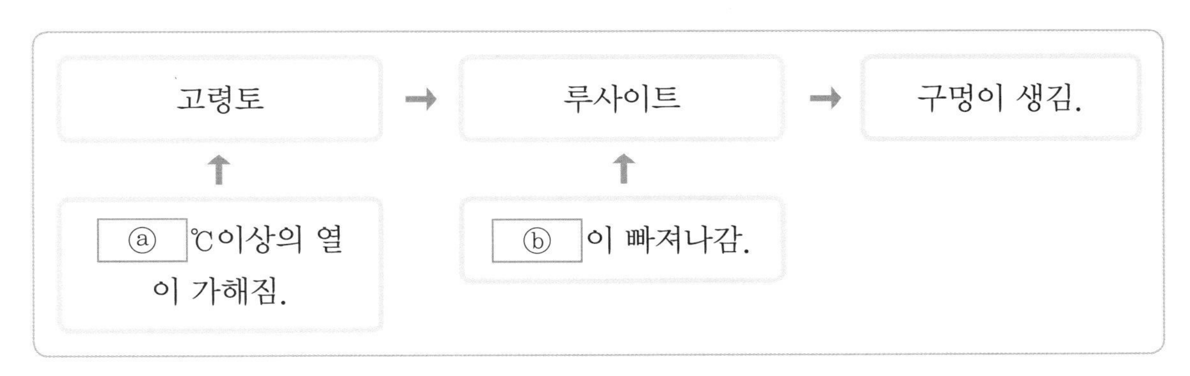

8 추론

이 글의 내용으로 알맞지 않은 것은 무엇입니까?

① 장독 표면의 구멍은 맨눈으로는 잘 보이지 않는군.
② 장독에는 우리 조상들의 생활 속 지혜가 깃들어 있군.
③ 장독에 구멍이 생기는 것은 장독을 만드는 재료와 관련이 있군.
④ 장독에 보관한 김치가 깊은 맛이 나는 것은 발효 과정의 차이 때문이군.
⑤ 장독 속의 음식이 잘 발효되는 것은 산소와 물이 들어와서 그런 것이군.

9 어휘

㉠과 바꾸어 쓰기에 가장 알맞은 말은 무엇입니까?

① 배어드는 ② 달려드는 ③ 끼어드는
④ 흘러드는 ⑤ 젖어 드는

한눈에 보는 약점 유형 분석

틀린 문제에 ✔표를 하세요.

① 내용 파악	② 내용 적용	③ 글의 구조	④ 추론	⑤ 어휘	⑥ 중심 내용	⑦ 내용 적용	⑧ 추론	⑨ 어휘

♣공부한 날: [ ] 월 [ ] 일 ♣맞은 개수: [ ] /9문항

설명하는 글 문제 ❶~❺

맑고 고운 소리부터 무겁게 울리는 웅장한 소리까지, 피아노는 다양한 음을 다양한 방법으로 연주할 수 있는 악기이다. 우리는 이 악기를 보통 피아노라는 이름으로 알고 있지만, 사실 피아노의 본래 이름은 '피아노 포르테'이다. 여리게 연주하라는 뜻의 '피아노'와 세게 연주하라는 뜻의 '포르테'가 합쳐진 단어인데, 사람들은 이 악기의 이름을 줄여서 피아노라고 부른다.

피아노는 손가락으로 건반을 눌러 소리를 내는 건반 악기이다. 하지만 엄밀히 말하면 건반에 연결된 망치로 줄을 때려 소리를 내기 때문에 현악기에 속하며, 타악기과 현악기가 결합되었다는 뜻으로 타현악기라고도 부른다. 피아노는 망치로 줄을 때리는 독특한 방식을 통해, 하프시코드나 클라비코드와 같은 피아노의 전신 악기들의 단점이었던 강약 조절의 어려움을 극복해 냈다. 건반을 누르는 손가락의 힘을 다르게 함으로써 소리의 세기를 조절할 수 있게 된 것이다.

줄을 누르고 그어야 하는 바이올린 같은 현악기나, 바람을 불어 넣어야 하는 트럼본 같은 관악기와 달리 피아노는 건반을 누르면 소리가 나기 때문에 소리 내기가 훨씬 쉬워 악기 초보자들이 선호하는 악기이다. 또한 한 번에 한 음만을 낼 수 있는 대부분의 다른 악기와 달리, 피아노는 한 번에 여러 개의 건반을 눌러 여러 음을 동시에 낼 수 있다. 이렇게 소리를 풍부하게 만들 수 있기에 피아노는 사람들에게 인기를 누려 왔다.

피아노는 그 풍부한 음과 큰 소리로 인해 솔로 악기로도 많은 사랑을 받고 있지만, 다른 악기와의 협연이나 성악을 위해 반주하는 역할로도 인기가 많다. 그리고 모든 음을 표현할 수 있다는 장점 때문에 여러 악기를 사용하는 오케스트라를 작곡할 때 피아노 한 대만으로 여러 악기를 모두 대신하기도 한다. 이처럼 피아노는 피아니스트에게만이 아니라 작곡이나 다른 악기를 전공하는 음악가들 모두에게 꼭 필요한, 기본적이면서도 중요한 악기이다.

피아노와 다른 악기들의 [□**공통점** / □**차이점**]을 바탕으로 피아노의 장점에 대해 [□**설명하는** / □**주장하는**] 글입니다.

내용 파악

다음의 ㉠, ㉡에 들어갈 알맞은 말끼리 짝지은 것은 무엇입니까?

> • '피아노'는 [㉠] 연주하라는 뜻입니다.
> • '포르테'는 [㉡] 연주하라는 뜻입니다.

	㉠	㉡		㉠	㉡		㉠	㉡
①	세게	여리게	②	여리게	세게	③	빠르게	느리게
④	느리게	빠르게	⑤	여리게	빠르게			

2 내용 파악

각 악기와 악기를 연주하는 방법을 연결하시오.

(1) 바이올린 •　　　　• ㉠ 건반을 누른다.
(2) 트럼본 •　　　　• ㉡ 줄을 누르거나 긋는다.
(3) 피아노 •　　　　• ㉢ 바람을 불어 넣는다.

3 내용 적용

다음은 피아노의 연주 원리를 나타낸 것이다. ⓐ, ⓑ에 들어갈 말을 쓰시오.

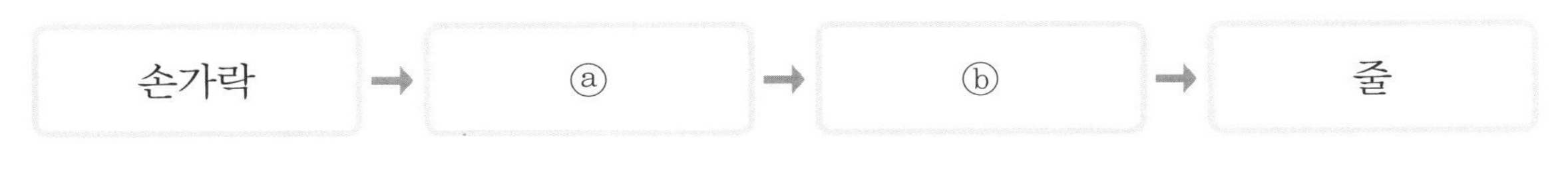

4 내용 파악

이 글의 내용으로 알맞은 것은 무엇입니까?

① 피아노는 엄밀히 말하면 현악기에 속한다.
② 피아노는 피아니스트에게만 중요한 악기이다.
③ 피아노를 개선하여 클라비코드라는 악기를 만들었다.
④ 하프시코드는 소리의 강약을 조절하기가 쉬운 악기이다.
⑤ 피아노는 관악기와 현악기가 결합되었다는 뜻으로 관현악기라고도 불린다.

5 추론

이 글을 읽은 학생의 반응으로 알맞지 <u>않은</u> 것은 무엇입니까?

① 피아노는 다른 악기에 비해 표현할 수 있는 음의 수가 많군.
② 피아노는 대부분의 악기와는 달리, 여러 음을 동시에 낼 수 있군.
③ 피아노를 사용하면 오케스트라의 작곡을 좀 더 편하게 할 수 있겠군.
④ 소리 내기가 쉽다는 장점 덕분에 악기 초보자들은 피아노를 선호하는군.
⑤ 피아노는 솔로 악기로서보다 다른 악기와의 협연에서 더 빛을 발하는군.

우리나라 청년들은 외모 가꾸기에 대한 관심이 매우 뜨겁다. 학교 성적이 아무리 좋더라도 외모 때문에 ㉠번번이 입사 면접에서 탈락하다 보면 자연히 외모에 공을 들이게 된다. 연애나 결혼을 할 때에도 마찬가지이다. 외모를 필요 이상으로 중요하게 생각하는 사람들 때문에, 지금 우리 사회에는 결혼도, 취직도 외모가 받쳐 주지 않으면 안 된다는 분위기가 팽배하다. 그야말로 외모 지상주의가 만연한 사회이다.

'외모 지상주의'란 외모가 개인 간의 우열뿐 아니라 인생까지 좌우한다고 믿고, 외모에 지나치게 집착하는 사회 풍조를 아우르는 말이다. 외모가 연애나 결혼 같은 사생활은 물론, 취업이나 승진 같은 사회생활 전반을 좌우하기 때문에, 외모를 가꾸는 데 많은 시간과 노력을 기울이게 되는 것이다. 이는 우리 사회에 성형이나 다이어트 열풍을 불러일으킨 원인이 되었다.

외모 지상주의의 더 심각한 문제는 따로 있다. 얼굴이 못생기거나 키가 작거나 뚱뚱한 사람은 무시해도 된다는 분위기를 조장한다는 점이다. 상업주의와 대중 매체가 아름답다고 정해 놓은 외모를 기준으로 잘난 사람과 못난 사람을 나누어 판단하는 비정상적인 사고를 하게 만드는 것이다.

사람이 타고나는 외모는 모두 다르며 미의 기준도 제각각이다. 그런데 오늘날 우리가 아름답다고 느끼는 기준은 친구나 '나'나, 옆 반의 또 다른 친구나 모두 비슷하다. 스스로 인지하지 못하는 사이에 같은 미의 기준을 갖게 된 것이다. 이제 우리는 외모 지상주의적 사고에서 벗어나야 한다. 외모는 말 그대로 겉모습일 뿐이다. 중요한 것은 겉모습이 아니라 사람의 진정한 마음이다. 외모가 얼마나 아름다운지보다, 얼마나 사려 깊으며 따뜻한 사람인지 내면을 보아야 한다. 사람의 가치는 외모에서 나오는 것이 아니라 마음에서 나오는 것이기 때문이다.

외모 지상주의에 물들어 있는 현대 사회를 [□지지 / □비판]하며 사람을 볼 때 외모보다 내면을 보아야 한다고 [□설명하는 / □주장하는] 글입니다.

6 핵심어

이 글에서 글쓴이가 문제 삼고 있는 것은 무엇입니까?

① 상업주의 ② 청년 실업
③ 경쟁 사회 ④ 저출산 문제
⑤ 외모 지상주의

7 내용 파악

이 글에 나타난 문제 상황으로 알맞지 않은 것은 무엇입니까?

① 사회가 정해 놓은 미의 기준을 갖게 된다.
② 사회적 지위와 재력으로 사람의 가치를 판단한다.
③ 외모를 가꾸는 데 필요 이상의 시간과 노력을 기울인다.
④ 외모를 기준으로 잘난 사람과 못난 사람을 나누어 판단한다.
⑤ 외모가 뛰어난 사람이 결혼이나 취업에 유리하다고 생각한다.

8 내용 적용

이 글을 읽은 학생이 외모에만 신경 쓰는 친구에게 할 말로 가장 알맞은 것은 무엇입니까?

① 외모를 가꾸는 데에는 많은 시간과 노력이 필요해.
② 아름다움을 느끼는 기준은 모든 사람이 똑같은 거야.
③ 사람의 가치는 외모가 아니라 내면에서 비롯되는 거야.
④ 사생활과 사회생활 모두에서 외모는 가장 중요한 요소야.
⑤ 학교 성적이 아무리 좋아도 외모가 좋은 사람을 이길 수는 없어.

9 어휘

㉠과 바꾸어 쓰기에 알맞지 않은 것은 무엇입니까?

① 매번 ② 자꾸 ③ 계속
④ 이따금 ⑤ 잇따라

틀린 문제에 ✔표를 하세요.

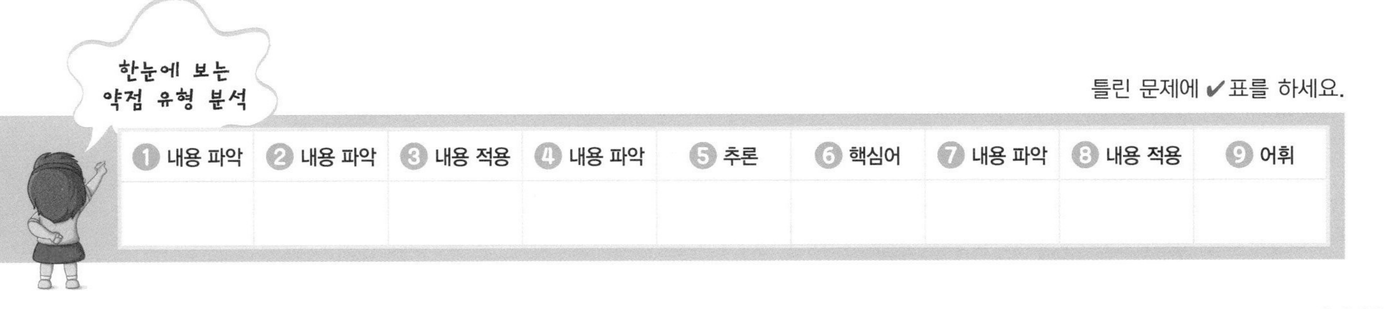

① 내용 파악	② 내용 파악	③ 내용 적용	④ 내용 파악	⑤ 추론	⑥ 핵심어	⑦ 내용 파악	⑧ 내용 적용	⑨ 어휘

♣공부한 날: 월 일 ♣맞은 개수: /8문항

설명하는 글 문제 ❶~❹

제1차 세계 대전은 약 1천만 명이 죽고 약 2천만 명이 부상을 당한 큰 전쟁이었다. 이 전쟁은 유럽의 제국주의 국가들 사이에서 일어났다. '세계 대전'은 여러 나라들이 한꺼번에 전쟁에 참가해서 붙은 이름이다.

제1차 세계 대전이 일어난 곳은 발칸반도였다. 발칸반도에 위치한 세르비아는 주변 지역을 하나로 합쳐 국가를 세우려 했는데, 1908년 오스트리아가 세르비아 주변 지역인 보스니아와 헤르체고비나를 차지해 버렸다. 이에 화가 난 한 세르비아 청년이 1914년에 사라예보(보스니아의 수도)를 방문한 오스트리아 황태자 부부를 암살하는 일이 일어났다. 이것이 바로 사라예보 사건이다.

1914년, 오스트리아는 사라예보 사건을 이유로 세르비아에 전쟁을 선포했다. 그러자 같은 슬라브족 나라인 러시아가 세르비아 편에 섰다. [㉠], 오스트리아와 독일 세력은 발칸반도에서 게르만족을 한데 묶어 세력을 키우려 하고 있었다. 그래서 전쟁은 민족 간의 싸움으로 번졌고, 이후 오스트리아의 동맹국들과 러시아의 동맹국들이 모두 전쟁에 참여하게 되면서 제1차 세계 대전이 시작되었다.

당시 오스트리아는 독일, 이탈리아와 함께 군사적으로 서로 도와주자는 '삼국 동맹'을 맺고 있었다. [㉠], 러시아는 영국, 프랑스와 동맹 관계에 있으면서 서로 연합해 독일이 힘을 키우지 못하게 하려는 '삼국 협상'을 맺었다. 독일은 1888년에 빌헬름 2세가 황제 자리에 오르면서 본격적으로 세력을 넓히고 있었고 영국, 프랑스, 러시아는 이런 독일의 움직임이 달갑지 않았다. 이런 배경으로 삼국 동맹의 동맹군과 삼국 협상의 연합군이 싸우게 되었다. 이 중 삼국 동맹국이었던 이탈리아는 중립을 지키다가 나중에 연합군 쪽으로 돌아섰다. 당시 이탈리아는 영국과 싸울 힘도 없었고, 오스트리아와 영토 문제로 사이가 좋지 않았기 때문이다.

– 재미있는 전쟁 이야기 _ 양오석

제1차 세계 대전을 벌인 나라들을 소개하고 전쟁의 [□역사적 배경 / □비극적 결과]에 대해 [□설명하는 / □주장하는] 글입니다.

일의 순서

다음은 제1차 세계 대전의 과정을 정리한 것입니다. ⓐ, ⓑ에 들어갈 알맞은 말을 쓰시오.

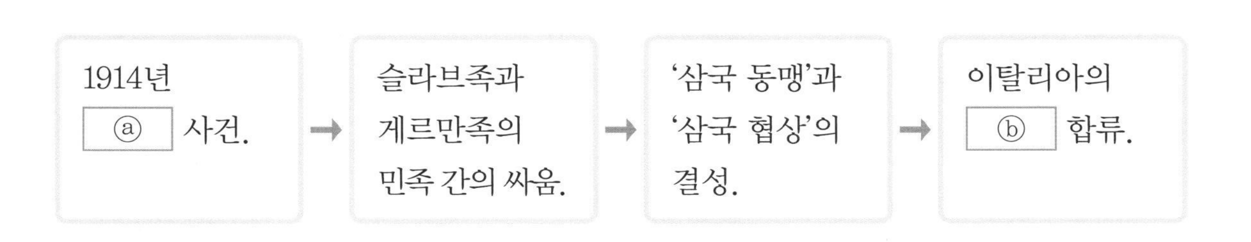

2 내용 파악

[보기] 중, '삼국 동맹'을 맺은 나라들을 바르게 묶은 것은 무엇입니까?

보기

오스트리아, 러시아, 독일, 이탈리아, 영국, 프랑스

① 오스트리아, 러시아, 독일　② 오스트리아, 독일, 이탈리아
③ 러시아, 이탈리아, 영국　④ 독일, 이탈리아, 프랑스
⑤ 러시아, 영국, 프랑스

3 내용 파악

이 글을 이해한 내용으로 알맞지 않은 것은 무엇입니까?

① 세르비아와 러시아는 같은 슬라브족이다.
② 러시아는 독일이 세력을 넓히려는 것을 달갑게 여기지 않았다.
③ 이탈리아가 오스트리아와 사이가 좋지 않았던 것은 영토 문제 때문이었다.
④ '세계 대전'이라는 명칭은 여러 나라들이 한꺼번에 전쟁에 참가해서 붙은 이름이다.
⑤ 제1차 세계 대전은 오스트리아 황태자 부부가 세르비아에서 암살되면서 시작되었다.

4 어휘

㉠에 들어갈 말로, '어떤 일에 대하여, 앞에서 말한 측면과 다른 측면을 말할 때 쓰이는 말.'을 뜻하는 것은 무엇입니까?

① 다만　② 한편　③ 비단　④ 겨우　⑤ 단지

병으로 죽어가는 사람이 건강을 회복하는 데에는 의사의 치료가 더 중요할까, 아니면 살고자 하는 환자의 의지가 더 중요할까? 나는 평소에 의사의 치료가 더 중요할 것이라고 생각했지만, 오 헨리의 「마지막 잎새」를 읽고 나서는 ㉠생각이 바뀌었다.

화가인 수와 존시는 공동 화실을 마련하여 열심히 그림을 그리고 있었다. 그런데 어느 날, 존시는 폐렴에 걸리게 되어 살 확률이 거의 없다는 진단을 받게 된다. 삶에 대한 의지가 전무했던 존시는 침대에 누워 창밖의 담쟁이를 자신의 처지와 똑같이 생각하며, 담쟁이의 마지막 잎새가 떨어지면 자신도 죽을 것이라고 말했다. 수는 이 이야기를 이웃인 베어먼 영감에게 전하며 슬퍼했다.

마지막 잎새는 태풍이 지나간 뒤에도 떨어지지 않았다. 그리고 존시는 그것에 위안을 얻고 힘을 내어 결국 병을 이겨 냈다. 사실 그 마지막 잎새는 존시가 삶을 포기하지 않도록 베어먼 영감이 몰래 그려 놓은 것이었다. 베어먼 영감은 잎새가 떨어지는 것과 자신의 죽음을 관련짓는 존시의 약한 마음을 바꾸어 주기 위해서 태풍 속에서도 잎새를 정성스레 그린 것이다. 반전이 놀랍기도 했지만, 나는 이 부분에서 주변 사람을 생각하는 베어먼 영감의 따뜻한 마음씨에 감탄했다.

마지막 잎새가 진짜인지 가짜인지는 중요하지 않다. 중요한 것은 항상 희망을 가지고 살아가는 일이다. 희망은 살 확률이 적은 병도 이겨 내게 만든다. 존시는 태풍에도 떨어지지 않은 마지막 잎새를 보며, 지난날 죽음만을 기다렸던 자신을 반성했다. 나도 아무리 어려운 일이 닥치더라도, 좌절하지 않고 끝까지 희망을 놓지 않으면서 어려움을 이겨 내겠다는 의지를 가지고 살아야겠다.

오 헨리의 '마지막 잎새'를 읽고 어려운 상황에서도 [□희망을 잃지 않는 / □목표를 달성하려는] 자세에 대해 생각한 바를 쓴 [□안내문 / □독서 감상문]입니다.

5 내용 파악

이 글의 내용으로 알맞은 것은 무엇입니까?

① 존시는 폐렴에 걸리게 되어 삶의 의지를 잃어버렸다.
② 수와 존시는 같은 건물에 각자의 화실을 가지고 있었다.
③ 수는 존시를 위해 마지막 잎새를 그림으로 그려 놓았다.
④ 베어먼 영감은 폐렴에 걸려서 자리에 계속 누워 있었다.
⑤ 글쓴이는 마지막 잎새가 진짜인지가 매우 중요하다고 생각한다.

6 내용 파악

이 글의 등장인물에 대한 설명으로 알맞지 않은 것은 무엇입니까?

① 수는 친구의 안타까운 상황에 대해 슬퍼했다.
② 존시는 끝까지 삶을 포기하려는 태도를 바꾸지 않았다.
③ 베어먼 영감은 존시의 약한 마음을 바꾸어 주려고 했다.
④ 베어먼 영감은 이웃에 대한 따뜻한 마음을 가지고 있었다.
⑤ 존시는 마지막 잎새의 운명을 자신의 운명과 같이 여겼다.

7 추론

다음은 ㉠의 의미를 설명한 것입니다. 빈칸에 알맞은 말로 쓰시오.

건강을 회복하는 데에는 환자의 [   ]가 매우 큰 영향을 미친다.

8 추론

이 글을 읽고 떠올릴 수 있는 격언으로 가장 알맞은 것은 무엇입니까?

① 모든 것은 마음먹기에 달려 있다.
② 친구는 영혼으로 이어진 형제이다.
③ 한번 뱉은 말은 다시 주워 담을 수 없다.
④ 시작을 했다면 이미 절반은 이룬 것이다.
⑤ 가장 커다란 위험은 승리의 순간에 찾아온다.

한눈에 보는 약점 유형 분석

틀린 문제에 ✔표를 하세요.

① 일의 순서	② 내용 파악	③ 내용 파악	④ 어휘	⑤ 내용 파악	⑥ 내용 파악	⑦ 추론	⑧ 추론

16~20 일차 글 읽기를 위한 어휘 연습

중요한 낱말을 다시 한번 확인하고 □에 써 보세요.

제약 (절제할 制, 맺을 約)	조건을 붙여 내용을 제한함. 또는 그 조건. 예 단체 생활에는 여러 가지 □□이 있기 마련이다.
물론 (말 勿, 말할 論)	말할 것도 없음. 예 성적 우수자에게는 장학금은 □□ 숙식까지 제공한다.
도로	먼저와 다름없이. 또는 본래의 상태대로. 예 빌린 돈을 □□ 돌려주었다.
흔히	보통보다 더 자주 있거나 일어나서 쉽게 접할 수 있게. 예 그런 차는 길거리에서 □□ 볼 수 있다.
전환 (구를 轉, 바꿀 換)	다른 방향이나 상태로 바뀌거나 바꿈. 예 생각의 □□이 좋은 아이디어를 가져 온다.
과시 (자랑할 誇, 보일 示)	자랑하여 보임. 예 그는 새로 산 차를 내게 □□했다.
모욕 (업신여길 侮, 욕되게 할 辱)	깔보고 욕되게 함. 예 그는 거절의 말을 □□으로 받아들였다.
구어체 (입 口, 말씀 語, 몸 體)	글에서 쓰는 말투가 아닌, 일상적인 대화에서 주로 쓰는 말투. 예 내가 구독하는 잡지는 □□□로 쓴 글이 많아 쉽게 읽힌다.

울타리	풀이나 나무 따위를 얽거나 엮어서 담 대신에 경계를 지어 막는 물건. 예 그 집은 □□□가 낮았다.
수작 (갚을 酬, 따를 酌)	서로 말을 주고 받음. 또는 글 말. 예 그는 들뜬 마음으로 나에게 다가와 □□을 건넸다.
갑작스레	미처 생각할 겨를이 없이 급하게. 예 이 일은 □□□□ 결정된 것이다.
기색 (기운 氣, 빛 色)	어떠한 행동이나 현상 따위가 일어나는 것을 짐작할 수 있게 하여 주는 눈치나 낌새. 예 내가 갑자기 나타나자 그는 놀란 □□이었다.
비로소	어느 한 시점을 기준으로 그 전까지 이루어지지 아니하였던 사건이나 사태가 이루어지거나 변화하기 시작함을 나타내는 말. 예 큰소리가 사라지자 □□□ 안심이 되었다.
소득 (바 所, 얻을 得)	일한 결과로 얻은 정신적 · 물질적 이익. 예 그는 그 장사로 엄청난 □□을 남겼다.
소비 (사라질 消, 쓸 費)	돈이나 물자, 시간, 노력 따위를 들이거나 써서 없앰. 예 멍하니 텔레비전만 보는 것은 시간을 □□하는 일이다.
타악기 (칠 打, 풍류 樂, 그릇 器)	두드려서 소리를 내는 악기를 통틀어 이르는 말. 예 드럼은 □□□에 속한다.

16~20 일차 어휘력 쑥쑥 테스트

[01~04] 다음의 뜻에 알맞은 낱말을 [보기]에서 찾아 쓰시오.

보기

과시 구어체 물론 전환

01 말할 것도 없음. □□

02 자랑하여 보임. □□

03 다른 방향이나 상태로 바뀌거나 바꿈. □□

04 글에서 쓰는 말투가 아닌, 일상적인 대화에서 주로 쓰는 말투. □□□

[05~07] 주어진 뜻에 알맞은 낱말을 빈칸에 넣어 문장을 완성하시오.

05 그것은 □□ 볼 수 있는 일이다.

*뜻: 보통보다 더 자주 있거나 일어나서 쉽게 접할 수 있게.

06 각국의 보호 무역으로 수출에 □□이 많다.

*뜻: 조건을 붙여 내용을 제한함. 또는 그 조건.

07 가져왔던 책을 그 자리에 □□ 갖다 놓았다.

*뜻: 먼저와 다름없이. 또는 본래의 상태대로.

08 빈칸에 공통으로 들어갈 낱말을 쓰시오.

ㅁ ㅇ	① 나는 그 일을 □□으로 받아들였다. ② 그는 많은 사람들 앞에서 □□을 당했다.

16~20 일차 십자말 풀이

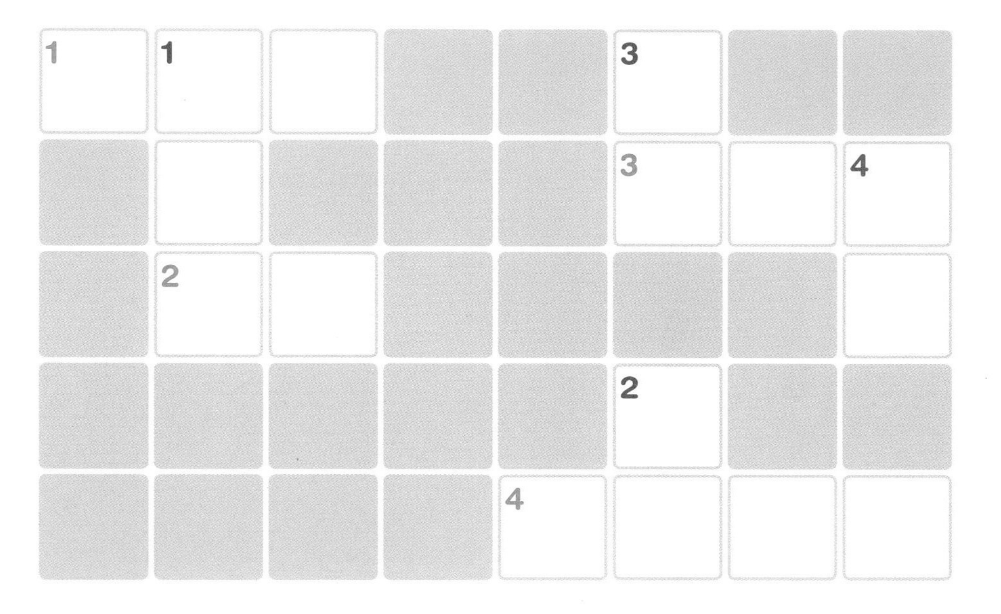

가로 열쇠

1. 풀이나 나무 따위를 얽거나 엮어서 담 대신에 경계를 지어 막는 물건.
2. 어떠한 행동이나 현상 따위가 일어나는 것을 짐작할 수 있게 하여 주는 눈치나 낌새.
3. 어느 한 시점을 기준으로 그 전까지 이루어지지 아니하였던 사건이나 사태가 이루어지거나 변화하기 시작함을 나타내는 말.
4. 미처 생각할 겨를이 없이 급하게.

세로 열쇠

1. 두드려서 소리를 내는 악기를 통틀어 이르는 말.
2. 서로 말을 주고 받음. 또는 그 말.
3. 돈이나 물자, 시간, 노력 따위를 들이거나 써서 없앰.
4. 일한 결과로 얻는 정신적 · 물질적 이익.

21~25 일차

일차	제목	갈래
21 일차	음식을 소화시키는 위	설명하는 글
	안네의 일기	일기
22 일차	시간을 구분하는 방법	설명하는 글
	두물머리에 다녀와서	기행문
23 일차	김홍도의 「서당」	설명하는 글
	삼권 분립이 필요한 이유	설명하는 글
24 일차	복약 안내서	안내문
	고령화 사회를 맞이하는 자세	주장하는 글
25 일차	해마와 신경 세포	설명하는 글
	선의의 거짓말은 해도 된다	토론

21~25 일차	글 읽기를 위한 어휘 연습
21~25 일차	어휘력 쑥쑥 테스트
21~25 일차	십자말 풀이

♣공부한 날: 월 일 ♣맞은 개수: /8문항

설명하는 글 문제 ❶~❹

알파벳 J자 모양의 위는 몸통 중앙의 명치에서 약간 왼쪽에 있다. 음식물이 들어가지 않은 상태의 위는 주먹 정도의 크기이지만, 음식물이 가득 차면 20배 이상으로 커진다. 위는 [ⓐ]한 주름으로 되어 있어서, 음식물이 없을 때는 주름을 접고 음식물이 들어오면 주름을 펴서 크기를 조절할 수 있기 때문이다.

위는 튼튼하고 유연한 세 개의 근육층을 가지고 있다. 이 근육들은 각각 가로, 세로, 비스듬한 방향으로 수축하면서 위에 들어온 음식물을 위액과 골고루 섞는 ㉠혼합 운동을 한다. 혼합 운동으로 세 시간 정도 충분히 섞인 음식물은 다시 ㉡꿈틀 운동으로 다음 소화 기관인 샘창자(십이지장)로 보내진다. 배에서 나는 꼬르륵 소리는 위에 있던 음식물이 샘창자로 빠져나가고 위가 비어 있을 때에 나는 소리이다.

위에서 나오는 소화액인 위액 중에는 금속도 녹일 만큼 강한 산성을 띤 위산이 있다. 이렇게 강한 산성 액체가 우리 몸에서 나오는 이유는 무엇일까? 우리 몸은 약 37℃의 높은 온도를 유지하고 있어서 여름철 실내와 같이 음식물이 상하기 쉬운 상태이다. 그렇기 때문에 위는 소화가 끝날 때까지 안전하게 음식물을 보관하기 위해서 강력한 산성 성분인 위산으로 음식물을 소독하여, 음식물과 함께 들어온 세균을 죽이고 음식물이 상하지 않게 보호하는 것이다. 그런데 이 강력한 위산에 위까지 녹는 건 아닐까? 다행히 위의 안쪽 벽에서는 뮤신이라는 점액을 계속 내보내 위를 두텁게 덮어, 강한 산성 성분에 위가 상하지 않게 보호하고 있다. 이처럼 위산은 음식물을 소화시키고 세균으로부터 우리의 위를 보호하고 있다.

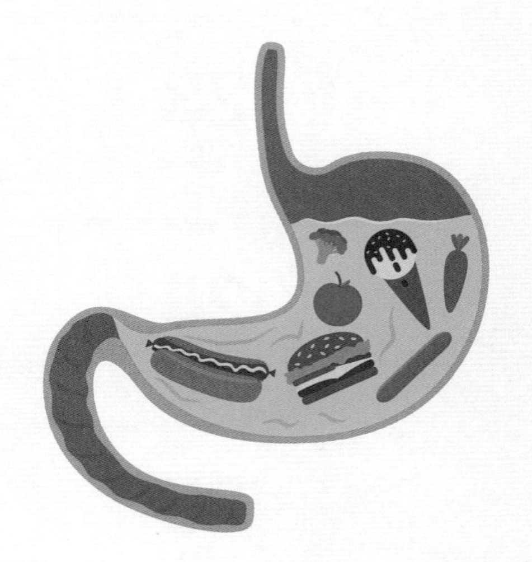

– 인체에서 살아남기 _ 곰돌이 co

우리 몸속에 있는 [□위의 특징과 위산의 역할 / □뼈의 개수와 역할]에 대해 [□주장하는 / □설명하는] 글입니다.

1 내용 파악

이 글에서 음식물이 가득 찬 '위'는 비어 있을 때에 비해 얼마나 커진다고 하였습니까?

① 2배 이상 ② 4배 이상 ③ 5배 이상
④ 10배 이상 ⑤ 20배 이상

2 추론

㉠과 ㉡에 대한 설명으로 알맞지 <u>않은</u> 것은 무엇입니까?

① ㉠은 위액과 음식물을 섞는 과정이다.
② ㉠의 과정에서 꼬르륵 소리가 나게 된다.
③ ㉠의 과정에서 위는 가로, 세로, 비스듬한 방향으로 수축한다.
④ ㉡의 과정을 통해 음식물은 샘창자로 보내지게 된다.
⑤ ㉠에서 ㉡으로 바뀌는 데에는 3시간 정도가 걸린다.

3 내용 파악

이 글의 내용으로 보아 우리 몸에 '위산'이 필요한 이유는 무엇입니까? (정답 2개)

① 음식물을 소화시키기 위해
② 위의 크기를 자유자재로 조절하기 위해
③ 위 속의 음식물이 섞이는 것을 막기 위해
④ 위 속의 음식물이 상하지 않도록 하기 위해
⑤ 강한 산성 성분에 위가 상하지 않도록 보호하기 위해

4 어휘

ⓐ에 들어갈 말로 알맞은 것은 무엇입니까?

① 말똥말똥 ② 아작아작 ③ 쭈글쭈글
④ 머뭇머뭇 ⑤ 출렁출렁

[앞부분의 줄거리] 1933년, 유태인을 탄압하는 독일의 히틀러가 집권하자 독일에 살던 유태인 안네의 가족은 네덜란드로 이사한다. 그러나 1941년 독일군이 네덜란드까지 쳐들어오면서 안네의 가족은 두려움에 떤다. 1942년 안네의 가족은 유태인을 수용소로 끌고 가기 위한 호출장이 온 것을 계기로 준비해 둔 은신처로 몸을 숨기러 간다.

1942년 7월 9일 목요일

키티에게

이리하여 아빠와 엄마와 나, 세 사람은 저마다 여러 가지 물건들을 터질 만큼 가득 담은 가방과 바구니를 들고, 억수같이 퍼붓는 비를 맞으며 걸어갔단다.

일하러 나가는 사람들은 우리를 불쌍한 듯이 보고 있었어. 차에 태워 주지 못하는 것을 미안해하는 눈치였어. 눈에 두드러져 보이는 노란 별표를 단 사람들을 아무도 태워 줄 리가 없으니까.

아빠와 엄마가 앞으로의 계획에 대해 나에게 이야기하기 시작한 것은 큰길로 나온 뒤였어. 몇 달 전부터 될 수 있는 대로 많은 가구와 생활필수품을 운반해 내어, 7월 16일까지는 은신처로 갈 준비를 끝낼 계획이었다고 해. 그런데 호출장이 왔으므로 예정을 앞당겨야만 했던 거야. 때문에 은신처의 준비는 아직 충분치 못하지만 참고 견디는 수밖에. 은신처는 아빠의 사무실이 있던 건물 안에 있어. 모르는 사람들은 이해하기 힘들겠지만, 나중에 설명할게. 아빠를 위해 일하는 사람은 크라이렐 씨와 코프하이스 씨와 미프, 그리고 23살의 엘리 포센, 이렇게 네 명뿐으로, 모두 우리가 오는 것을 알고 있었어. 엘리의 아버지 포센 씨와 두 소년이 창고에서 일하고 있었지만, 그들에게는 비밀로 하고 있었지.

이제 건물을 설명하겠어. 건물 1층에 큰 창고가 있고 창고 입구 곁에 사무실로 들어가는 바깥문이 있어. 바깥문을 들어서서 조금 가면 계단이 있고, 계단을 오르면 또 하나의 문이 있는데, 그 문의 비치지 않는 유리에 검은 글씨로 사무실이라고 씌어 있어. 이것이 가장 큰 사무실로 매우 넓고 밝은 방이야.

– 안네의 일기 _ 안네 프랑크

독일군의 탄압을 피해 은신처에서 살아가는 소녀 안네가 [□편지 / □소설]의 형식으로 자신의 일상에 대해 쓴 [□일기 / □동시]입니다.

5 내용 파악

이 글의 내용에 맞으면 ○표, 틀리면 ×표 하시오.

(1) 안네의 가족은 은신처로 이사를 할 때 차를 타고 갈 수가 없었다. (　　)

(2) 아빠와 엄마는 집에서 나오기 전부터 안네에게 앞으로의 계획을 말해 주었다.

(　　)

6 추론

이 글에서 '안네의 가족'이 이사를 가게 된 이유는 무엇입니까?

① 이웃과 갈등을 견디지 못해서

② 독일군의 탄압을 피하기 위해서

③ 홍수로 인한 재해를 피하기 위해서

④ 가족 앞으로 온 호출장을 받기 위해서

⑤ 사무실에서 일하는 사람들과 함께 살기 위해서

7 소재 파악

이 글에서 '안네의 가족'이 당하는 탄압과 직접적인 관련이 없는 것은 무엇입니까?

① 수용소　　② 호출장　　③ 은신처

④ 창고　　⑤ 노란 별표

8 내용 파악

이 글의 내용으로 알맞지 않은 것은 무엇입니까?

① 은신처는 아빠의 사무실이 있던 건물 안에 있었다.

② 안네의 가족이 이사하던 날은 비가 매우 많이 오는 날이었다.

③ 안네의 가족은 준비가 완벽한 상태에서 은신처로 이사하게 되었다.

④ 안네의 가족을 도와주지 못하는 것에 대해 미안해하는 사람들도 있었다.

⑤ 아빠를 위해 일하는 사람들은 안네의 가족이 은신처로 올 것을 알고 있었다.

틀린 문제에 ✔표를 하세요.

❶ 내용 파악	❷ 추론	❸ 내용 파악	❹ 어휘	❺ 내용 파악	❻ 추론	❼ 소재 파악	❽ 내용 파악

독해 22 일차

♣공부한 날: 월 일 ♣맞은 개수: /10문항

설명하는 글 문제 ❶~❺

지구와 태양, 달의 움직임을 관찰하여 시간을 구분하고, 날짜의 순서를 매겨 나가는 방법을 '역법'이라 한다. 태양과 지구, 달은 서로 영향을 주고받으면서 돌고 있다. 고대 천문 학자들은 이러한 운동을 ㉠보고, 1년 또는 한 달의 길이를 정하고 달력으로 표시해 두었다.

우리가 사용하는 달력에는 크게 두 종류가 있다. 하나는 양력이고, 하나는 음력이다. 양력은 지구가 태양을 한 바퀴 공전하는 시간을 1년으로 하고, 그것을 열두 달로 나누어 한 달의 시간으로 정한 것이다. 양력에서는 30일 또는 31일이 한 달이다. 양력을 세계에서 최초로 고안한 사람들은 고대 이집트인들이다. 양력을 사용하기 위해서는 지구와 태양의 움직임을 계산하는 뛰어난 수학 능력이 필요했는데, 고대 이집트인들은 수학적 능력이 탁월했기 때문에 이러한 계산을 할 수 있었다.

음력은 달이 지구를 한 바퀴 공전하는 시간을 한 달로 정하고, 그것을 29일 또는 30일로 정한 달력이다. 음력에서 달을 정하는 기준은 달의 모양 변화이다. 달의 모양이 보이지 않는 날을 초하루라 하며, 15일이 지나 달이 동그랗게 보이는 날을 보름, 다시 달이 완전히 보이지 않게 되는 날의 전날, 즉 한 주기의 마지막 날을 그믐이라 하여 한 달을 정하였다.

양력에서는 한 달을 30일 또는 31일로 정했는데, 음력에서는 한 달을 29일 또는 30일로 정했기 때문에 음력은 양력보다 1년에 10일 정도가 적다. 그래서 음력에서는 2~3년에 한 번씩 윤달이라는 달을 한 달 더 넣어서 양력과의 차이를 없애고 있다. 음력에서는 2~3년에 한 번씩 1년이 13달이 되는 것이다.

양력과 음력의 [□계산 방법 / □계산 순서]에 대해 소개하며, 두 달력 간의 차이를 보완하는 방법을 [□설명하는 / □주장하는] 글입니다.

1 중심 내용

'지구'와 '태양', '달'의 움직임을 관찰하여 시간을 구분하고, 날짜의 순서를 매겨 나가는 방법을 무엇이라고 합니까?

① 역법　② 천문학　③ 달력　④ 양력　⑤ 음력

2 내용 파악

'양력'에 대해 바르게 설명한 내용을 [보기]에서 있는 대로 고른 것은 무엇입니까?

보기

ㄱ. 1년은 총 12달로 이루어져 있다.
ㄴ. 한 달을 30일 또는 31일로 정한다.
ㄷ. 지구와 달의 관계를 보고 만든 달력이다.
ㄹ. 달의 모양 변화를 기준으로 한 달을 정한다.
ㅁ. 지구가 태양을 한 바퀴 도는 시간을 1년으로 한다.

① ㄱ, ㄷ　② ㄴ, ㄷ　③ ㄷ, ㄹ
④ ㄱ, ㄴ, ㄹ　⑤ ㄱ, ㄴ, ㅁ

3 내용 파악

'양력'과 '음력'의 차이를 없애기 위해 도입한 것은 무엇입니까?

____

4 추론

이 글을 이해한 내용으로 알맞지 않은 것은 무엇입니까?

① 양력과 음력은 1년에 한 달 정도 차이가 난다.
② 음력에서는 초하루에서 그믐까지가 한 달이다.
③ 양력을 사용하기 위해서는 탁월한 수학 능력이 필요했다.
④ 보름에서 다시 보름이 되는 데에는 음력의 한 달 정도가 걸린다.
⑤ 고대 천문학자들은 지구와 태양, 달의 움직임을 관찰하여 시간을 구분하였다.

5 문법 지식

㉠과 의미가 가장 유사한 것은 무엇입니까?

① 동생이 다른 아이들의 흉을 보았다.
② 손해를 보면서 물건을 팔 사람은 없다.
③ 그의 사정을 보니 딱한 생각이 들었다.
④ 윤서는 별동별이 떨어지는 모습을 보았다.
⑤ 종진이는 엄마가 시장에 간 사이에 집을 보았다.

강가를 따라 오솔길을 20여분 걸어가니 연꽃으로 가득한 정원이 나왔다. 사진에서나 볼 수 있었던 연꽃이 넓은 공간을 꽉 채우고 있는 것을 보니 정말 신기했다. 가까이 다가가 살펴보니 그것은 땅에 뿌리를 내리고 있는 것이 아닌, 물 위에 떠 있는 수련이었다. ㉠ 할머니가 원래 수련은 물 위에서 잎을 펴고 자란다고 말해 주었다. 연꽃의 꽃봉오리는 내 두 손을 모은 것보다 컸고, 연잎은 그보다 더 커서 내 얼굴의 두 배는 되는 것 같았다.

연꽃 정원을 지나 드디어 두물머리에 도착했다. 두물머리는 말 그대로 두 물이 만나는 곳이다. 금강산에서 흘러내린 북한강과 강원도 금대봉에서 발원한 남한강의 두 물이 합쳐지는 곳이라는 의미이며, 한자로는 양수리(兩水里)라고 하는데 이 역시 두 물이 만나는 마을이라는 뜻이다. 북한강과 남한강이 만나는 두물머리는 시야가 넓고 앞이 탁 트여 있었다. 예전에 타던 나룻배가 물가에 놓여 있었는데, 나룻배의 모습이 아름다워서 많은 사람들이 그것을 배경으로 사진을 찍었다.

물가에서 20발자국쯤 떨어져 있는 곳에는 커다란 느티나무가 있었다. 그냥 보기에도 매우 커서 오래된 나무일 것이라 ㉡생각했는데, 안내문을 보니 수령이 400년이라고 하였다. 이 나무는 소원 하나를 꼭 들어준다고 해서 우리 가족은 모두 공손히 손을 모으고 소원을 빌었다. 나는 친구들과 친하게 지내게 해 달라고 빌었고, 할머니께서는 우리 가족의 건강을 빌었다고 하셨다. 엄마와 아빠는 비밀이라며 알려 주지 않으셨다.

돌아오는 길에는 배다리를 건너 식물원인 세미원에 들렀다. 그때는 이미 날이 어둑해져서 다리 위에 청사초롱으로 불이 밝혀져 있었다. 낮에 보았던 밝고 환했던 두물머리의 경치도 아름다웠지만, 은은하게 물안개가 피어오르는 세미원의 밤경치도 깊은 인상을 주었다.

두물머리 주변의 [□먹거리 / □볼거리]를 소개하며 자신의 감상을 기록한 [□광고문 / □기행문]입니다.

6 일의 순서

글쓴이가 여행한 장소를 순서대로 쓴 것은 무엇입니까?

① 세미원 → 배다리 → 오솔길 → 연꽃 정원 → 두물머리
② 두물머리 → 배다리 → 오솔길 → 세미원 → 연꽃 정원
③ 두물머리 → 배다리 → 연꽃 정원 → 오솔길 → 세미원
④ 오솔길 → 연꽃 정원 → 세미원 → 두물머리 → 배다리
⑤ 오솔길 → 연꽃 정원 → 두물머리 → 배다리 → 세미원

7 내용 파악

이 글의 '두물머리'에서 '두물'이 가리키는 강은 무엇입니까?

_______ , _______

8 내용 파악

이 글의 내용으로 알맞지 않은 것은 무엇입니까?

① 글쓴이는 가족과 함께 두물머리 일대를 돌아보았다.
② 글쓴이는 물 위에서 잎을 펴고 자라는 수련을 살펴보았다.
③ 세미원의 느티나무는 400년이라는 오랜 세월을 살아왔다.
④ 글쓴이가 세미원에 도착했을 때에는 날이 어둑해진 후였다.
⑤ '두물머리'와 '양수리'는 순우리말과 한자어이지만 그 뜻은 같다.

9 문법 지식

㉠을 다음과 같이 높임법에 맞게 고쳐 쓰려고 합니다. 빈칸에 알맞은 말을 쓰시오.

[ ] 원래 수련은 물 위에서 잎을 펴고 자란다고 [ ] [ ].

10 어휘

㉡과 바꾸어 쓸 수 있는 말로 가장 알맞은 것은 무엇입니까?

① 짐작　② 사고　③ 고려
④ 명상　⑤ 환상

한눈에 보는 약점 유형 분석

틀린 문제에 ✔표를 하세요.

① 중심 내용	② 내용 파악	③ 내용 파악	④ 추론	⑤ 문법 지식	⑥ 일의 순서	⑦ 내용 파악	⑧ 내용 파악	⑨ 문법 지식	⑩ 어휘

♣공부한 날: 월 일 ♣맞은 개수: /10문항

설명하는 글 문제 ❶~❺

널리 알려진 단원 김홍도의 「서당」이란 그림이다. 훈장 선생님이 책상 옆에 회초리를 놓아두었고 앞쪽에서 훌쩍거리고 있는 학생에게 야단을 친다. 그런데 왠지 그 표정은 무섭지 않고 오히려 친근감이 간다. 이 학생은 책을 등 뒤에 놓고 돌아앉아 있다. 예전에는 전날 배운 것을 다음날 선생님 앞에 돌아앉아 외워야 했다. 이것을 '공부 바친다'고 하였다.

훈장님 앞에서 훌쩍거리고 있는 녀석은 어제 배운 내용을 외우지 못해 야단을 맞았다. 그런데 왜 한 손은 왼쪽 발목의 대님을 풀고 있을까? 이제 매를 맞으려고 종아리를 걷고 있는 중이다. 매 맞을 일이 겁이 나서 녀석은 벌써 찔끔거리고 있다.

그 옆에 다른 친구들은 고소하다는 듯이 낄낄거리며 웃는다. 가만히 살펴보면 그 표정들이 모두 조금씩 다르다. 왼쪽 가장자리에 앉은 녀석은 눈이 책 위를 맴돌고 있는 것으로 보아 아직 제 차례가 오지 않은 모양이다. 그 옆에 앉은 학생도 눈은 울고 있는 친구를 보면서 부지런히 책장을 넘기고 있는 것으로 보아 제 차례를 기다리고 있는 중이다. 나머지 활짝 웃고 있는 녀석들은 아마도 숙제 검사를 다 마친 듯하다.

그런데 그림의 오른쪽 맨 위에 앉은 학생은 혼자서 갓을 쓰고 있다. 다른 학생들은 모두 길게 땋은 더벅머리인데……. 얼굴은 ⓐ앳되어 보이는데 왜 그랬을까? 녀석은 벌써 장가를 들었기 때문이다. 이 때문에 어른 대접을 받아서 제일 윗자리에 앉았다. 맨 아래쪽의 꼬맹이는 몸집이 유난히 작은 것으로 보아, 서당의 막내임을 알 수 있다. 이렇게 꼼꼼히 살펴보면 ㉠화가가 얼마나 세심하게 배려하여 그림을 구성하고 있는지 느낄 수 있다.

– 살아있는 한자 교과서 _ 정민

단원 김홍도의 그림 「서당」의 [□제작 연도와 방법 / □내용과 구성]에 대해 [□설명하는 / □주장하는] 글입니다.

1 그림 「서당」에서 가운데 앉은 학생이 울고 있는 이유는 무엇입니까?

내용 파악

① 숙제를 하기 싫어서 ② 매 맞을 일이 겁이 나서
③ 친구들의 놀림이 두려워서 ④ 부모님께 혼날 것이 걱정되어서
⑤ 공부가 부족한 것이 부끄러워서

2 그림 「서당」에서 이루어진 공부 방법은 무엇입니까?

내용 파악

① 하루에 한 편씩 긴 글을 쓴다.
② 배운 내용을 공책에 세 번씩 쓴다.
③ 강의 주제에 대해 친구들과 토의한다.
④ 전날 배운 것을 훈장님 앞에서 외운다.
⑤ 훈장님의 강의에 대한 자신의 생각을 발표한다.

3 글쓴이가 ㉠과 같이 생각한 이유로 가장 알맞은 것은 무엇입니까?

추론

① 그림을 사진처럼 사실적으로 그려 내었기 때문에
② 조선 시대의 서당의 성격을 잘 드러내었기 때문에
③ 훈장님의 표정을 친근감 있게 나타내었기 때문에
④ 서당에서 벌어진 재미있는 상황을 보여 주었기 때문에
⑤ 인물의 처지와 특징을 고려하여 그림을 구성하였기 때문에

4 글쓴이가 그림 「서당」의 인물들에 대해 설명한 내용으로 알맞지 않은 것은 무엇입니까?

내용 파악

① 왼쪽 가장자리에 앉은 학생은 책을 보고 있다.
② 왼쪽의 두 번째 학생은 친구를 보며 책장을 넘기고 있다.
③ 활짝 웃고 있는 학생들은 자신의 차례를 기다리고 있다.
④ 오른쪽 맨 위의 학생이 갓을 쓴 이유는 장가를 들었기 때문이다.
⑤ 오른쪽 맨 아래의 학생은 몸집이 유난히 작은 것으로 보아 막내이다.

5 ⓐ와 바꾸어 쓰기에 가장 알맞은 것은 무엇입니까?

어휘

① 어려 ② 젊어 ③ 작아 ④ 늙어 ⑤ 성숙해

민주 정치의 원리 중 하나는 국가의 권력을 나누는 것이다. 우리나라에서는 입법부, 사법부, 행정부로 국가의 권력이 나뉜다. 국가의 권력을 세 개로 나누었다고 해서 '삼권 분립'이라고 한다. 삼권 분립은 국가 권력이 어느 한곳에 집중되어 생기는 [㉠] 등의 문제를 막기 위한 것이다. 권력이 한쪽에 치우치면 권력을 함부로 휘두르거나 국민의 권리와 자유를 해칠 수 있기 때문이다.

그렇다면 입법부, 사법부, 행정부는 각각 어떤 역할을 하고, 서로 어떻게 견제하는 것일까? 입법부는 다름 아닌 국회를 일컫는 말이다. 그래서 입법부의 주 구성원은 국회의원들이다. '입법'이란 법을 세운다는 뜻인데, 입법부는 국회에서 하는 주요 업무가 법을 만드는 일이기 때문에 붙여진 이름이다. 입법부는 대통령과 정부가 하는 일을 감시하고, 대법원장의 임명에 동의하거나 반대하는 방식으로 행정부와 사법부를 견제한다.

사법부는 대법원, 고등 법원, 지방 법원을 비롯한 여러 법원 조직을 일컫는 말로, 사법부는 재판에서 심판을 하는 법관으로 구성되어 있다. 사법부의 권한은 법을 바탕으로 사회의 갈등을 심판하는 것이다. 그밖에 입법부가 만든 법률이 헌법에 어긋날 경우 고칠 것을 명령하고, 행정부가 만든 명령, 규칙 등이 헌법을 위반하고 있지는 않은지를 판단하고 심판하는 것이 사법부가 하는 일이다.

행정부는 정부를 일컫는다. 대통령과 국무총리, 그리고 행정 각부의 장관 등으로 구성되어 있으며 나라의 살림을 맡는다. 행정부는 입법부가 만든 법률을 거부할 수 있는 권리를 가지고 있고, 대법원장을 임명하는 권한을 가지고 있어서 입법부와 사법부를 견제한다.

– 재미있는 선거와 정치 이야기 _ 조항록

우리나라의 권력을 입법부, 사법부, 행정부로 나누는 [□삼권 분립 / □지방 자치]의 의미를 이야기하고, 각 조직의 역할에 대해 [□광고하는 / □설명하는] 글입니다.

6 내용 파악

국가의 권력을 입법부, 사법부, 행정부로 나누는 것을 무엇이라고 합니까?

____

7 중심 내용

다음은 국가의 권력을 세 개로 나누어야 하는 이유입니다. 빈칸에 알맞은 말을 쓰시오.

권력이 한쪽으로 치우치면 [   ]의 권리와 [   ]를 해칠 수 있기 때문입니다.

8 내용 파악

이 글의 내용으로 알맞은 것은 무엇입니까?

① 행정부는 법관으로 구성되어 있다.
② 입법부에서는 나라의 살림을 맡는다.
③ 행정부에서는 국회의원들이 모여 법을 만든다.
④ 사법부에는 대통령과 국무총리가 소속되어 있다.
⑤ 사법부에서는 법을 바탕으로 사회의 갈등을 심판한다.

9 내용 적용

다음은 국가의 권력을 견제하는 방식을 나타낸 것입니다. 알맞지 않은 것은 무엇입니까?

입법부
① 법률 수정 명령
② 대법원장 임명 동의
③ 대법원장 감시
④ 법률 거부
사법부
대법원장 임명
⑤ 명령, 규칙 심판
행정부

10 어휘

㉠에 들어갈 말로, '특정한 개인이나 단체 따위가 어떤 분야에서 모든 권력을 차지하여 모든 일을 독단으로 처리함.'의 의미를 가진 것은 무엇입니까?

① 통일 ② 독재 ③ 평등 ④ 폭력 ⑤ 자주

한눈에 보는 약점 유형 분석

틀린 문제에 ✔표를 하세요.

① 내용 파악	② 내용 파악	③ 추론	④ 내용 파악	⑤ 어휘	⑥ 내용 파악	⑦ 중심 내용	⑧ 내용 파악	⑨ 내용 적용	⑩ 어휘

♣공부한 날: 월 일 ♣맞은 개수: /9문항

안내문 문제 ❶~❺

【복약 안내서】

■ 이 약을 복용하면 안 되는 사람
- 이 약의 구성 성분 또는 요오드에 특별 반응이 있는 환자
- 심장에 문제가 있는 환자
- 갑상선에 이상이 있는 환자
- 임신 또는 수유 중인 환자
  → 태아 또는 영아에게 영향을 끼칠 수 있습니다.
- 다른 약을 복용하고 있는 환자
  → 특정한 약과 이 약을 함께 복용할 경우 심각한 문제를 일으킬 수 있기 때문에, 복용 중인 약이 있다면 즉시 의사에게 미리 알려 함께 먹어도 되는 약인지 확인하시기 바랍니다.

■ 이 약의 복용 방법
- 의사의 처방을 받아 정확하게 복용합니다.
- 복용 시간을 놓치면 건너뛰고 예정대로 다음 복용 시간에 드십시오. 다음 복용 시간에 2회 용량을 한꺼번에 복용해서는 안 됩니다.

■ 이 약의 보관 방법
- 실온(5~25℃)에서 원래 약이 담겨 있던 ㉠용기에 담아 직사광선을 피해 보관하십시오.
- 어린이의 손에 절대 닿지 않도록 유의하십시오.
- 유효 기간이 지난 약은 먹지 말고 약국에 가져다주세요.

약의 복용과 보관 방법 등을 알려 주고, [□약의 성분 / □복용 시 주의점]에 대하여 쓴 [□안내문 / □감상문]입니다.

1 글의 목적

다음은 이 글의 목적을 나타낸 것입니다. 빈칸에 알맞은 말을 쓰시오.

약의 안전한 [ ] 을 돕기 위한 것입니다.

2 내용 파악

이 글을 읽고 알 수 없는 내용은 무엇입니까?

① 이 약을 보관하는 온도
② 의사에게 이 약의 처방을 받는 방법
③ 어린이가 있는 곳에서의 보관 방법
④ 유효 기간이 지난 약을 처리하는 방법
⑤ 다른 약을 먹고 있는 환자가 주의해야 할 점

3 내용 적용

이 약의 복용 시간을 놓쳤을 경우의 올바른 복용 방법은 무엇입니까? (정답 2개)

복용 시간	
ⓐ 시간을 놓친 것을 알게 된 즉시 복용	ⓑ 예정대로 다음 복용 시간에 복용

복용 용량	
ⓒ 1회분 용량	ⓓ 2회분 용량

4 추론

이 글을 이해한 내용으로 알맞지 않은 것은 무엇입니까?

① 이 약을 먹으려면 다른 약은 복용을 무조건 중단해야겠군.
② 갑상선에 이상이 있는 사람이 이 약을 복용하면 안 되겠군.
③ 임신 중에 이 약을 복용하면 태아에게 영향을 미칠 수 있군.
④ 심장에 문제가 있는 사람에게 이 약을 처방해서는 안 되겠군.
⑤ 요오드에 특별한 반응을 보인 사람은 이 약을 먹지 말아야겠군.

5 어휘

㉠과 같은 의미로 쓰인 것은 무엇입니까?

① 사실대로 말할 용기가 나지 않아.
② 알맞은 용기가 없어서 반찬을 덜어 오지 못했어.
③ 나는 풀이 죽어 있는 동생에게 용기를 북돋아 주었다.
④ 이번 사건에 대해 용기 있게 증언해 줄 사람이 없을까?
⑤ 전국 대회에 출전하는 것은 매우 용기가 필요한 일이야.

현대에 들어서면서 의학이 발달하고 생활 수준이 향상됨에 따라 사망률이 현저하게 줄어들었다. 또 우리나라를 비롯해서 선진국에서는 매년 출산율이 떨어지고 있다. 그러다 보니 소년 인구 비율과 청년 인구 비율은 점점 감소하게 되고 평균 수명은 길어져, 우리나라는 사회 구성원 중 노인의 비율이 높은 고령화 사회가 되었다.

수명이 늘어난 것은 좋지만, 고령화 사회의 노인들에게는 몇 가지 문제점이 있다. 가장 큰 문제점은 경제적인 문제이다. 노인들의 대부분은 일을 하고 싶어도 나이가 많다는 이유로 고용되지 못한다. 그래서 경제적으로 어려움을 겪고, 아플 때에도 병원에 가지 못하는 상황이 발생한다. 나이가 들면 병원에 갈 일이 더 많아지는데도 불구하고 [㉠] 진료를 받을 수 없는 것이다.

또한 심리적인 문제도 있다. 핵가족화와 급격한 사회 변화 등으로 인해 사회와 가족으로부터 소외되는 노인들이 많아져, 노인들이 사회와 가족 내에서 역할이 없어지는 것에 대해 심리적으로 불안감을 갖게 되는 것이다.

이러한 문제를 해결하기 위해서는 건강한 노후 생활을 위한 노인 보건 사업을 실시해야 한다. 의료 보험 제도를 개선해서 수입이 없는 노인일지라도 부담 없이 의료 보험 혜택을 받아 질병으로부터 벗어날 수 있도록 해야 한다. 경로 연금을 확대해서 누구든지 젊었을 때 번 돈의 일부를 적립해서 나이가 들면 혜택을 받도록 하는 것도 좋은 방법이다. 또한 노인들이 소통하고 즐길 만한 문화적 서비스를 제공하는 정서적인 지원도 필요하다. 이제는 오래 사는 것만이 아니라, 즐겁게 사는 것 또한 중요한 시대이기 때문이다.

– 시사논술 개념사전 _ 김찬환 외

우리나라가 [□고령화 사회 / □산업화 사회]가 되었음을 이야기하며, 고령화 사회의 문제점과 해결책에 대해 [□설명하는 / □주장하는] 글입니다.

6
내용 파악

'고령화 사회'일수록 비율이 높아지는 것은 무엇입니까?

① 출산율　② 사망률　③ 소년 인구 비율
④ 청년 인구 비율　⑤ 노인 인구 비율

7
글의 주제

이 글에서 알 수 있는 내용으로 알맞은 것은 무엇입니까?

① 노인들의 심리적 불안감을 해소하는 치료 방안
② 고령화 사회에서 나타나는 문제점과 그 해결 방법
③ 매년 출산율이 떨어지고 있는 주변 선진국의 문제점
④ 청년의 인구 비율이 감소하는 이유와 대책의 필요성
⑤ 의학이 발달하고 생활 수준이 높아질 미래 사회의 특징

8
내용 파악

글쓴이가 제시한 고령화 사회의 문제를 해결하는 방법이 아닌 것을 모두 고르시오.

① 경로 연금의 확대
② 노인 일자리 마련
③ 의료 보험 제도 개선
④ 문화적 서비스 제공
⑤ 노인 대상의 심리 치료 지원

9
어휘

㉠에 들어갈 말로, '일반적인 기준이나 예상, 짐작, 기대와는 전혀 반대가 되거나 다르게.' 라는 의미를 가진 단어를 쓰시오. [초성 힌트: ㅇㅎㄹ]

☐☐☐

틀린 문제에 ✔표를 하세요.

❶ 글의 목적	❷ 내용 파악	❸ 내용 적용	❹ 추론	❺ 어휘	❻ 내용 파악	❼ 글의 주제	❽ 내용 파악	❾ 어휘

♣공부한 날: [ ] 월 [ ] 일 ♣맞은 개수: [ ] / 9문항

설명하는 글 문제 ❶~❺

뇌에서 기억을 담당하는 기관은 해마이다. 해마는 뇌의 가운데에 위치해 있으며, 학습과 기억, 감정 조절에 관여하고 신경 세포를 만들어 내는 역할을 한다. 신경 세포는 뇌가 다른 신체 기관을 통제하는 수단이자, 다른 기관들로부터 정보를 획득할 수 있도록 하는 정보 전달의 수단이기 때문에 신경 세포의 유무는 생명체의 생존에 필수적이다. 해마가 뇌에서 차지하는 크기는 아주 작지만, 뇌의 다른 부위로 신호를 전달하는 신경 세포를 만들어 낸다는 점에서 매우 중요한 기관이라고 할 수 있다.

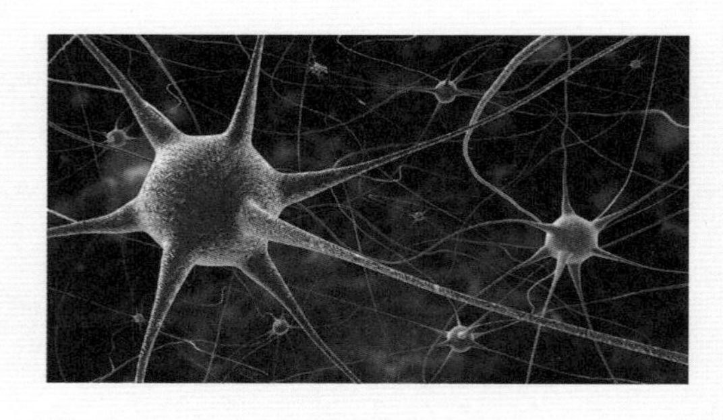

해마에서는 주로 어린 시절에 신경 세포가 새로 만들어진다. 하루에 만들어지는 새로운 신경 세포의 수는 연구에 따라 다양하게 나타나며, 지금까지는 성인의 해마에서도 새로운 신경 세포가 만들어질 수 있다고 생각되어 왔다.

미국 캘리포니아 대학의 소렌스 박사팀은 성인의 해마에서도 신경 세포가 새로 만들어질 수 있는지를 알아보기 위해, 다양한 연령대의 뇌 해마를 조사해 보았다. 조사 결과, '신경 줄기세포'나 [㉠] 새로 만들어지는 '어린 신경' 세포의 수가 유아기에 매우 빠른 속도로 감소하고 이후에는 거의 신경 세포가 만들어지지 않는다는 것을 알아냈다. 특히 13세가 지난 사람의 해마에서는 새로운 신경 세포가 새로 만들어지는 것을 관찰할 수 없었다고 보고했다.

소렌스 박사팀은 붉은털원숭이의 해마도 조사했다. 붉은털원숭이의 해마에서도 사람의 경우와 마찬가지로 출생 후 이른 시기에는 새로운 신경 세포가 만들어지는 것이 보였지만, 성장함에 따라 현저하게 감소했다. 이 연구는 지금까지의 생각과는 달리 영장류의 해마에서 새로운 신경 세포가 만들어지는 일은 어린 시절에 빠르게 감소하고 성인에서는 거의 일어나지 않을 가능성을 보여 주었다.

성인의 해마에서는 [□신경 세포 / □단백질 세포]가 만들어지지 않는다는 것을 발견한 소렌스 박사팀의 연구에 대해 [□주장하는 / □설명하는] 글입니다.

다음은 '해마'의 역할을 설명한 것입니다. 빈칸에 알맞은 말을 쓰시오.

중심 내용

> 해마는 학습과 기억, 감정 조절에 관여하고, [　　　] 를 만들어 냅니다.

2 다음은 '신경 세포'의 역할을 나타낸 것이다. ⓐ, ⓑ의 내용으로 알맞은 것은 무엇입니까?

내용 적용

> 뇌(신경 세포) ⇄ 다른 신체 기관 (ⓐ: →, ⓑ: ←)

	ⓐ	ⓑ		ⓐ	ⓑ
①	감정 조절	학습과 기억	②	정보 획득	통제
③	정보 획득	감정 조절	④	통제	정보 획득
⑤	학습과 기억	통제			

3 이 글에서 '소렌스 박사팀'이 연구를 통해 알아보려 한 것은 무엇입니까?

내용 파악

① 해마가 하는 역할이 무엇인지를 알아보려 했다.
② 해마가 위치한 곳이 어디인지를 알아보려 했다.
③ 뇌에서 해마가 차지하는 크기가 어느 정도인지를 알아보려 했다.
④ 성인의 해마에서도 새로운 신경이 만들어질 수 있는지를 알아보려 했다.
⑤ 사람의 해마가 붉은털원숭이의 해마보다 얼마나 우수한지를 알아보려 했다.

4 이 글의 내용으로 알맞지 않은 것은 무엇입니까?

추론

① 신경 세포는 생명체의 생존에 필수적인 역할을 한다.
② 새로운 신경 세포는 주로 유아기에 거의 다 만들어진다.
③ 해마는 뇌에서 차지하는 크기는 작지만 매우 중요한 기관이다.
④ 붉은털원숭이의 해마는 사람의 해마와 전혀 다른 기능을 한다.
⑤ 많은 과학자들은 성인의 해마에서도 신경 세포가 만들어진다고 여겨 왔다.

5 ㉠에 들어갈 말로, '이제 막.'이라는 뜻의 낱말을 맞춤법에 맞게 쓰시오.

맞춤법

[　　]

사회자: 우리는 예전부터 거짓말은 절대 하면 안 되는 나쁜 것으로 배워 왔습니다. 하지만 때로는 착한 의도를 가지고 거짓말을 할 때가 있는데, 이런 거짓말을 '선의의 거짓말' 혹은 '하얀 거짓말'이라고 합니다. 오늘은 '선의의 거짓말은 해도 된다.'라는 주제로 이야기를 나눠보겠습니다. 먼저 해도 된다고 생각하는 찬성 측의 의견부터 들은 다음 반대 측의 의견을 듣겠습니다.

소영: 네, 제가 먼저 발언하겠습니다. 저는 선의의 거짓말은 해도 된다고 생각합니다. 왜냐하면 선의의 거짓말은 좋은 의도를 바탕으로 좋은 결과를 가져오기 때문입니다. 예를 들어보겠습니다. 외모로 고민하고 있는 친구에게 예쁘다고 말해 주는 것은 거짓말입니다. 하지만 거짓말을 한 사람은 친구가 슬퍼하지 않았으면 좋겠다는 좋은 의도에서 거짓말을 한 것이고, 그 결과로 친구가 자신감을 갖게 되었다면 좋은 결과를 낸 것입니다. 이렇게 의도와 결과가 모두 좋다면 그것은 좋은 일이라고 생각합니다.

상민: 저는 생각이 다릅니다. 선의의 거짓말도 결국은 거짓말입니다. 어떤 거짓말은 해도 되는 좋은 거짓말이고, 어떤 거짓말은 하면 안 되는 나쁜 거짓말이라고 구분하는 것은 매우 어려운 일이라고 생각합니다. 게다가 예외를 허용하기 시작하면 거짓말을 해서는 안 된다는 규범이 무너질 것입니다. 규범은 선택해서 지키는 것이 아니라 반드시 지켜야 하는 것이기 때문입니다.

현수: 저도 상민 친구의 의견에 동의하며, 소영 친구의 발언에 반론을 제기하려고 합니다. 소영 친구는 의도와 결과가 좋으면 거짓말이라도 좋은 거짓말이라고 하였지만, 결과는 미리 짐작하여 알 수 있는 것이 아닙니다. 거짓말이 어떤 결과를 가져올 것인지 알 수도 없는 상황에서, 규범을 어기며 거짓말을 하는 것은 결코 옳은 행위가 아니라고 생각합니다.

'선의의 거짓말은 해도 된다.'라는 주제에 대해 서로 [□같은 / □다른] 의견을 가진 친구들이 자신의 주장을 펼치는 [□토의 / □토론] 입니다.

6 추론

다음은 이 토론에서 사회자의 역할을 설명한 것입니다. 빈칸에 알맞은 말을 쓰시오.

> 사회자는 토론 [　　　]를 제시하고, [　　　] 순서를 정하는 역할을 하고 있습니다.

7 설명 방식

이 토론에서 토론 참여자에 대한 설명으로 알맞은 것은 무엇입니까?

① 상민은 소영의 의견에 동의하고 있다.
② 현수는 자신의 의견을 밝히지 않고 있다.
③ 소영은 사회자의 의견에 반론을 제기하고 있다.
④ 현수는 유명한 학자의 의견을 빌려와 말하고 있다.
⑤ 소영은 예를 들며 자신의 의견을 뒷받침하고 있다.

8 내용 파악

다음은 '소영'의 주장을 정리한 것입니다. 빈칸에 알맞은 말을 쓰시오.

> 거짓말의 [　　　]와 [　　　]가 좋다면 선의의 거짓말은 해도 된다.

9 추론

'상민'의 의견으로 알맞지 않은 것은 무엇입니까?

① 선의의 거짓말도 거짓말에 속한다.
② 규범은 예외를 두지 말고 지켜야 한다.
③ 거짓말을 하면 안 된다는 것은 지켜야 할 규범이다.
④ 듣는 이의 마음을 고려한 거짓말만 인정할 수 있다.
⑤ 거짓말의 종류를 구분하는 것은 아주 어려운 일이다.

한눈에 보는 약점 유형 분석

틀린 문제에 ✔표를 하세요.

① 중심 내용	② 내용 적용	③ 내용 파악	④ 추론	⑤ 맞춤법	⑥ 추론	⑦ 설명 방식	⑧ 내용 파악	⑨ 추론

21~25 일차 글 읽기를 위한 어휘 연습

중요한 낱말을 다시 한번 확인하고 □에 써 보세요.

그믐	음력으로 그달의 마지막 날. 예 □□이 되자 달빛이 보이지 않았다.
더벅머리	더부룩하게 난 머리털. 예 그는 머리카락을 자르지 않아 □□□□가 되었다.
대접 (기다릴 待, 사귈 接)	마땅한 예로써 대함. 예 그녀는 맛있는 음식을 차려 손님을 잘 □□했다.
임명 (맡길 任, 목숨 命)	일정한 지위나 임무를 남에게 맡김. 예 그녀는 팀장으로 □□되었다.
혜택 (은혜 惠, 못 澤)	은혜와 덕택을 아울러 이르는 말. 예 우리는 자연이 주는 □□을 누리고 있다.
관여 (빗장 關, 줄 與)	어떤 일에 관계하여 참여함. 예 남의 일에 함부로 □□해서는 안 된다.
주로 (주인 主, –)	기본으로 삼거나 특별히 중심이 되게. 예 나는 □□ 오후 1시에 점심을 먹는다.
선의 (착할 善, 뜻 意)	착한 마음. 예 그는 □□로 나를 도와주었다.

고안 (상고할 考, 책상 案)	연구하여 새로운 안을 생각해 냄. 또는 그 안. 예 그는 새로운 디자인을 □□하고 있다.
발원 (쏠 發, 근원 源)	흐르는 물줄기가 처음 생김. 또는 그런 것. 예 오대산은 남한강의 □□ 가운데 하나이다.
청사초롱 (푸를 靑, 깁 紗, -, 대바구니 籠)	푸른 천과 붉은 천으로 상, 하단을 두른 초롱. 예 전통 혼례식장에는 □□□□이 걸려 있었다.
직사광선 (곧을 直, 쏠 射, 빛 光, 줄 線)	정면으로 곧게 비치는 빛살. 예 이 약은 □□□□을 피해 보관해 주십시오.
고령화 (높을 高, 나이 齡, 될 化)	한 사회에서 노인의 인구 비율이 높은 상태로 나타나는 일. 예 젊은 사람들이 떠나고 있어 농촌이 □□□되고 있다.
핵가족 (씨 核, 집 家, 겨레 族)	한 쌍의 부부와 미혼의 자녀만으로 구성된 가족. 예 예전에는 대가족이 많았는데, 이제는 □□□이 많다.
가능성 (옳을 可, 능할 能, 성품 性)	앞으로 실현될 수 있는 성질이나 정도. 예 학생들은 무한한 □□□을 가지고 있다.
발언 (쏠 發, 말씀 言)	말을 꺼내어 의견을 나타냄. 또는 그 말. 예 자신의 의견을 정확히 □□해야 한다.

21~25 일차 어휘력 쑥쑥 테스트

[01~04] 다음의 뜻에 알맞은 낱말을 [보기]에서 찾아 쓰시오.

보기
관여　　그믐　　선의　　혜택

01 착한 마음. ☐☐

02 음력으로 그달의 마지막 날. ☐☐

03 어떤 일에 관계하여 참여함. ☐☐

04 은혜와 덕택을 아울러 이르는 말. ☐☐

[05~07] 주어진 뜻에 알맞은 낱말을 빈칸에 넣어 문장을 완성하시오.

05 그는 ☐☐ 버스를 타고 출근한다.

* 뜻: 기본으로 삼거나 특별히 중심이 되게.

06 나는 이번 학기에 반장으로 ☐☐되었다.

* 뜻: 일정한 지위나 임무를 남에게 맡김.

07 상투를 튼 꼬마 신랑은 아직도 ☐☐☐☐ 친구들과 어울린다.

* 뜻: 더부룩하게 난 머리털.

08 빈칸에 공통으로 들어갈 낱말을 쓰시오.

ㄷ ㅈ	① 나는 그녀로부터 넘치는 ☐☐을 받았다. ② 그는 제대로 된 ☐☐도 받지 못하고 집을 나왔다.

21~25 일차 십자말 풀이

	1			3	3	
1						
				4 4		
2 2						

가로 열쇠

1. 정면으로 곧게 비치는 빛살.
2. 말을 꺼내어 의견을 나타냄. 또는 그 말.
3. 한 쌍의 부부와 미혼의 자녀만으로 구성된 가족.
4. 한 사회에서 노인의 인구 비율이 높은 상태로 나타나는 일.

세로 열쇠

1. 푸른 천과 붉은 천으로 상, 하단을 두른 초롱.
2. 흐르는 물줄기가 처음 생김. 또는 그런 것.
3. 앞으로 실현될 수 있는 성질이나 정도.
4. 연구하여 새로운 안을 생각해 냄. 또는 그 안.

숨마 어린이®

글 읽기 능력 향상을 위한

초등국어 독해왕

글 읽기가 재미있다는 것을 자연스럽게 알게 됩니다.

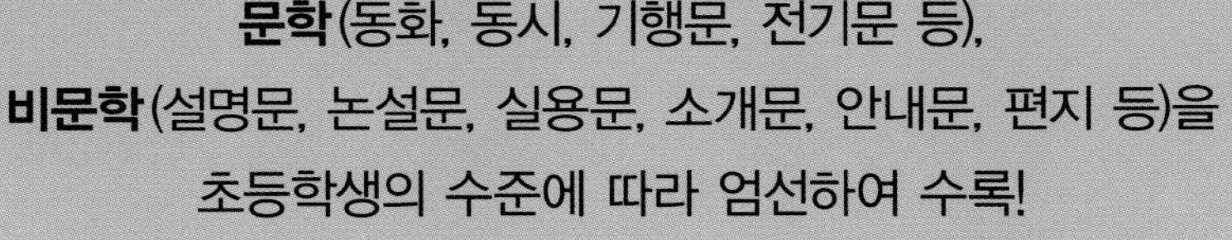

문학(동화, 동시, 기행문, 전기문 등),
비문학(설명문, 논설문, 실용문, 소개문, 안내문, 편지 등)을
초등학생의 수준에 따라 엄선하여 수록!

5 단계

정답 및 해설

상세한 지문 분석 및 문제 해설

- **학생**에게는 **자기 주도 학습을 위한 가이드**가
- **선생님들**에게는 **수업을 위한 지도 자료로 활용**될 수 있습니다.

정답 및 해설

01 일차

일기 예보 문제 ❶~❺

1 드디어 장마 전선*이 잠시 남해로 내려가면서 낮 동안 대부분의 지방에 비가 그치겠습니다. 어제 오후 4시에 내려졌던 남부 지방의 호우 특보*도 아침 8시 현재 모두 해제되었습니다. 오늘 밤부터 다시 전남과 제주도 지역에는 많은 비가 내릴 것으로 전망됩니다. 특히 제주도 지역에는 천둥 번개가 치고 돌풍*이 부는 곳이 있겠습니다. 호우 특보의 해제와 오늘 밤의 비 소식.

2 오늘 아침 기온은 서울과 경기 지방이 19도, 춘천과 강릉을 비롯한 강원도 일대가 18도, 대구와 울산, 광주 등 남부 지방이 21도, 제주도가 22도로 어제와 같겠습니다. 낮 기온은 서울과 경기 지방이 26도, 강원도와 중부 지방이 27도, 광주와 제주도가 28도로 어제보다 2~3도 가량 높겠습니다. 밤 기온 역시 어제보다 조금 오르겠지만, 광주와 제주도 지방은 오늘 밤 많은 비가 내리면서 밤 기온이 어제와 같겠습니다. 전국의 오늘 기온.

3 지금까지 제주도를 포함한 남부 지방에는 100mm가 넘는 많은 비가 내렸는데요, 제주도에 가장 많은 168mm, 완도군에 155mm, 해남군에 143mm의 비가 내렸습니다. 내일의 예상 강수량은 부산과 경남 지방이 50~70mm 가량, 지리산 근처 전남 지방이 100mm 가량이겠고, 제주도 산간*에는 일시적으로 200mm 이상의 폭우가 쏟아지는 곳이 있겠습니다. 남부 지방의 현재 강수량과 예상 강수량.

4 주말까지는 제주도와 남해안을 중심으로 비가 내리겠고, 서울과 경기, 충청 지방은 장마의 영향을 받지 않을 전망입니다. 그러나 다음 주부터 다시 장마 전선이 중부 지방으로 올라오면서, 화요일에는 강원도를 포함하여 전국적으로 장마가 시작되겠습니다. 비와 바람으로 인한 피해가 없도록 [㉠] 준비하시기 바랍니다. 장마에 대한 전망과 주의 당부.

* **장마 전선:** 여름철에 우리나라의 남쪽 지방에 머물면서 장마를 가져오는 전선.
* **특보:** 기상에 갑작스러운 변화나 이상 현상이 생겼을 때 특별히 하는 보도.
* **돌풍:** 갑자기 세게 부는 바람.
* **산간:** 산과 산 사이에 산골짜기가 많은 곳.

[☑장마 / □황사]에 따른 날씨의 변화를 분석하고 예측하여 전달하는 [□광고 / ☑일기 예보]입니다.

1. ②
남부 지방의 호우 특보는 어제 오후 4시부터 오늘 아침 8시까지 내려졌어요. 따라서 총 16시간 동안 내려진 것이지요.

2. ㉮ 같음, ㉯ 높음, ㉰ 같음
광주와 제주도의 기온이 아침은 어제와 같고, 낮은 어제보다 높다고 했어요. 또, 밤 기온은 어제와 같다고 했지요.

3. (1) 제주도, 168
(2) 제주도 산간, 200
지금까지 제주도에 가장 많은 비가 내렸어요. 내일도 제주도 산간에 200mm가 넘는 큰 비가 올 것이라고 하네요.

4. ②
지금까지 해남군에는 143mm의 많은 비가 내렸어요. 따라서 해남에 사는 친구에게 비로 인한 피해는 없는지 안부를 물어보는 것은 적절한 일이지요.

5. ⑤
㉠에는 '빠짐없이, 꼼꼼하게.'라는 뜻이 들어가야 해요. '소홀하다'는 '대수롭지 아니하고 예사롭다.'라는 뜻으로, 준비를 잘 하지 않았다는 의미이므로 적절하지 않아요.

"일기 예보"

일기 예보는 날씨의 변화를 미리 추측하여 사람들에게 알리는 글이에요. 현재 날씨에 대해 알려 주기도 하고, 앞으로의 날씨를 알려 주기도 하지요. 일기 예보를 보면 햇빛의 정도, 비의 유무, 기온과 습도, 공기의 질 등을 알 수 있어요.

동시 문제 ❻~❾

꽃씨 안이 궁금해

유경환

꽃씨 안이 궁금해
쪼개* 보기엔 너무(7-①) 작고 딱딱해(7-③) 1연: 너무 작고 딱딱해서 쪼개 볼 수 없는 꽃씨.

꽃씨 안이 궁금해
(7-②) 귀에 대고 ㉠들어 보나 숨소리도 없어 2연: 아무 소리도 나지 않는 꽃씨.

꽃씨 안이 궁금해
(7-④) 코로 맡아 보지만 냄새도 없어 3연: 아무 냄새도 나지 않는 꽃씨.

궁금해도 궁금해도 기다려야지
흙에 묻고 기다려야지 4연: 꽃씨가 어떤 꽃의 씨앗인지 알기 위해 기다림.

꽃씨만이 아니야
기다려야 할 건 모두 참고 기다려야지
5연: 꽃씨만이 아니라, 많은 세상일에는 참고 기다리는 과정이 필요함.

주제: 기다림의 필요성.

* 쪼개다: 둘 이상으로 나누다.

꽃씨 안이 궁금하더라도 [□흙에 묻을 때 / ☑꽃이 필 때]까지 기다려야 하는 것처럼 세상의 모든 일에 대해서도 참고 기다릴 줄 알아야 한다는 내용의 [☑동시 / □동화]입니다.

6. (1) X, (2) O

(1) 글쓴이는 꽃씨가 너무 작고 딱딱해서 쪼개 볼 수 없었어요. (2) 글쓴이는 꽃씨 안을 궁금해하고 있으므로, 호기심을 가지고 있다는 내용은 맞는 내용이에요.

7. ⑤

글쓴이는 꽃씨 안이 궁금해서 보고, 만지고, 소리를 들으려 하고, 냄새를 맡아 보았지만 맛을 보려고 하지는 않았어요.

8. ③

글쓴이는 꽃씨 안이 궁금해도 기다려야 하는 것처럼, 세상의 많은 일에는 기다림이 필요하다고 말하고 있어요. 내가 원하는 대로 모든 일이 바로 이루어지는 것은 아니랍니다.

9. ②

밑줄 친 '들어'는 소리를 감각 기관을 통해 알아차린다는 뜻이에요. 그런데 ㉯의 '들어'는 아래에 있는 것을 위로 올린다는 뜻이므로 ㉠의 '들어'와는 다른 뜻이지요. ㉱의 '들어' 역시 적금이나 보험 따위의 거래를 시작한다는 뜻이므로 ㉠의 '들어'와 같은 의미로 볼 수 없어요.

알아두면 도움이 돼요!

"시에 나타나는 우리 몸의 감각"

시각(눈에 보이는 것), 청각(귀에 들리는 것), 촉각(피부로 느끼는 것), 후각(코로 냄새를 맡는 것), 미각(혀로 맛을 느끼는 것)의 표현을 시에 쓰면 시의 표현이 훨씬 풍부해져요. 읽는 사람도 글쓴이가 느낀 감각을 함께 느끼며 시를 감상할 수 있답니다.

안내문 문제 ❶~❹

【안내문】

이 지역은 수도법 제7조에 따라 지정된 보호 구역입니다. 이곳에서는 깨끗한 물을 보존하고 쾌적한 공원을 만들기 위하여 아래의 행위를 금지하고 있으니, 시민들께서는 이를 위반하는* 일이 ㉠없도록 노력해 주시기 바랍니다. 보호 구역의 지정과 시민들의 노력 촉구.

◆ 금지 행위

(1) 물을 오염시키는 물질이나 반려동물*의 똥 · 오줌을 버리는 행위

(2) 강에 반려동물을 풀어 놓는 행위

(3) 강에서 수영이나 목욕, 세탁을 하는 행위

(4) 불을 이용하여 음식을 만들어 먹는 행위

(5) 물고기를 낚거나 조개를 잡는 행위 1-(1)

(6) 자동차를 세차하는 행위 1-(3)

◆ 허가를 받아야 할 수 있는 행위

(1) 건축물을 만드는 행위

(2) 나무를 심거나 나무를 베는 행위 1-(2)

위의 법을 위반하면 수도법 제11조에 따라 최대 2년 이하의 징역 또는 2천만 원 이하의 벌금에 처합니다.

주제: 보호 구역에서 금지된 행위를 하면 처벌받게 됨을 알림.

○○특별시장

* **위반하다:** 법률, 명령, 약속 따위를 지키지 않고 어기다.
* **반려동물:** 사람이 정서적으로 의지하고자 가까이 두고 기르는 동물.

공원을 [☐안전하게 이용하도록 / ☑더럽히지 않도록] 시민들에게 [☐건의하는 / ☑안내하는] 글입니다.

1. (1) 금지, (2) 허가, (3) 금지

물고기를 낚거나 조개를 잡는 행위와 자동차를 세차하는 행위는 금지된 행위예요. 반면 나무를 심거나 베는 행위는 허가를 받으면 할 수 있어요.

2. ⑤

건축물을 만들 때 허가를 받아야 한다고 했지만, 허가를 어디에서 받아야 하는지는 이 글에 나와 있지 않아요.

3. ①

이 글에서 금지하고 있는 것은 불을 이용하여 음식을 만들어 먹는 행위예요. 불을 이용하지 않고 그냥 음식을 먹는 것을 금지하는 내용은 나와 있지 않아요.

4. ⑤

'없도록'은 [업또록]이라고 발음해야 해요.

"경고하는 글"

안내문 중에는 어떤 행위를 하지 말라고 경고하는 글이 있어요. 이런 글을 읽을 때는 하지 말라는 행위가 구체적으로 어떤 것인지 꼼꼼하게 읽은 다음, 해도 되는 행위와 하면 안 되는 행위를 구분해 보세요.

설명하는 글 문제 ❺~❽

1 2013년 12월에 열린 유네스코 무형 유산 보호 위원회에서 우리나라의 김장 문화가 인류 무형 유산으로 지정되었다. 인류 무형 유산이란, 사람들이 대대로 보존할 만한 가치가 있는 풍속*이나 기술, 예술 등을 말한다. 유네스코 위원회에서는 김장을 '김치를 담그고 나누는 문화'라고 말하였는데, 이 말에서도 알 수 있듯이 김장은 단순히 김치를 담그는 것만 의미하는 것이 아니라, 만들어서 다른 사람들과 함께 나누는 문화까지를 포함한다. 유네스코 위원회에서는 우리 조상들의 나눔의 문화를 높게 평가한 것이다. 인류 무형 유산이 된 우리의 김장 문화.

2 김치처럼 채소를 소금에 절이고 다른 양념을 묻혀 만드는 채소 절임류의 음식은 다른 나라에도 있다. 일본에도 배추를 소금에 절이고 담백한 양념을 넣어 먹는 '아사즈케'라는 음식이 있고, 중국에도 배추를 절인 '파오차이'나 오이를 절여 만든 '황과'와 같은 음식이 있다. 그러나 우리나라처럼 겨울이 오기 전, 전국에서 비슷한 날짜에 다 함께 김치를 대량으로 만들어 저장하는 풍속은 다른 나라에서는 찾아볼 수 없는 특이한 풍속이다. 우리나라만의 김장 문화.

3 김장은 겨우내* 한 가족이 먹을 양의 김치를 만드는 일이다. 가족의 수가 많았던 예전에는 김장이 매우 큰 행사였다. 한꺼번에* 많은 양을 만들기 때문에, 혼자의 힘으로는 할 수가 없었다. 혼자 많은 양의 배추를 소금에 절이고 양념하는 것은 너무 힘든 일이기 때문이다. 그래서 김장을 하는 날에는 온 가족과 이웃 사람들이 함께 모여서 [㉠] 이야기를 나누며 일을 한다. 여럿이 하면 김장을 훨씬 쉽게 할 수 있는데다가, 만든 김치를 나누어 가지며 서로의 따스한 정을 느낄 수도 있다. 그래서 우리의 김장 문화에는 겨우내 먹을 음식을 장만한다는* 목적 외에도 가족과 이웃 간의 정을 나눈다는 중요한 의미가 들어 있다. 나눔의 정신을 보여 주는 김장 문화.

주제 : 김장 문화에 담겨 있는 조상들의 따뜻한 나눔의 정신.

유네스코가 인류 무형 유산으로 지정한 [☑김장 / □절임] 문화의 특징과 가치에 대해 [□토의하는 / ☑설명하는] 글입니다.

5. 보존, 가치
유네스코에서는 우리의 김장 문화가 대대로 보존할 만한 가치가 있는 풍속이라고 생각하여 인류 무형 유산으로 인정하였어요.

6. ⑤
김장은 김치를 만드는 것과 나누는 것 모두를 의미한다고 했어요. 일본과 중국에도 채소 절임류의 음식이 있지만, 전 국민이 다 같이 비슷한 날짜에 김장을 하는 것은 우리나라만의 문화예요.

7. ③
글쓴이는 김장이 단순히 김치를 만드는 목적 외에, 함께 모여 일을 하고 정을 나누는 데 큰 의미가 있는 일이라고 했어요. 글쓴이는 김장 문화에 담긴 우리 조상들의 나눔의 정신을 중요하게 생각하고 있어요.

8. ②
'도란도란'은 '여럿이 나직한 목소리로 서로 정답게 이야기하는 소리.'라는 뜻이에요. 문맥상 다정하게 이야기한다는 내용이 들어가야 하므로 '도란도란'이 가장 적절해요.

* **풍속:** 옛날부터 그 사회에 전해 오는 생활 전반에 걸친 습관 따위를 이르는 말.
* **겨우내:** 한겨울 동안 계속해서.
* **한꺼번에:** 몰아서 한 차례에. 또는 죄다 동시에.
* **장만하다:** 필요한 것을 사거나 만들거나 하여 갖추다.

"반복되는 말"

알아두면 도움이 돼요!

우리말에는 비슷한 말이나 같은 말을 두 번 반복하여 하나의 단어가 된 것들이 있어요. '도란도란'이 그 예이지요. 이 외에도 '주렁주렁', '주절주절', '뒤적뒤적', '지글지글' 등이 있지요. 이런 말들은 표현을 재미있게 해 주고, 내용을 강조해 준답니다.

03 일차

설명하는 글 문제 ❶~❹

1 제사는 돌아가신 분에게 음식을 올리며 그 분을 ㉠추모하는* 우리나라의 전통적인 의식이다. 보통은 할머니, 할아버지처럼 가까운 조상이 돌아가신 후에, 매년 돌아가신 날 밤에 제사를 지내게 된다. 하지만 추석이나 설날 같은 명절에는 집안의 조상 모두에게 제사를 지낸다. 제사를 지내는 날에는 자손들이 모두 모여 함께 음식을 만들고, 조상을 생각하며 이야기를 나눈다. 돌아가신 조상님을 기리는 제사.

2 제사는 반드시 조상에게만 지내는 것은 아니다. 나라의 안녕을 위하여 하늘에 제사를 지내기도 하고, 한 해의 농사가 잘 되기를 기원하는 마음에서 땅에 제사를 지내기도 한다. 이러한 제사를 지낼 때에는 가족뿐만이 아니라 동네의 사람들이 모두 모여서 경건한 마음으로 하늘과 땅에 예의를 갖춘다. 하늘과 땅에 지내기도 하는 제사.

3 제사는 정해진 규칙에 따라 지낸다. 제사를 이끄는 사람이 외치는 구령에 따라서, 절을 하기도 하고 술을 올리기도 한다.(3-④) 제사상에 올리는 과일 또한 색깔에 따라 놓는 위치가 정해져 있다. 제사 음식을 상에 배열하는 것을 '진설'이라고 하는데, 여기에는 몇 가지 원칙이 있다. 대표적인 것이 어동육서(魚東肉西)로 생선은 동쪽, 육류는 서쪽에 놓는 것이다.(3-②) 또 조율이시(棗栗梨柿)로 왼쪽부터 대추, 밤, 배, 감의 순서로 놓는다.(3-⑤) 이외에도 음식의 수는 홀수로 해야 하고,(3-①) 복숭아는 올리지 않는다는 규칙 등이 있다.(3-③) 제사의 정해진 규칙.

4 이처럼 제사를 지내는 방법이 조금 엄격하고 까다로운 것은 제사를 드리는 대상에 대한 예의를 표현하기 위해서이다. 제사는 우리나라의 중요한 전통으로, 조상을 기리고* 자연을 우러러보는 우리나라 사람들의 정신이 담겨 있는 것이다. 제사에 담긴 정신.

주제: 우리의 전통적인 의식인 제사의 의미와 지내는 방법.

* **추모하다:** 죽은 사람을 그리며 생각하다.
* **기리다:** 뛰어난 업적이나 바람직한 정신, 위대한 사람 따위를 칭찬하고 기억하다.

우리나라의 전통적인 의식인 [☑제사 / □명절]의 의미에 대하여 [□주장하는 / ☑설명하는] 글입니다.

1. 명절
가까운 조상이 돌아가시면 매년 돌아가신 날 밤에 제사를 지내지만, 명절에는 모든 조상님께 제사를 지낸다고 했어요.

2. ④
제사에는 지내는 순서와 절을 하는 횟수 등 정해진 규칙이 있다고 했어요. 그리고 제사를 이끄는 사람이 있어서, 이 사람이 외치는 구령에 따라 제사를 진행한다고 했어요.

3. ③
복숭아는 제사상에 올리지 않는다고 하였어요.

4. ④
'추모하다'는 죽은 사람을 그리며 생각한다는 뜻이에요. '헤아리다'는 수를 세거나 짐작한다는 뜻이므로, 대신 사용하기에 적절하지 않아요.

"차례"

알아두면 도움이 돼요!

추석, 설날, 조상의 생일 등에 간단하게 지내는 제사를 뜻하는 '차례'는 본래 '차를 올리는 예식.'이라는 말에서 비롯되었어요. 제사는 밤에 지내지만 차례는 아침에 지낸다는 차이점이 있어요.

주장하는 글 문제 ❺~❽

1 ㉠문화재는우리민족의소중한유산*이다. 조상들이 사용하던 물건과 조상들이 세운 건축물들은 단순히 오래되어서 소중한 것이 아니다. 우리 조상들의 정신이 담겨 있기 때문에 소중한 것이다. 그래서 우리는 문화재를 소중하게 보호하고 지켜야 할 의무가 있다. 문화재를 소중하게 보호해야 하는 이유.

2 그런데도 우리 주변에는 문화재를 소중하게 여기지* 않고, 관광 상품 정도로 가볍게 생각하는 사람들이 많다. 얼마 전 경주에서는 학생들이 기념사진을 찍기 위해 천 년이 넘은 문화재인 첨성대에 올라간 일이 있었다. 또 세워진 지 오백 년이 넘은 절의 기둥에 자신의 이름을 새기는 사람들의 모습도 가끔씩 보인다. 문화재를 소중하게 생각하지 않는 사람들.

3 외국에서는 문화재를 보호하는 일을 매우 중요하게 생각하여, 문화재를 함부로 대하는 사람에게 무거운 벌을 내린다. 중국은 문화재 위에 올라 탄 사람에게 출국을 금지하는 벌을 내렸다. 일본은 문화재에 낙서한 사람에게 400만 원 정도의 벌금을 내게 하였고, 이탈리아는 심지어 2,400만 원의 벌금을 내도록 한 적도 있다. 그러나 우리나라에서는 10만 원 정도의 벌금을 내게 하는 데 그치고, 처벌 또한 그리 무겁지 않은 편이다. 문화재 훼손에 대해 엄격하게 처벌하는 외국 사례.

4 이제 우리나라에서도 문화재를 훼손하는* 사람들을 보다 강력히 처벌해야 한다. 우리는 문화재를 보호해야 한다고 배웠지만, 여전히 사람들은 문화재에 낙서를 하고 장난을 친다. 많은 벌금을 내게 하거나 무거운 벌을 내리지 않으면 사람들은 앞으로도 문화재를 보호하는 일에 크게 신경을 쓰지 않을 것이다. 외국처럼 문화재를 훼손하는 사람들을 강력하게 처벌해서 문화재를 잘 보존해야 한다. 법이 강력해지면 사람들도 문화재를 더 소중하게 대할 것이기 때문이다. 문화재 훼손을 강력하게 처벌하자고 주장함.

주제 : 문화재를 훼손하는 사람들을 강력하게 처벌하자.

* **유산:** 앞 세대가 물려준 사물 또는 문화.
* **여기다:** 마음속으로 그러하다고 인정하거나 생각하다.
* **훼손하다:** 헐거나 깨뜨려 못 쓰게 만들다.

문화재를 잘 보호하기 위하여, 문화재를 훼손하는 사람들을 강력히 [☑처벌 / □교육]해야 한다고 [□설명하는 / ☑주장하는] 글입니다.

5. 정신(생각)
단순히 오래된 것이기 때문이 아니라, 조상들의 정신이 담겨 있기 때문에 문화재를 소중하게 보호해야 해요.

6. 윤수
글쓴이는 강력한 처벌을 통해서 사람들이 문화재를 훼손하지 못하도록 해야 한다고 주장하고 있어요.

7. ④
이탈리아에서는 문화재에 낙서한 사람에게 2,400만 원이라는 큰 금액을 벌금으로 내도록 한 적도 있다고 했어요. 하지만 우리나라에서 내게 하는 벌금은 10만 원 정도에 불과하다고 했어요.

8. ⑤
단어는 띄어 써야 해요. '문화재', '소중하다', '우리', '민족', '유산'처럼 서로 다른 의미를 가지고 있는 단어들을 기준으로 띄어쓰기를 해 보세요.

"띄어쓰기"

알아두면 도움이 돼요!

띄어쓰기를 하지 않고 단어를 계속 이어 쓰면 의미를 정확하게 이해하기가 어려워요. 문장에 따라서는 의미가 달라져 버릴 수도 있고요. 그래서 적절하게, 새로운 단어를 쓸 때마다 띄어쓰기를 해 주면 문장을 쉽게 읽을 수 있답니다.

설명하는 글 문제 ❶~❹

1 제가 발표할 음악가는 독일의 작곡가 베토벤입니다. 1-① 베토벤은 1770년 독일의 본에서 태어났습니다. 1778년에 당시 8살이던 베토벤은 빈으로 여행을 떠났는데, 거기에서 최고의 음악가인 모차르트를 만나게 되었습니다. 모차르트를 만나게 된 베토벤은 모차르트의 「돈 조반니」를 피아노로 연주하였는데, 이 연주는 모차르트의 마음을 사로잡았습니다. 모차르트는 ㉠"이 젊은이가 머지않아 세상을 향해 천둥을 울릴 날이 있을 것이다."라며 크게 칭찬했습니다. 1-④ 모차르트와의 만남은 베토벤에게 큰 자신감을 주었습니다. 모차르트와의 만남.

2 1-③ 베토벤은 먼저 탁월한 피아노 연주로 이름을 알렸지만, 곧 작곡으로도 유명세를 탔습니다. 특히 25세에 최초로 개최한 공개 연주회에서 자작곡인 「피아노 협주곡 제2번」을 연주하면서 천재적인 예술가로서 명성을 날렸습니다. 천재적인 예술가로 유명해진 베토벤.

3 그러나 베토벤에게는 큰 시련이 닥쳤습니다. 29세 즈음부터 귀에 이상을 느낀 1-② 베토벤은 귓병을 치료하고자 노력했지만, [㉡] 불치병 진단을 받게 되었습니다. 베토벤의 귀는 점점 나빠져 마침내 소리가 들리지 않는 지경에 이르렀고, 1-⑤ 베토벤은 들을 수 없는 음악가가 된 사실에 절망했습니다. 하지만 베토벤은 더욱더 음악에 전념하여 꾸준히 명곡들을 탄생시켰습니다. 베토벤에게 닥친 시련.

4 「황제」를 비롯하여 베토벤 최고의 작품으로 불리는 「합창 교향곡」 등이 모두 귀가 들리지 않게 된 이후 작곡한 음악들입니다. 웅장하면서도* 화려하고 묵직한 울림을 주는 베토벤의 작품들에는 베토벤의 고뇌*와 슬픔이 담겨 있습니다. 베토벤의 작품들에서 흘러나오는 아름다운 선율*을 들으면, 이 선율을 들을 수 없었던 베토벤의 슬픔이 생각납니다. 시련을 이겨 내고 명곡을 작곡한 베토벤.

주제: 시련을 극복한 천재 음악가 베토벤의 삶.

* **웅장하다:** 규모 따위가 거대하고 성대하다.
* **고뇌:** 괴로워하고 번뇌함.
* **선율:** 소리의 높낮이가 길이나 리듬과 어울려 나타나는 음의 흐름.

천재적인 음악가 베토벤의 [☑시련과 업적 / □사랑과 성공]에 대해 [☑설명하는 / □주장하는] 글입니다.

1. ④
베토벤은 모차르트를 만나 칭찬을 들어서 큰 자신감을 얻었어요.

2. ③
베토벤은 음악가로서는 치명적인 단점인 귀가 들리지 않는 병을 얻었어요. 하지만 그에 굴하지 않고 열심히 노력하여, 명곡을 작곡하였고 현재까지도 사람들에게 사랑을 받고 있어요.

3. ②
세상을 향해 천둥을 울린다는 것은 사람들을 놀라게 하는 뛰어난 음악가가 될 것이라는 뜻으로 이해할 수 있어요.

4. ①
'결국'은 '일이 마무리되는 마당이나 일의 결과가 그렇게 돌아감.'을 이르는 말이므로 ㉡에 들어가기에 적절해요.

"유명해지는 것을 의미하는 말들"

'유명세를 타다.'와 '명성을 날리다.'는 모두 '이름을 세상에 드날린다.'는 뜻으로, 유명해지는 것을 의미하는 말들이에요. 특히 '명성을 날리다.'는 '명성이 자자하다.', '명성이 높다.', '명성을 떨치다.' 등으로 다양하게 쓰인답니다.

본문 ➜ 24쪽

설명하는 글 문제 ❺~❾

1 촌철살인(寸鐵殺人)은 조그만 쇠붙이로 사람을 죽인다는 뜻으로, 간단한 말로도 남을 감동시키거나 약점을 찌를 수 있음을 이르는 말이다. 촌철(寸鐵)은 한 치 길이의 작고 날카로운 쇠붙이나 무기를 말한다. 한 치는 약 3.03cm로, 한 치의 쇠붙이라면 아주 작은 칼 정도라고 할 수 있다. 그런데 이렇게 작은 쇠붙이도 잘못 쓰면 사람을 해치는 무서운 무기가 될 수 있다. 말도 마찬가지이다. 간단하지만 핵심을 찌르는 말 한마디로 사람을 감동시킬 수도 있고 약점을 잡아 굴복시킬* 수도 있으니 말이다. 이것이 바로 촌철살인의 뜻이다. '촌철살인'의 의미.

2 993년, 거란은 옛 고구려의 땅을 내놓을 것과 이웃 나라인 송나라와 친하게 지내지 말 것을 요구하며 80만 대군을 이끌고 고려에 쳐들어왔다. 고려의 뛰어난 외교가인 서희는 거란의 장수 소손녕과 마주 앉아 담판을 ㉠.

"나라 이름을 보면 알다시피 고려는 고구려의 뒤를 이은 나라요. 오히려 거란이 옛 고구려 땅에 살고 있으니 그 땅을 우리 고려에 돌려주는 것이 맞소."

소손녕은 할 말이 없어져 또 다른 이유로 시비를 걸었다.

"고려는 왜 가까이 있는 우리 거란을 멀리하고 멀리 있는 송나라만 섬기는 것이오?"

"그것은 압록강 주변에 있는 나라 여진이 우리가 거란으로 가는 길을 막고 있기 때문이오. 당신들이 압록강에서 여진을 몰아내면 고려는 송나라와의 관계를 끊고 당신들과 교류할* 것이오." 서희의 논리적인 대응.

3 소손녕은 더 이상 할 말이 없어 물러가고 말았다. 그 뒤 거란은 서희의 말을 따라 고구려 땅이었던 강동 6주를 고려에 넘겨주었다. 서희는 많은 희생이 따르는 전쟁을 하지 않고도 짧은 말로써 거란을 물러나게 했다. 서희의 말이 바로 '촌철살인'이다. 짧은 말로 거란을 물러나게 한 서희의 촌철살인.

주제: 촌철살인의 의미와 서희의 담판.

* **굴복시키다:** 힘이 모자라서 복종하게 하다.
* **교류하다:** 문화나 사상 따위를 서로 통하게 하다.

5. ②
'촌철살인'은 조그만 쇠붙이로도 사람을 죽일 수 있는 것처럼, 간단한 말 한마디로 큰 결과를 가져올 수 있다는 뜻이에요.

6. ①, ③
거란은 옛 고구려의 땅을 내놓을 것과 송나라와 친하게 지내지 말 것을 요구하면서 고려에 쳐들어 왔어요.

7. ②
서희는 고려의 뛰어난 외교가였어요. 그가 장수라는 말은 나와 있지 않아요. 소손녕은 거란의 장수였지요.

8. ③
소손녕과의 담판에서 서희는 고려의 이름이 고구려를 이은 것이라는 근거를 대며 옛 고구려의 땅은 고려의 땅이라고 주장하고 있어요.

9. ①
'담판'은 주로 '짓다', '하다'와 함께 쓰여요. '만들다', '의논하다', '결정하다', '토의하다' 등과는 함께 쓰지 않는답니다.

[□속담 / ☑사자성어]의 의미를 소개하고, 그 의미를 잘 보여 주는 역사적 일화에 대해 [☑설명하는 / □주장하는] 글입니다.

"거란의 침입"

알아두면 도움이 돼요!

고려는 옛 고구려의 땅을 찾기 위해 북쪽으로 영토를 넓혀 가고 있었어요. 그리고 발달된 문물을 받아들이기 위해 송나라와 친하게 지내고 있었지요. 거란은 이런 고려의 모습을 보며, 고려가 송나라와 손잡고 자신들을 공격할 것이라 생각하고 먼저 고려에 침입하여 전쟁을 일으켰어요.

기행문 문제 ❶~❺

1 미세 먼지 없는 화창한 날씨에 우리 가족은 남한산성으로 향했다. 지난주에 가려고 했었지만, ㉠마침 가기로 한 날에 비가 오는 바람에 계획이 취소되었다. 다행히 이번 주말은 화창해서 남한산성에 갈 수 있었다. 남한산성에 도착하여 가장 먼저 구경한 곳은 행궁이었다. 행궁은 자연과 잘 조화를 이루고 있었는데, 그다지 넓지는 않았지만 임금님의 권위*를 보여 주기에는 충분했다. 좋은 날씨에 남한산성을 구경 옴.

2 다음으로 찾아간 곳은 수어장대였다. 장대란 전투 시 장수의 지휘가 가장 용이한 곳에 만든 건물이라고 했다. 장수의 지휘가 용이하기* 위해서는 지휘 장소가 높아야 한다. 그래서인지 수어장대는 남한산성의 가장 높은 곳에 있으며, 산성의 다른 건물들과 달리 2층으로 만들어져 있었다. 장수가 바라보았던 그 광경을 나도 보고 싶었으나, 안타깝게도 2층으로 올라가는 것이 금지되어 있었다. 남한산성에서 가장 높은 곳에 있는 수어장대를 구경함.

3 수어장대를 한 바퀴 돌아본 후에는 바로 옆에 위치한 청량당을 살펴보았다. 청량당은 남한산성을 쌓을 때 책임자였던 이회의 혼을 ㉡달래기 위해 지은 사당이라고 했다. 이회는 산성을 쌓는 일에 최선을 다하였지만, 모함에 의해 억울하게 죽임을 당했다고 한다. 나중에서야 그의 억울함이 밝혀졌으며, 그가 죽은 곳이 수어장대였기 때문에 수어장대의 바로 옆에 사당*을 세운 것이라고 하였다. 한참 동안 청량당을 바라보며, 그의 억울함이 조금이나마 풀어졌기를 마음속으로 빌었다. 청량당을 구경하며 이회를 안타까워함.

4 다시 행궁으로 내려오는 길은 경사가 꽤 심했다. 발부리에 걸리는 나무등걸과 돌들이 많았다. 조선 시대의 군사들은 이렇게 험한 곳에서 나라를 지키기 위해 열심히 훈련했을 것이다. 지금도 우리나라를 지키기 위해 수고하는 군인 아저씨들이 생각났다. 저절로 감사하는 마음이 들었다. 행궁으로 내려오며 나라를 지키는 이들에 대해 감사하는 마음을 가짐.

(기행 순서 / 3-①, 3-②, 3-③, 3-④)

주제: 남한산성을 구경하며 느끼는 마음.

* **권위:** 남을 지휘하거나 통솔하여 따르게 하는 힘.
* **용이하다:** 어렵지 아니하고 매우 쉽다.
* **사당:** 조상의 신주를 모셔 놓은 집.

남한산성에서 본 [□자연 경관 / ☑여러 건물]을 소개하며 자신의 감상을 기록한 [☑기행문 / □광고문]입니다.

1. 수어장대, 청량당
글쓴이는 행궁에 있다가 수어장대를 돌아본 후 청량당을 살펴보았어요. 그 후 행궁으로 내려갔지요.

2. ④
지휘를 쉽게 하기 위해서는 장대가 높은 곳에 있어야 한다고 했어요.

3. ④
글쓴이는 청량당을 바라보며, 이회의 안타까운 죽음을 생각하고 이회의 마음이 풀어지기를 기도했어요.

4. ④
글쓴이가 남한산성을 가려고 계획한 날에 마침 비가 온 상황이므로 '어떤 일을 하려고 하는데 뜻하지 않은 일을 공교롭게 당함.'을 의미하는 '가는 날이 장날'이라는 속담이 어울려요.

5. ①
'위로하다'는 따뜻한 말이나 행동으로 괴로움을 덜어 주거나 슬픔을 달래 준다는 뜻이므로 ㉡ 대신 쓸 수 있어요.

"여정"

알아두면 도움이 돼요!

여정이란, 글쓴이가 여행하면서 어디에서 어디로 이동하였는지를 알려 주는 것이지요. 기행문을 읽을 때는 글쓴이의 여정을 생각하면서 읽어 보세요. 그러면 내용을 훨씬 더 쉽게 기억할 수 있답니다.

주장하는 글 문제 ❻~❾

1 과학 기술이 발달하면서 우리의 생활을 편리하게 해 주는 화학 약품의 개발 또한 급속하게 이루어지고 있다. 농작물의 성장을 방해하는 잡초를 제거하는 제초제, 해충을 없애는 살충제가 그 대표적인 예이다. 농부들은 제초제를 사용함으로써 더욱 쉽고 편리하게 농사를 지을 수 있고, 좋은 품질의 농작물을 얻을 수 있다. 살충제를 사용하는 사람들 역시 마찬가지이다. 살충제를 사용하면, 전염병을 일으키거나 위생에 좋지 않은 해충을 집에서 보지 않아도 된다. 생활을 편리하게 해 주는 화학 약품.

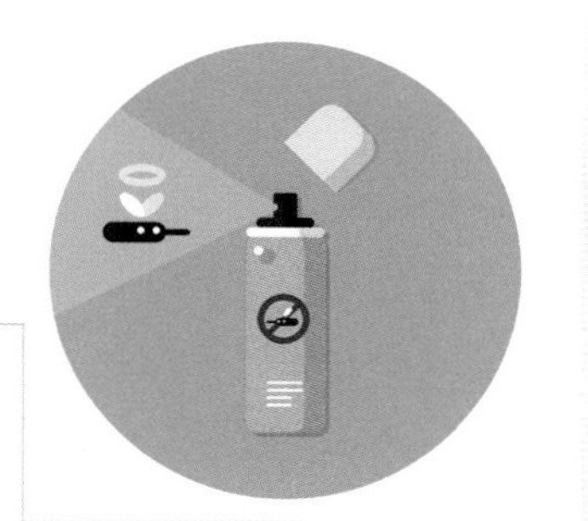

2 이렇게 화학 약품은 우리의 생활을 편리하고 위생적으로 만들어 주지만, [㉠] 우리에게 이로운 것은 아니다. 잡초를 죽이거나 해충을 죽이는 화학 약품들에는 많은 독성이 있기 때문에, 기준치* 이상을 사용하게 될 경우에는 사람에게도 치명적인 피해를 끼칠 수 있다. 사람 또한 잡초나 해충과 다를 바 없는 생물이므로, 이들에게 해로운 것은 사람에게도 해롭다. 그래서 7-(3) 우리는 이러한 화학 약품을 사용할 때 항상 경각심*을 가지고, 몸에 해롭지 않은지 살피며 조심스럽게 사용해야 한다. 편리하다는 장점만 생각하고 지나치게 많이 사용했다가 큰 피해를 입을 수 있기 때문이다. 조심스럽게 사용해야 하는 화학 약품.

3 이처럼 우리 스스로 조심하는 것도 중요하지만, 7-(1) 정부에서도 화학 약품을 신중하게 허가해야 한다. 대체적으로 일반 국민들은 화학 약품에 대한 전문적인 지식이 없기 때문에, 7-(2) 정부에서 허가한 화학 약품을 믿고 사용하기 때문이다. 또한 정부는 판매되는 화학 약품에 대한 관리를 철저하게 하여 국민의 건강을 지키는 데 최선을 다해야 한다. 건강을 위협하는 화학 약품이 무분별하게 판매되는 것을 막고, 국민들이 안전하게 화학 약품을 사용할 수 있도록 정부는 지속적으로 많은 노력을 기울여야 한다. 안전한 화학 약품 사용을 위한 정부의 역할.

주제 : 화학 약품을 안전하게 사용할 수 있도록 노력하자.

* **기준치:** 어떤 상태를 판정하는 기준이 되는 수치.
* **경각심:** 정신을 차리고 주의 깊게 살피어 경계하는 마음.

핵심 요약에 체크해 보세요.

화학 약품의 [☑위험성 / □안전성]에 대해 소개하며 화학 약품에 대해 경각심을 가질 것을 [□설명하는 / ☑주장하는] 글입니다.

6. 제초제, 살충제

우리 생활을 편리하게 해 주는 화학 약품의 예로 제초제와 살충제를 들고 있어요.

7. (1) 정부, (2) 정부, (3) 국민

일반 사람들, 즉 국민들은 화학 약품을 항상 조심스럽게 사용해야 해요. 정부는 국민들이 화학 약품을 안전하게 사용할 수 있도록 신중하게 허가하고, 꼼꼼히 관리해야 하지요.

8. ④

일반 사람들은 화학 약품에 대한 자세한 지식을 얻기 힘들지요. 그래서 정부의 역할이 중요하다고 했어요.

9. ②

'항상'은 '언제나 변함없이.'라는 뜻이에요. 따라서 화학 약품이 언제나 우리에게 이로운 것은 아니라는 의미를 표현할 때, '항상'을 쓸 수 있어요.

어휘력 쑥쑥 테스트

01. 겨우내 02. 굴복 03. 교류 04. 저절로 05. 장만 06. 한꺼번에 07. 추모 08. 경각심

십자말 풀이

[가로 열쇠] 1. 장마전선 2. 반려동물 3. 돌풍

[세로 열쇠] 1. 웅장 2. 선율 3. 위반 4. 풍속

06 일차

설명하는 글 문제 ❶~❹

1 조선 시대에는 관리가 되려면 반드시 과거 시험을 치러야 했다. 과거 시험은 천민을 제외하고 누구나 볼 수 있었지만, 실제로는 양반들이 관직에 진출하는* 통로가 되었다. 과거 시험은 크게 문관을 뽑는 문과, 무관을 뽑는 무과, 기술관을 뽑는 잡과로 나뉘어 있었는데, 1-(1) 고급 관료가 되어 출세하기* 위해서는 문과를 보아야 했다. 과거의 종류.

2 문과 시험은 소과(小科)와 대과(大科) 2단계로 진행되었다. 먼저 소과는 유교 경전의 이해도를 알아보는 생원과와 시와 산문 등 문장력을 시험하는 진사과로 나뉘었다. 또 소과는 각각 자기 고향에서 한 번(초시), 초시 합격자들을 한양으로 불러서 보는 공개 시험(복시)까지 2번의 시험을 통해 가렸다. 소과 시험에 최종 합격한 사람은 합격증을 받고, 본인이 희망할 경우 성균관에 입학할 수 있었다. 소과 시험의 과정.

3 1-(2) 한편 성균관은 조선 시대 최고의 교육 기관이자 나라의 큰 의례를 치르는 장소로, 입학 정원은 소과 복시에 합격한 200명이었다. 이들은 모두 장학생이 되어 학비와 숙식비를 내지 않아도 되었고, 성균관에서 공부하고 있다는 사실을 확인해 주는 동그라미인 원점(圓點)을 받았는데, 이 원점이 300점이 넘어야 대과에 응시할 수 있었다. 성균관에 입학할 수 있는 자격과 대과 응시 자격.

4 대과는 모두 3번의 시험을 치렀는데, 첫 번째 시험(초시)에서 200명을 뽑고, 그 중에서 최종 합격자 33명을 선발했다(복시). 그리고 마지막 세 번째 시험(전시)은 임금님 앞에서 합격자의 순위를 매기는 시험으로, 임금님이 최종 순위를 결정했다. 1-(3) 바로 여기에서 수석으로 합격을 하는 것을 '장원 급제*'라고 하였다. 대과 시험의 과정과 장원 급제의 의미.

주제: 조선 시대 과거 시험의 종류와 과정.

* **진출하다:** 어떤 방면으로 활동 범위나 세력을 넓혀 나아가다.
* **출세하다:** 사회적으로 높은 지위에 오르거나 유명하게 되다.
* **장원 급제:** 과거에서, 갑과의 첫째로 뽑히던 일.

조선 시대의 관리를 뽑는 과거 시험의 [☑종류와 과정 / □일정과 비용]을 [☑설명하는 / □주장하는] 글입니다.

1. (1) 문과, (2) 성균관, (3) 장원 급제

(1) 고급 관료가 되어 출세하기 위해서는 문과를 보아야 해요. (2) 성균관은 조선 시대 최고의 교육 기관이자 나라의 큰 의례를 치르는 장소예요. (3) 전시에서 1등을 하는 것을 장원 급제라고 해요.

2. ⓐ 초시, ⓑ 한양

초시는 자기 고향에서, 복시는 한양에서 보았다고 했어요.

3. ③

임금님이 최종 순위를 결정하는 시험을 '전시'라 한다고 했어요.

4. ④

성균관에 입학하여 원점을 300점 이상 받아야 대과에 응시할 수 있었어요.

"과정을 설명하는 글"

대상이 여러 단계로 구성되어 있어, 그 과정을 알려 주는 설명문이 있어요. 이러한 설명문을 읽을 때에는, 무엇이 먼저이고 무엇이 그 다음인지 순서를 머릿속으로 생각하며 읽어야 해요.

주장하는 글 문제 ❺~❽

1 이고 진 저 늙은이 짐 풀어 나를 주오
나는 젊거니 돌이라 무거울까
늙기도 서러운데 짐조차 지실까

2 이 시는 조선 시대의 시인 정철의 「훈민가」라는 작품의 일부이다. 말하는 이는 무거운 짐을 지고 있는 노인을 보고, 젊은 자신이 도와주어야겠다는 생각을 하고 있다. 이 시를 보면 우리 조상들은 노인을 공경하고 위하는 마음씨*를 가졌다는 것을 알 수 있다. 노인을 공경했던 우리 조상들.

3 우리 조상들의 따뜻한 마음씨와는 달리, 요즘 사람들은 노인에 대해 공경하는 마음을 많이 잃어버린 것 같다. 1988년의 한 통계 조사에서는 노인을 공경해야 하느냐는 질문에 90%가 넘는 청년들이 그렇다고 대답했다. 그러나 30년이 지난 2018년의 조사에서는 그렇다고 대답한 청년이 75%에 머물렀다. 노인 공경에 대한 젊은 사람들의 인식이 많이 바뀌었음을 알 수 있다. 노인을 공경하는 마음을 많이 잃어버린 요즘 사람들.

4 하지만 우리는 노인을 공경하고 위하는 마음을 잃어서는 안 된다. 할아버지, 할머니들이 ㉠있었기에 우리도 있는 것이다. 노인들은 우리의 지난 역사 속에서 나라를 위해 많은 고생을 하셨으며, 우리가 편하게 살아갈 수 있는 토대*를 만드신 분들이다. 또한 그분들은 우리보다 훨씬 오랜 세월을 살아오면서 많은 경험을 하였고, 그 경험에서 얻은 풍부한 지혜를 가지고 있다. 노인들의 지혜는 우리에게 어려운 일이 닥쳤을 때 큰 도움이 될 수 있을 것이다. 노인들의 지혜와 경험을 존중해야 함.

5 노인들은 나이가 많이 들었기 때문에 몸이 쇠약하다*. 그래서 우리는 노인들에게 도움을 ㉡주어야 한다. 우리도 시간이 흐르면 할아버지, 할머니가 될 것이다. 그때, 아무도 우리를 도와주지 않고 모른 척한다면 우리는 얼마나 힘들 것인가? 쇠약한 노인들에게 도움을 드려야 함.

주제: 노인을 공경하자.

5. ④, ⑤
이 글에서는 노인을 공경하자는 내용의 시를 소개하고 있어요. 또 통계 조사를 활용하여 자신의 의견을 뒷받침하고 있지요.

6. 공경
글쓴이는 정철의 「훈민가」를 통해 우리 조상들이 노인을 공경하고 위하는 마음씨를 가졌다는 것을 알 수 있다고 하였어요. 글쓴이는 우리 조상들처럼 우리도 노인을 공경해야 한다고 말하고 있어요.

7. ⑤
다리가 불편하신 할머니를 배려해 드려야 해요. 빨리 가야 한다고 재촉하는 것은 할머니의 마음을 불편하게 하는 것이지요.

8. ㉠ 계셨기에, ㉡ 드려야
'있다'와 '주다'의 높임말은 '계시다'와 '드리다'예요.

노인을 공경하는 마음이 많이 사라진 현실에 대해 [☑비판 / □격려]하며, 사람들에게 노인을 공경하고 배려해야 한다고 [□설명하는 / ☑주장하는] 글입니다.

* **마음씨:** 마음을 쓰는 태도.
* **토대:** 어떤 사물이나 사업의 밑바탕이 되는 기초와 밑천을 비유적으로 이르는 말.
* **쇠약하다:** 힘이 쇠하고 약하다.

"통계 자료의 인용"

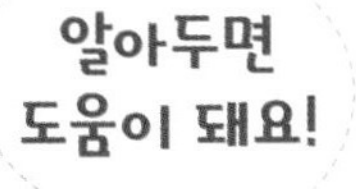

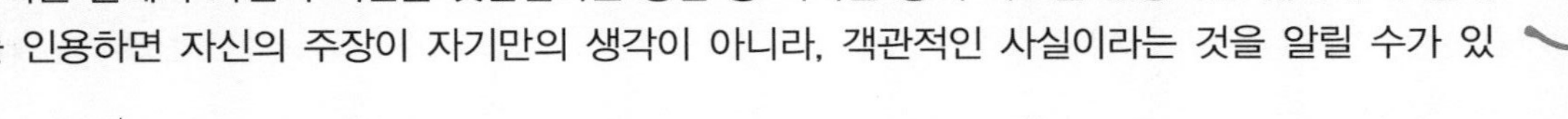
주장하는 글에서 자신의 의견을 뒷받침하는 방법 중 하나는 통계 자료를 인용하는 것이에요. 통계 자료를 인용하면 자신의 주장이 자기만의 생각이 아니라, 객관적인 사실이라는 것을 알릴 수가 있어요.

설명하는 글 문제 ❶~❹

1 웃음에 대한 연구를 통해 밝혀낸 핵심 연구 결과는 한마디로 '[㉠]'라는 서양 속담으로 요약될 수 있다. 3-③ 웃음은 15개의 안면 근육을 동시에 수축하게 하고 몸속에 있는 650여 개의 근육 가운데 230개를 움직이게 만드는 '자연적인 운동'이며 몸의 저항력을 키워 주는 명약이다. 근육을 움직이게 하는 웃음.

2 웃음으로 인한 근육 운동은 온몸에 긍정적인 영향을 미친다. 흔히 말하는 ㉡'배꼽 빠지는 웃음'은 뱃속으로부터 뻗쳐오르는 웃음을 말하는데, 이런 웃음을 터트리게 되면 자연스럽게 복식 호흡을 하게 된다. 복식 호흡을 하면 횡격막이 아래위로 움직이면서 폐의 구석구석까지 산소와 혈액이 원활히 공급된다. 몸의 순환을 돕는 웃음.

3 1996년 미국의 로마린다 의대 교수팀은 성인 60명을 대상으로 편안한 상태에서 채혈한* 혈액과 한 시간 동안 코미디 프로그램을 시청하게 한 후 채혈한 혈액을 비교해 보았다. 그 결과 코미디 프로그램 시청 후 3-① 세균에 저항할 수 있는 백혈구의 양이 증가하고, 면역 기능이 좋아졌으며 스트레스* 상황에서 분비되는 호르몬인 코르티솔 양은 줄어든 것으로 나타났다. 몸속의 독성 물질과 싸우는 세포의 활동 영역도 넓어졌다. 3-④,⑤ 자주 웃는 사람이 질병에 대한 면역력이나 스트레스를 이겨내는 힘이 훨씬 강하다는 이야기이다. 면역력을 높이고 스트레스를 낮춰 주는 웃음.

4 그러나 ⓐ웃음이 명약이라고 해서 반드시 많이 웃는 사람이 더 오래 산다. 실제로 과학적인 분석에 따르면 결과는 그 반대이다. 미국 캘리포니아 대학 하워드 프리드먼 교수는 한 조사에서 어렸을 때부터 긍정적인 사고를 하고 유머 감각을 가진 사람이 오히려 수명이 짧다는 사실을 발견했다. 그는 이것을 긍정적인 사고가 때로는 '지나치게 작동해' 모험을 즐기는 일에 과감해지기 때문이라고 추정했다.
많이 웃는다고 해서 반드시 오래 사는 것은 아니라는 연구 결과.

주제 : 웃음의 긍정적 효과.

* **채혈하다:** 병의 진단이나 수혈 따위를 위하여 피를 뽑다.
* **스트레스:** 적응하기 어려운 환경에 처할 때 느끼는 심리적 · 신체적 긴장 상태.

웃음이 건강에 끼치는 [☑긍정적인 / □부정적인] 영향에 대하여 [□주장하는 / ☑설명하는] 글입니다.

1. ①
이 글은 웃음이 몸에 끼치는 긍정적인 영향에 대해 설명하고 있어요. 이 주제를 잘 표현하고 있는 속담은 '웃음이 명약이다.'이에요.

2. ㉮ 복식, ㉯ 횡격막, ㉰ 산소, ㉱ 혈액
2문단에서 '배꼽 빠지는 웃음'을 터뜨리게 되면 복식 호흡을 하게 되고, 복식 호흡을 하면 횡격막이 움직이면서 폐에 산소와 혈액이 원활히 공급된다고 했어요.

3. ②
모험을 즐기는 일에 과감해지는 것은 긍정적인 사고가 '지나치게 작동'한 결과라고 했어요. '지나치게'는 '일정한 한도를 넘어 정도가 심하게.'라는 뜻으로 부정적인 의미를 담고 있어요.

4. 더 오래 사는 것은 아니다.
ⓐ의 문장 뒷부분의 내용은 긍정적인 사람이 오히려 수명이 짧다는 것이에요. 따라서 ⓐ는 많이 웃는다고 해서 꼭 오래 산다는 것은 아니라는 내용으로 쓰여야 자연스럽지요.

"연구 결과의 인용"

과학적인 내용을 다루는 설명문에서는 내용이 믿음직하다는 것을 보여 주기 위해 권위 있는 연구자의 연구 결과를 인용하여 설명하기도 해요. 과학은 단순한 추측이 아니라, 실험과 연구의 결과로서 만들어지는 것이기 때문이에요.

동시 문제 ❺~❾

짜장면 먹는 날

송명원

"우리 집에 여섯 시까지 저녁 드시러
꼭 오셔야 돼요, 꼬옥!"

저 위쪽 집 대구 할아버지한테 뛰어갔다가
감자 캐는 영식이 할머니한테 뛰어갔다가
8-①
민섭이 아재네 비닐하우스에 들렀다가
오는 길에 재구 삼촌네 축사*까지 갔다.

1-2연: 동네 사람들을 저녁 식사에 초대함.

8-③, ⑤
아빠 엄마 나
세 그릇 가지고는 배달 못 한다는
중국집 아저씨의 말에
우리 동네 일곱 명 모두 우리 집에 모았다.

8-②
"이리 모인 것도 오랜만이네 그려."
"오늘 무슨 날인가벼? 읍내 짜장면이 여그까지 오고."
"이게 다 우리 현수 덕분이여, 현수."

3-4연: 오랜만에 모인 동네 사람들과 함께 짜장면을 먹음.

동네 사람들의 칭찬 들으면서
후루룩후루룩*
8-④
짜장면 그릇 제일 먼저 비웠다.

5연: 동네 사람들의 칭찬을 들으며 짜장면을 먹음.

주제: 함께 모여 짜장면을 먹으며 느끼는 시골의 정.

* **축사**: 가축을 기르는 건물.
* **후루룩후루룩**: 적은 양의 액체나 국수 따위를 야단스럽게 빨리 들이마시는 소리.

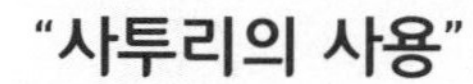

[✔현수네 집 / □마을 회관]에서 동네 사람들이 모두 모여 짜장면을 먹은 이야기를 다룬 [□동화 / ✔동시]입니다.

5. ③

연은 한 줄을 띄워 표현하는 시의 덩어리를 뜻해요. 행은 줄바꿈을 하여 구분하지요. 이 시는 총 5개의 덩어리와 16줄로 되어 있어요.

6. ②

이 시는 동네 사람들이 모두 모여 짜장면을 먹은 일화를 소재로 하고 있어요. 따라서 중심 소재는 '짜장면'이지요.

7. 사투리

동네 사람들의 칭찬이 표준어가 아닌, 사투리로 쓰여 시골의 정서를 잘 표현하고 있어요.

8. ①

가축을 기르는 사람은 재구 삼촌이에요.

9. 후루룩후루룩

'후루룩'은 '적은 양의 액체나 국수 따위를 야단스럽게 빨리 들이마시는 소리.'라는 뜻이에요.

"사투리의 사용"

시나 소설 같은 문학 작품에서는 사투리를 사용할 때가 있어요. 사투리는 도시에서보다 시골에서 많이 사용하기 때문에, 시골이 배경인 문학 작품에서 특히 많이 쓰이지요. 사투리를 사용하면 시골의 향토적인 분위기를 살릴 수 있답니다.

08 일차

주장하는 글 문제 ❶~❺

1 북한의 많은 사람들이 식량 부족과 경제적 어려움을 겪었던 1990년대 중반 이후, 북한을 떠나 남한에 들어온 북한 이탈* 주민은 2만 명을 넘어섰다. 한 조사 기관에 따르면, 2009년 한 해에만 3천 명에 가까운 사람들이 북한을 이탈하였다고 한다. 늘어나고 있는 북한 이탈 주민.

2 그런데 북한 이탈 주민들은 남한 사회에 적응하는 데 많은 어려움을 겪고 있다. 복잡한 지하철과 버스를 타는 것, 은행에서 공과금을 내는 것, 대형 마트에서 물건을 사는 것이 이들에게는 낯선 일이기 때문이다. 또 북한 이탈 주민들은 북한에 두고 온 가족에 대한 그리움과 새로운 생활에 대한 불안감으로 심리적인 안정을 찾기 어렵다. 그렇다면 분단된 현실에서 북한 이탈 주민들과 더불어 살아가기 위하여 우리에게 필요한 것은 무엇일까? 북한 이탈 주민들이 겪는 어려움.

3 1-(1) 무엇보다 중요한 것은 그들에 대한 존중과 배려이다. 북한 이탈 주민들은 우리와 다른 사회에서 살다 온 사람들이다. 북한 사회는 평등과 집단의 이익을 지나치게 우선시하는 반면에, 남한 사회는 자유와 개인의 이익을 더 중요시하기 때문에 두 사회가 추구하는 가치가 매우 다르다고 할 수 있다. 그러므로 그들의 생각과 생활 방식에 대한 편견*을 버리고 우리와 다르다는 것을 이해하고 존중해야 한다. 북한 이탈 주민들에 대한 존중과 배려의 필요성.

4 1-(2) 북한 이탈 주민들이 우리의 이웃으로 살아갈 수 있도록 실질적인 도움을 주는 방안도 모색할 필요가 있다. 북한을 이탈하여 처음 남한에 오게 되면, 주거와 생활, 일자리 구하기 등의 많은 부분에서 어려움을 겪게 된다. 그래서 우리는 북한 이탈 주민이 남한 사회에 와서도 북한에서 쌓은 학력이나 경력을 바탕으로 자신의 능력을 발휘할 수 있도록 제도적 장치를 마련하고, 이들을 고용하는 기업을 [㉠]해야 한다. 북한 이탈 주민들에 대한 실질적 도움의 필요성.

주제: 북한 이탈 주민들이 남한 사회에 잘 적응할 수 있도록 돕자.

* **이탈**: 어떤 범위나 대열 따위에서 떨어져 나오거나 떨어져 나감.
* **편견**: 공정하지 못하고 한쪽으로 치우친 생각.

북한 이탈 주민이 남한 사회에서 겪는 어려움을 이야기하며, 북한 이탈 주민들과 [□경쟁하며 / ☑더불어] 살아가자고 [□광고하는 / ☑주장하는] 글입니다.

1. (1) 존중, 배려 (2) 도움

글쓴이는 북한 이탈 주민과 더불어 살아가기 위해서는 무엇보다 그들에 대한 존중과 배려가 중요하다고 했어요. 그리고 남한 사회에 잘 적응할 수 있도록 실질적인 도움을 주어야 한다고 했어요.

2. 식량, 경제적

1990년대 중반 북한의 많은 사람들이 식량 부족과 경제적 어려움을 겪었다고 했어요.

3. ④

집단의 이익을 우선시하는 사회는 북한 사회예요.

4. ③

북한 이탈 주민의 생각이 우리와 다르다고 해서 잘못되었다고 지적하는 것은 글쓴이가 주장한 내용을 실천한 예로 알맞지 않아요.

5. ①

북한 이탈 주민에게 실질적인 도움을 주는 방안에 대해 이야기하고 있으므로, ㉠에는 이들을 고용하는 기업을 '지지하여 도움.'의 의미를 지닌 단어가 들어가야 해요. 따라서 '지원'이 알맞아요.

"질문 던지기"

주장하는 글에서는 문제점을 이야기하고 나서, '이런 문제점을 해결하려면 어떻게 해야 할까?'와 같은 질문을 던지기도 해요. 이런 방법은 앞으로 제시할 해결 방안에 대해 읽는 사람의 관심을 불러일으키는 효과가 있지요.

설명하는 글 문제 ❻~❿

1 미국 중남부 지역에서 자주 일어나는 강렬한 회오리바람인 토네이도(tornado)는 특히 봄에서 여름에 걸쳐 많이 발생한다. 이 회오리바람은 성격이 다른 두 개의 공기 덩어리가 만날 때 주로 발생한다. 토네이도는 물체를 튕겨 버리는 성질이 있어 회오리바람 안에 들어간 물체는 무엇이든지 위로 날려 버린다. 토네이도는 남극을 제외한 모든 대륙에서 발생하지만, 특히 미국 중남부 지역에서 빈번히* 만들어진다. 그 이유는 이 지역의 환경 조건 때문이다. 미국 중남부 지역은 로키 산맥에서 불어오는 차고 건조한 바람과 멕시코 만에서 불어오는 따뜻하고 습한 바람이 만나서 토네이도가 잘 만들어진다고 한다. 토네이도가 잘 만들어지는 환경 조건.

2 토네이도는 F0~F5로 등급이 나눠지는데 최저 등급인 F0은 나뭇가지를 부러뜨리거나 간판을 부수는 정도이지만, 최고 등급인 F5는 자동차를 들어 올리거나 기차를 감아올릴 정도로 강력한 파괴력을 갖고 있다. 실제로 1931년 미국 미네소타 주에서 발생한 토네이도는 83톤의 기차를 들어 올렸다고 한다. 토네이도가 지면에 도달하여 지나갈 때는 소용돌이가 강하여 제트기가 날고 있을 때와 같은 요란한 소리를 내며, 나무를 뿌리째 뽑아 쓰러뜨리고 지붕을 송두리째 날려 버리는 등의 엄청난 피해를 준다. 토네이도의 강력한 힘.

3 토네이도는 연평균 기온이 10~20℃ 사이에 있는 온대 지방에서 발생하는 경우가 많으며, 열대 지방에서는 발생할 확률이 극히 적다. 한 통계에 의하면, 토네이도는 1960년 이후 미국에서만 연간 500~900개 정도가 발생하고 있다고 한다. 지상에서 강력한 힘을 발휘하는 토네이도는 그 발생 빈도*나 위력*으로 보아 지진이나 화산 등과 같은 심각한 자연 재난으로 보아야 할 것이다. 토네이도를 심각한 자연 재난으로 보아야 하는 이유.

주제: 토네이도의 발생 조건과 특징.

* **빈번히:** 번거로울 정도로 정도와 수가 잦게.
* **빈도:** 같은 현상이나 일이 반복되는 정도나 수.
* **위력:** 상대를 압도할 만큼 강력함. 또는 그런 힘.

핵심 요약에 체크해 보세요.

토네이도의 특징과 [☑발생 조건 / □이름의 유래]에 대해 이야기하며, 토네이도를 심각한 자연 재난으로 보아야 하는 이유에 대해 [☑설명하는 / □광고하는] 글입니다.

6. ⑤
1문단에서 토네이도는 주로 미국 중남부 지역에서 자주 일어난다고 하였어요.

7. ⑤
2문단에서 토네이도의 등급은 F0부터 F5까지라고 했으므로, F0, F1, F2, F3, F4, F5 이렇게 6개의 등급으로 나뉜다고 볼 수 있어요.

8. ②
이 글에 따르면, 토네이도는 성격이 다른 두 개의 공기 덩어리가 만날 때 발생하는데, 그것은 차고 건조한 공기와 따뜻하고 습한 공기예요.

9. ④
3문단에서 토네이도는 연간 500~900개 정도로 많이 발생하고, 강력한 힘을 발휘하기 때문에 심각한 자연 재난으로 보아야 한다고 했어요.

10. ③
2문단에서 1931년에 토네이도가 발생한 사례에 대해서도 이야기하고 있으므로, 1960년대 이후에 토네이도가 처음 발생했다고 생각하는 것은 적절하지 않아요.

"단어의 어원을 찾아보기"

알아두면 도움이 돼요!

'토네이도(tornado)'는 라틴어 'tornare(돌다)'에서 유래하였어요. 토네이도의 가장 큰 특징이 바로 바람이 돈다는 것이지요. 이처럼 단어의 어원을 찾아보면, 단어가 의미하는 현상의 큰 특징을 파악할 수 있답니다.

일기 예보 문제 ❶~❹

1 10년 만에 찾아온 기록적인 한파*가 지겨울 만큼 오래도록 이어지고 있습니다. 하지만 드디어 동장군*의 기세도 서서히 누그러지겠습니다. 기상청은 오늘 아침에 한파 특보를 해제했습니다. 또한 당분간 이동성 고기압의 영향권에 들면서 설 연휴인 목요일까지는 큰 추위가 없을 것으로 내다봤습니다. 한파 특보의 해제.

2 오늘 아침 기온은 서울이 영하 14도까지 내려가면서 여전히 춥겠지만, 낮부터는 서울 1도, 대전 2도, 대구가 3도까지 오르면서 드디어 일주일 만에 수은주가 영상을 가리키겠습니다. 내일은 추위가 더 누그러져 오늘보다 약 1도 가량이 더 높은 기온을 유지할 예정입니다. 하지만 주말부터는 다시 추위에 대비하셔야겠습니다. 설 연휴가 끝나고 금요일부터는 전국적으로 다시 추위가 맹위*를 떨칠 전망입니다. 기온에 대한 예보.

보도 내용 1

3 당분간은 한파가 물러가겠는데요, 그 틈을 타서 미세 먼지가 말썽을 부리겠습니다. 오늘 오전까지는 비교적 대기질이 양호하겠지만, 오후에는 중국발 스모그가 유입되면서 전국의 미세 먼지 농도가 한때 '나쁨' 수준이 되겠고요, 모레 오전이 되어서야 '보통' 수준으로 떨어지겠습니다. 옷차림이 가벼워져 바깥 활동하기에는 한결 편하겠지만 대신 황사용 마스크를 챙기시길 바랍니다. 미세 먼지 농도에 대한 예보.

보도 내용 2

4 또한 신경 써야 할 것이 바로 건조 특보입니다. 현재 서울과 경기 지역을 포함한 대부분의 지역에 건조 특보가 내려져 있고 충청권은 건조 경보가 내려져 있습니다. 전국적으로 당분간 눈비 소식이 없기 때문에 대기가 한동안 [㉠] 있겠습니다. 기상청은 바람이 강하게 불면서 산불 등의 화재 위험이 있다며 주의를 당부했습니다. 오늘도 화재가 발생하지 않도록 조심해 주시고 시설물도 한 번 더 점검해 주시기 바랍니다. 지금까지 날씨였습니다. 날씨의 건조함에 대한 예보.

보도 내용 3

주제: 오늘부터 주말까지의 날씨 전반을 보도함.

* **한파:** 겨울철에 기온이 갑자기 내려가는 현상.
* **동장군:** 겨울 장군이라는 뜻으로, 혹독한 겨울 추위를 비유적으로 이르는 말.
* **맹위:** 사나운 기세.

앞으로의 날씨를 전망하며 그에 따른 [☑대비 / □대피]를 당부하는 [□광고문 / ☑일기 예보] 입니다.

1. 동장군
동장군은 겨울 장군이라는 뜻으로, 혹독한 겨울 추위를 비유적으로 이르는 말이에요.

2. ⑤
자외선 지수는 이 글에 나와 있지 않아요.

3. ④
주말에는 더 추워진다고 하였으므로, 날씨가 비교적 따뜻한 내일로 외출 계획을 당기는 것은 적절한 반응이에요.

4. 메말라
'물기가 없고 기름지지 아니하다.'라는 뜻을 가진 단어는 '메마르다'예요. 따라서 빈칸에는 '메말라'라고 써야 해요.

"동장군의 유래"

프랑스의 황제 나폴레옹이 러시아에 쳐들어갔을 때의 일이에요. 이 전쟁에서 나폴레옹은 패배하였는데, 그 원인을 러시아의 추위로 돌렸답니다. 그래서 사람들은 추위를 두고, 나폴레옹을 물러가게 한 장군이라고 부르게 되었어요.

설명하는 글 문제 ❺~❾

1 판화는 고무판, 나무판 등을 이용해서 표현하고자 하는 그림을 찍어 내는 것을 말한다. 판화는 '그린다'거나, '만든다'는 방법보다는 '찍는다'라고 하는 대량 복제*의 수단으로서 자연스럽게 등장한 것이다. 판화의 일반적인 특징은 다음과 같다. 판화의 의미.

2 첫째, 회화가 캔버스에 미술가가 원하는 이미지를 바로 표현하는 직접적인 표현 방식이라고 한다면, 판화는 '판'을 이용해서 원하는 이미지를 얻는다는 점에서 간접적인 표현 방식이라고 할 수 있다. (회화와 다른 판화의 특징 1) 둘째, 판화는 원래 만든 하나의 판을 가지고 똑같은 그림을 여러 장 찍을 수도 있고, 여러 가지 방법으로 다른 느낌의 그림을 여러 장 찍어 낼 수도 있다. (회화와 다른 판화의 특징 2) 셋째, 판화는 회화와 같은 직접적인 표현 방식에서 느낄 수 없는 독특한 아름다움을 지니고 있다. (회화와 다른 판화의 특징 3) 고무판이나 나무판 등의 재료나 여러 기법들에 따라 같은 판이라도 찍어 낸 그림의 효과가 달라진다. 판화의 특징.

3 판화는 잉크가 '판'의 어느 곳에 묻느냐에 따라 볼록 판화, 오목 판화, 평판화, 공판화 등으로 나눌 수 있는데, 가장 대표적인 것은 볼록 판화와 오목 판화이다. 먼저 볼록 판화는 판의 필요 없는 곳을 파내고 볼록하게 돌출한* 곳에 잉크를 묻혀서 찍는 판화 기법을 말한다. 볼록 판화의 표현에는 크게 나누어 음각과 양각의 표현이 있다. 양각은 형태 이외의 필요 ㉠없는 부분은 파내어서 형태에 잉크가 묻어 찍히게 되고, 음각은 형태를 파냄으로써 형태는 찍히지 않고 주위가 찍히게 된다. 판화의 종류– 볼록 판화.

4 오목 판화는 오목하게 패인 홈에 잉크를 메워 넣고 닦아 낸 다음 종이를 판에 얹어 기계로 압력을 주어 잉크로 메워진 선이 종이에 옮겨지는 판화이다. 오목 판화는 동판이나 아연판 등의 금속판에 바늘이나 금속판을 새기는 칼 등으로 날카롭고 세밀하게 표현하거나 부식에 의한 화학 처리 방법을 이용하는 판화 기법이다. 판화의 종류– 오목 판화.

주제: 판화의 특징과 종류.

* **복제:** 본디의 것과 똑같은 것을 만듦.
* **돌출하다:** 쑥 내밀거나 불거져 있다.

판화의 개념을 소개한 다음 판화의 [☑특징과 종류 / □작가와 가격]에 대해 [□토의하는 / ☑설명하는] 글입니다.

5. ④

판화는 그리거나 만드는 것이 아니라, 판에 종이를 찍어 표현하는 것이기 때문에 그 특징과 가장 잘 어울리는 말은 '찍는다'라고 할 수 있어요.

6. ⓐ 직접적, ⓑ 가능

회화는 직접 종이에 그림을 그리는 것이므로 표현 방식이 '직접적'이에요. 그리고 판화는 하나의 판으로 똑같은 그림을 여러 장 찍어낼 수 있기 때문에 대량 복제가 '가능'하지요.

7. 형태, 주위

양각은 형태에 잉크를 묻혀 표현하고, 음각은 형태 외에 주위 부분에 잉크가 묻어 형태 부분이 하얗게 표현되는 방법이에요.

8. ⑤

주변보다 돌출된 부분이 그림으로 옮겨지는 것은 볼록 판화예요.

9. ③

'없는'은 [엄는]으로 발음해야 해요.

알아두면 도움이 돼요!

"나열의 표지"

같은 성격의 내용을 나열하고자 할 때, '첫째, 둘째'와 같은 표지를 써서 내용을 늘어놓을 수 있어요. 나열의 표지에는 이 외에도 '먼저', '다음으로', '또한' 등이 있어요.

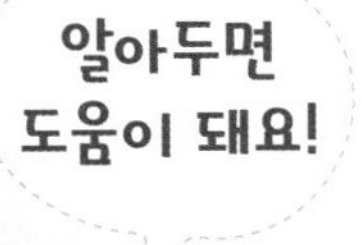

안내문 문제 ❶~❹

【장난감을 ㉠빌려 드립니다.】

우리 주민 센터에서는 놀이마당을 운영하며 장난감을 빌려 드리고 있습니다. 주민들께서는 경제적 부담을 덜고, 아이들에게 좋은 장난감을 제공하시길 바랍니다. 안내할 내용을 대략적으로 소개함.

★ 이용 안내 ★

☆ 이용 대상

- 우리 동에 거주하는 만 13세 이하 아동 및 보호자
- 우리 동에 있는 영유아 기관 및 시설 관련자

☆ 이용 시간

- 운영: 화요일~일요일, 09:00~18:00
- 휴관일: 매주 월요일, 법정 공휴일*
- 놀이마당은 매시* 정각에 입장 가능하나, 인원 제한(20명)이 있으므로, 이용시 반드시 예약하시기 바랍니다.

☆ 이용 요금

구분	이용료	비고
연회비 (회원 가입 필수)	1인당 10,000원	• 회원 유지 기간은 가입일로부터 1년 • 1년 후 다시 회원 가입
장난감 대여	1,000~5,000원 (장난감 가격에 따라 다름.)	• 연체료 500원/1일
놀이마당	1인당 1,000원(1시간 기준)	

놀이마당과 장난감을 이용하는 방법을 세부적으로 안내함.

☆ 문의: ○○동 주민센터 (☎ 02-123-4567)

주민센터에서 놀이마당을 운영하고 주민들에게 [□책 / ☑장난감]을 대여해 준다는 것을 알리는 [☑안내문 / □기행문]입니다.

1. (1) 부담, (2) 제공
이 글은 주민들이 경제적 부담을 덜고 아이들에게 좋은 장난감을 제공할 수 있도록 돕는 서비스를 안내하고 있어요.

2. ③
초등학교는 영유아 기관이 아니기 때문에 초등학교 선생님은 이용 대상에 해당하지 않아요.

3. ③
놀이마당을 이용하기 위해서는 반드시 예약을 해야 한다고 했어요.

4. ③
'대여하다'는 '빌려주다'라는 뜻을 가진 한자어예요.

* **법정 공휴일:** 대통령령으로 '관공서의 공휴일에 관한 규정.'에 의하여 공휴일이 된 날. 어린이날, 광복절 등이 있음.
* **매시:** 한 시간 한 시간마다.

"시설 이용 안내문"

어떤 시설을 이용하는 방법을 안내하는 글을 읽을 때에는 이용 대상과 이용 시간, 요금 등의 세부 사항을 꼼꼼히 읽어야 해요.

본문 ➲ 54쪽

설명하는 글 문제 ❺~❽

1 우리말의 단어는 성격에 따라 순우리말, 한자어, ㉠외래어로 나눌 수 있다. 순우리말은 단어에 한자나 외국어가 포함되어* 있지 않은 말로서, 모든 부분이 우리말로만 이루어진 단어를 뜻한다. 순우리말 중에는 현대에 들어 만들어진 말도 있지만, 대부분의 순우리말은 예로부터 대대로 내려온 말들이다. 순우리말은 '고유어'라고도 하는데, 순우리말에는 우리 민족의 정신과 문화, 그리고 민족 고유의 정서가 잘 반영되어 있다. 그래서 순우리말을 살려 쓰는 것은 우리 민족의 정신을 이해하고 전통문화를 이어나가는 데 도움이 된다. 순우리말의 예로는 하늘, 바람, 각시, 함초롬, 싱그럽다, 발그레하다 등이 있다. 순우리말의 특징과 예시.

2 한자어란 한자를 바탕으로 만들어진 말이다. 조선 시대에 한글이 만들어지기 전까지 우리나라에서는 한자를 주로 사용하였기 때문에 우리말에는 한자어가 절반 이상을 차지한다. 한자어가 워낙 많기 때문에, 순우리말이라고 생각했던 단어 중 알고 보면 한자어인 것도 꽤 있다. 한자어는 한 글자 한 글자가 뜻을 가지고 있는 글자이기 때문에 복잡하고 어려운 뜻을 표현하기에 적절하다. 한자어의 예로는 주말(週末), 학교(學校), 방학(放學) 등이 있다. 한자어의 특징과 예시.

3 외래어란 외국으로부터 우리나라에 들어온 말로서, 다른 나라 말을 빌려 와서 우리말처럼 쓰는 말을 뜻한다. 다른 나라와의 관계가 넓어지고 새로운 문물*이 우리나라에 들어오게 되면서, 외래어는 점점 많이 생겨나게 되었다. 새로운 물건이나 개념이 들어오면 그에 맞는 이름을 붙여 주어야 하기 때문이다. 이럴 때 누리꾼(netizen), 비행기(airplain)처럼 그 말을 순우리말이나 한자어로 바꾸어 쓰기도 하고, 라디오(radio)처럼 그 말을 우리말과 비슷한 발음으로 받아들여 쓰기도 한다. 외래어의 예로는 뉴스(news), 파티(party), 티셔츠(T-shirt) 등이 있다. 외래어의 특징과 예시.

* **포함되다:** 어떤 사물이나 현상 가운데 함께 속하게 되다.
* **문물:** 문화의 산물. 곧 정치, 경제, 종교, 예술, 법률 따위의 문화에 관한 모든 것을 통틀어 이르는 말.

핵심 요약에 체크해 보세요.

우리말의 [☑단어 / □구조]를 성격에 따라 나눠 보고, 그 의미와 특성을 [☑설명하는 / □주장하는] 글입니다.

5. 정신, 문화, 정서

대부분의 순우리말은 옛날부터 대대로 내려온 말들이어서, 우리의 전통을 잘 보여 주어요. 1문단에서 순우리말에는 우리 민족의 정신과 문화, 그리고 민족 고유의 정서가 잘 반영되어 있다고 했어요.

6. ①

이 글은 순우리말과 한자어, 외래어에 대해 설명하고 있어요. 이들은 모두 우리말 단어의 종류예요.

7. ③

순우리말은 단어에 한자나 외국어가 포함되어 있지 않은 말이에요.

8. ③

외래어는 다른 나라와 교류하게 되면서 우리나라에 들어온 새로운 문물의 이름을 붙이기 위해 만들어졌어요.

어휘력 쑥쑥 테스트

01. 응시 02. 함초롬 03. 볼록 04. 토대 05. 당분간 06. 스트레스 07. 누리꾼 08. 한결

십자말 풀이

[가로 열쇠] 1. 장원급제 2. 순우리말 3. 모레 4. 진출

[세로 열쇠] 1. 등급 2. 말썽 3. 발그레 4. 출세

설명하는 글 문제 ❶~❺

1 공급은 재화와 용역을 팔려고 하는 것을 말한다. 팔고 싶어 하는 사람을 공급자, 공급자가 시장에 팔려고 내놓은 재화와 용역의 양을 ㉠공급량이라고 한다. 공급자는 공급량을 어떻게 결정할까? 예를 들어, 일기장을 만들어서 3천 원에 파는 기업이 있는데 일기장 값이 5백 원으로 떨어졌다고 가정해 보자. 기업은 손해를 보지 않으려고 공급량을 줄일 것이다. 반대로 일기장이 1만 원으로 오른다면 물건을 더 많이 팔고 싶기 때문에 공급량을 늘릴 것이다. 그래서 시장에서 3–① 물건의 가격이 오르면 공급량은 늘어나고, 가격이 내리면 공급량은 줄어든다. 이렇게 가격에 따라 공급량이 변하는 것을 '공급의 법칙'이라고 한다. 공급의 의미와 공급의 법칙.

2 수요는 재화*와 용역*을 사려고 하는 것을 말한다. 수요자의 입장에서 생각해 보자. 물건의 가격이 내리면 수요량은 늘어난다. 3천 원에 팔던 일기장을 어떤 문구점에서 하루 동안 5백 원에 판다면 훨씬 많은 사람들이 살 것이다. 반대로 1만 원에 판다면 웬만해서는 사지 않을 것이다. 이렇게 가격이 내리면 수요량이 늘어나고, 3–① 가격이 오르면 수요량이 줄어든다. 이처럼 가격에 따라 수요량이 변하는 것을 '수요의 법칙'이라고 한다. 수요의 의미와 수요의 법칙.

3 그렇다면 가격은 어떻게 결정될까? 시장은 공급과 수요가 모두 모이는 곳이다. 그래서 공급과 수요가 어떻게 변하는지 알 수 있다. 상품을 팔려는 사람은 가능하면 비싼 가격을 받고 싶어 한다. 반대로 상품을 사려는 사람은 되도록 싼 가격에 사려고 한다. 하지만 가격은 팔려는 사람과 사려는 사람이 둘 다 동의하는* 지점에서 결정된다. 그렇게 결정된 가격은 공급량과 수요량에 따라 끊임없이 변화한다. 공급이 많거나 수요가 줄면 가격은 내려가고, 반대로 공급이 줄거나 수요가 많아지면 가격은 오르게 된다. 가격이 결정되는 과정.

주제 : 공급과 수요에 의해 가격이 결정되는 과정.

* **재화:** 사람이 바라는 것을 충족시켜 주는 모든 물건.
* **용역:** 물질적 재화의 형태를 취하지 아니하고 생산과 소비에 필요한 노무를 제공하는 일.
* **동의하다:** 의사나 의견을 같이하다.

공급과 수요의 법칙에 따라 [☑가격 / □재화와 용역]이 결정되는 원리를 예를 들어 가며 쉽게 [☑설명하는 / □주장하는] 글입니다.

1. 시장
공급과 수요는 시장에서 만나 적정한 가격을 형성하지요.

2. ④
수요자는 물건이 필요한 사람이기 때문에, 물건의 가격이 낮을수록 물건을 쉽게 살 수 있어 좋아요.

3. ①
물건의 가격이 오르면 공급량은 늘어나고, 수요량은 줄어들게 된다고 했어요.

4. 오를/올라갈
[보기]는 사과가 부족하여 공급이 줄어들었고, 사과를 필요로 하는 수요는 늘어난 상황이에요. 이와 같은 경우에는 사과의 가격이 오르게 되지요.

5. ①
'공급량'의 표준 발음은 [공:금냥]이 맞아요.

"실제 상황에 적용하기"

알아두면 도움이 돼요!

글에서 설명하고 있는 내용을 실제 나의 경험에 적용하며 읽어 보세요. 글의 내용이 어려울 때, 실제로 내가 경험한 내용을 떠올리면 더 쉽게 이해할 수 있어요.

설명하는 글 문제 ❻~❾

6-②
1 공유지의 비극은 1978년 미국의 생물학자 개럿 하딘이 ㉠공동 목초지의 사례를 들어 제시한 개념이야. 하딘은 소 100마리를 먹일 수 있는 마을 소유의 목초지를 예로 들었어. 마을 소유라면 소를 키우는 데 비용이 들지 않으니 사람들은 소를 한 마리라도 더 공동 목초지에 풀어놓고 키우려 하겠지? 문제는 소 100마리가 넘어가면 풀이 자라는 속도보다 소가 먹어 치우는 속도가 빨라진다는 거야. 결국 공동 목초지는 황폐해지고 '모두에게 손해'라는 비극적 결말을 맞게 돼.

7-④ / 공유지의 비극을 보여 주는 공동 목초지의 사례

6-④
2 공동 자원은 어김없이* ㉡공유지의 비극이 일어나. 자신의 이익만을 좇다 보면 공동 자원은 아주 빠르게 사라져 끝내 복원*이 불가능한 상태가 돼. "나 하나쯤이야."가 전체에는 큰 손실*을 초래하는 공유지의 비극이 일어나는 거야.

공동 자원에서 일어나기 쉬운 공유지의 비극

3 하딘은 공유지의 비극을 해결하는 방법으로 공유 자원을 국유화*해 국가가 통제해야 한다고 주장했어. 어족 자원의 남획*을 막기 위해 국가가 일정량 이상의 어족 자원을 잡는 것을 규제하는 것은 그런 이유야. 하지만 국유화가 늘 정답은 아니야. 국유화 대신 사유화가 더 나은 경우도 있어. 아프리카의 많은 나라들이 야생 동물을 국유화하고 사냥을 금지하니까 오히려 밀렵*이 유행했어. 고민 끝에 몇몇 나라는 야생 동물을 국유화하지 않고 주변 부족에게 소유권을 줬어. 그 결과 부족민이 자신의 소유물이 야생 동물을 앞장서서 보호하고 밀렵꾼들을 쫓아냈지. 부족민의 철저한 보호 아래 야생 동물은 관광 수입을 올리는 보물이 됐어.

6-⑤ / 공유지의 비극을 해결하기 위한 방법들

6-① 6-③
4 공유지의 비극은 의식 수준이 후진적인 국가에서 심하게 나타나. 당장 눈앞의 이익에 눈이 멀어 장기적인 이익을 보지 못하기 때문이지. 함께 망하는 길로 치닫는다는 점에서 공유지의 비극은 ㉢치킨 게임의 모습을 띠고 있어.

후진적인 의식 수준이 초래하는 공유지의 비극

* **어김없이:** 어기는 일 없이. 틀림없이.
* **복원:** 원래대로 회복함.
* **손실:** 줄어들거나 잃어버려서 손해를 봄.
* **국유화:** 나라의 소유가 됨. 또는 그렇게 되게 함.
* **남획:** 짐승이나 물고기 따위를 마구 잡음.
* **밀렵:** 허가를 받지 않고 몰래 사냥함.

공동 목초지의 [☑사례 / □유래]를 통해 공유지의 비극에 대한 심각성, 그리고 문제를 해결하기 위한 방법들을 [☑설명하는 / □주장하는] 글입니다.

6. ⑤
3문단에서 국유화는 공유지의 비극을 해결하는 하나의 방법일 뿐 늘 정답이 되는 것은 아니라고 했어요.

7. ④
개럿 하딘은 공동 목초지를 사례로 들어, 개인의 이기심으로 너무 많은 소를 풀어 놓으면 결국 공동 자원인 목초지가 황폐해진다고 했어요.

8. ②
공유지의 비극은 개인의 이익만을 쫓다 보면 공동 자원이 빠르게 사라지는 상황을 빗댄 표현이에요. 우물을 마을 주민만 사용하도록 제한하는 것은 이기적인 행위일 수 있으나 이것으로 공동 자원이 사라진다고 볼 수 없어요.

9. ③
'치킨 게임'은 두 대의 자동차가 마주보고 돌진하는 게임이라고 했어요. 4문단에서 치킨 게임은 함께 망하는 길로 치닫는다는 점이 특징이라고 했으므로, 쓸데없이 극단적인 경쟁을 하는 상황을 비유하는 말임을 알 수 있어요.

알아두면 도움이 돼요!

치킨 게임

겁쟁이 게임이라고도 불리는 '치킨 게임'은 1950년대 미국의 갱이나 반항적인 젊은이들 사이에서 유행했어요. 어느 한쪽이 물러서지 않으면 둘 다 막대한 피해를 입을 수 있지만, 승자로 살아남는다면 더 큰 이익을 누릴 수 있다는 특징이 있어요.

주장하는 글 문제 ❶~❺

1 누구나 한 번쯤 인터넷 공간에서 자신의 생각을 글로 써서 올리거나, 다른 사람이 쓴 글에 댓글을 달아 본 경험이 있을 것이다. 인터넷 공간에서는 자유롭게 자신의 의견을 표현할 수 있고, 다른 사람이 어떻게 생각하는지에 대해서도 쉽게 찾아볼 수 있다. 이렇게 인터넷 공간에서 사람들 간에 생각을 나누는 활동은 그 방법과 범위 면에서 점점 더 발전하고 있다. 인터넷 공간에서 의견을 나누는 활동의 발전.

2 그러나 ㉠모든 일에는 밝음과 어두움이 있듯이, 인터넷 공간에서 자유롭게 의사를 표현하는 일은 좋은 점도 있지만 때로는 부작용을 가져오기도 한다. 대표적인 것이 악성 댓글이다. 악성 댓글이란 특정인과 관련된 댓글을 지나치게 공격적으로 쓰는 것이다. 또 인터넷 공간에 악의적*으로 루머를 퍼뜨리는 것도 문제이다. 인터넷 공간에 전혀 사실이 아닌 일을 사실인 것처럼 글을 쓰면, 인터넷 공간의 특성상 글은 순식간에 퍼지고 그 글의 내용이 사실로 인식된다*. 특히 그것이 나쁜 내용일 경우 관련자가 받게 되는 상처는 매우 심각하다. 인터넷 공간에 허용된 표현의 자유에 따른 부작용

3 이러한 부작용을 해소하기 위하여 글쓴이를 밝히는 인터넷 실명제를 도입할 필요가 있다. 글쓴이가 누구인지 밝히고 글을 쓴다면, 인터넷 공간에서 악성 댓글을 쓰거나 루머를 만들어 내는 일이 훨씬 줄어들 것이다. 실제로 최근 실명제를 실시한 한 사이트에서는 다른 사람을 비난하는 글의 수가 실명제를 실시하기 전보다 절반 이상 줄었다고 한다. 인터넷 실명제를 도입했을 때의 효과.

4 인터넷 실명제의 필요성은 꾸준히 제기되었지만, 표현의 자유를 침해한다*는 이유로 실시되지 못했다. 그러나 자신의 생각을 표현할 권리보다도 악성 댓글로 인해 상처받지 않을 권리가 더 중요하다고 생각한다. 악성 댓글이나 루머의 강도가 점점 심해져서, 이로 인해 극단적인 선택을 하는 사람들도 늘어나고 있다. 이제 인터넷 실명제는 더 이상 미룰 수 없는 과제*로 남아 있다. 인터넷 실명제를 도입해야 하는 이유.

주제: 인터넷 실명제를 도입하자.

* **악의적:** 남을 해치려 하거나 미워하는 악한 마음을 가진.
* **인식되다:** 사물이 분간되고 판단되어 이해되다.
* **침해하다:** 침범하여 해를 끼치다.
* **과제:** 처리하거나 해결해야 할 문제.

1. 좋은 점
㉠은 모든 일에는 좋은 점과 나쁜 점이 함께 있다는 뜻으로 이해할 수 있어요.

2. ①, ⑤
글쓴이는 인터넷 공간에서 자유로운 의견 표현이 가능해졌지만, 악성 댓글과 루머를 퍼뜨리는 것은 문제라고 생각하고 있어요.

3. ②
악성 댓글과 루머의 강도가 점점 심해지고, 극단적인 생각을 하는 사람이 생길 정도로 피해가 심각해지고 있어요.

4. ⓐ 인터넷, ⓑ 부작용, ⓒ 실명제
이 글은 인터넷 공간에서 발생하는 부작용을 이야기하며 인터넷 실명제를 도입하자고 주장하는 글이에요.

5. 자신의 생각을 표현할 권리보다 상처 받지 않을 권리가 더 중요합니다.
글쓴이는 표현의 자유보다 상처받지 않을 권리가 더 중요하다고 말하고 있어요.

인터넷 공간에서 자유롭게 의사를 표현하는 것의 [☐장점 / ☑부작용]을 소개하고, 인터넷 [☑실명제 / ☐총량제]를 도입하자고 주장하는 글입니다.

"인터넷 실명제"

인터넷 실명제란 인터넷 상에서 글을 쓸 때, 이용자의 실명과 주민 등록 번호를 확인하도록 만든 제도예요. 인터넷 게시판에서 실명을 밝히지 않는다는 점을 악용한 다양한 사이버 범죄가 발생하자, 이를 예방하려고 만들어진 것이랍니다.

설명하는 글 문제 ❻~❾

1 대부분의 눈 결정*은 육각형 나뭇가지를 닮은 모양으로 그 종류가 수백 가지나 될 만큼 다양하다. 눈 결정의 모양은 무척 아름다워 예술이나 디자인 등 다양한 분야에서도 활용되고 있다. 그러면 사람들은 언제부터 이토록 다양하고 아름다운 눈 결정의 모양을 알게 되었을까? 아름다운 눈 결정의 모양.

2 눈 결정을 최초로 사진에 담은 사람은 1865년에 태어난 미국의 사진가 윌슨 벤틀리이다. 그가 처음 눈 결정을 사진으로 찍은 것은 1885년 1월 15일, 19살 때였다. 벤틀리는 15살이 되던 해에 선물로 받은 현미경으로 눈을 관찰하다가, 눈 결정의 매력에 빠지게 되었다. 이 일을 계기로 벤틀리는 어머니를 설득해, 당시로서는 매우 비싼 사진기를 구입했다. 그리고 이때부터 눈 결정을 촬영하는 일에 도전하기 시작했다. 눈 결정 촬영에 도전한 벤틀리.

3 그러나 눈 결정을 촬영하는 것은 무척 어려운 일이었다. (7-②) **채집한* 눈을 꺼내면 금방 녹아 버려 형체*가 사라져 버렸기 때문이다.** 벤틀리는 현미경과 사진기를 조합한 특수한 장치를 만들어 눈 결정을 찍으려 했지만, 결정의 모양은 좀처럼 잘 드러나지 않았다. (7-③) **벤틀리는 주로 한낮에 태양 빛을 조명 삼아 사진을 찍었는데, 하얀 눈 배경이 너무 밝아 결정의 모양이 잘 찍히지 않았던 것이다.** 벤틀리는 이런 상황을 개선하기* 위해 사진을 찍을 때마다 필름을 한 장씩 더 부착한 후, 눈 결정의 주위에 묻어 있는 감광제를 조심스럽게 제거해 보았다. 눈 결정 촬영에 어려움을 겪은 벤틀리.

4 이렇게 빛을 ㉠막기 위해 ㉡한 시간이 넘는 작업을 수차례 시행한 결과, 드디어 까만 배경에서 선명하게 드러나는 눈 결정 사진을 얻을 수 있었다. 눈 결정 촬영을 시도한 지 2년 만의 일이었다. 이후 벤틀리는 66살이 될 때까지 무려 5천 장이 넘는 눈 결정 사진을 찍었다. (6-⑤) **벤틀리는 자신이 찍은 수천 장의 눈 결정 사진 중에 똑같은 눈 결정은 단 한 개도 없었다며 자연의 신비로움에 감탄했다.** 눈 결정 촬영을 성공한 벤틀리.

주제: 눈 결정 촬영을 최초로 성공한 사진가 벤틀리.

윌슨 벤틀리가 눈 결정 사진을 찍게 된 [□지역 / ☑과정]을 시간 순서에 따라 자세하게 [□주장하는 / ☑설명하는] 글입니다.

6. ⑤

벤틀리는 자신이 찍은 사진 중 같은 모양의 눈 결정은 하나도 없었다고 했어요.

7. ②, ③

눈은 금방 녹아 버리고, 하얀 눈 배경이 너무 밝아 촬영이 어려웠어요.

8. ③

'차단하다'는 액체나 기체 따위의 흐름 또는 통로를 막거나 끊어서 통하지 못하게 한다는 뜻이므로, 빛을 막는다는 표현 대신 쓰기에 가장 적절해요.

9. ②

'지성이면 감천이다.'는 정성을 들이고 노력하면 원하는 바가 이루어진다는 뜻이에요. 이는 벤틀리가 눈 결정을 찍기 위한 작업을 수차례 시행하여 결국 그 뜻을 이룬 ㉡의 상황에 어울리는 속담이라 할 수 있어요.

* **결정:** 원자, 이온, 분자 따위가 규칙적으로 일정한 법칙에 따라 배열되고, 외형도 대칭 관계에 있는 몇 개의 평면으로 둘러싸여 규칙 바른 형체를 이룸. 또는 그런 물질.
* **채집하다:** 널리 찾아서 얻거나 캐거나 잡아 모으다.
* **형체:** 물건의 생김새나 그 바탕이 되는 몸체.
* **개선하다:** 잘못된 것이나 부족한 것, 나쁜 것 따위를 고쳐 더 좋게 만들다.

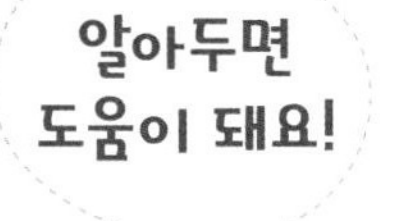

"시간적 순서 파악하기"

발명이나 발견의 과정을 담은 글은 일반적으로 시간적 순서에 따라 서술되지요. 따라서 가장 먼저 일어난 일부터 순서대로 내용을 정리하면서 글을 읽어 나가면 자연히 그 과정을 파악할 수 있답니다.

독서 감상문 문제 ❶~❹

1 그동안 고전 소설은 모두 행복한 결말을 맺는 것으로 알았다. 그런데 「운영전」의 소개글을 보니 이 작품은 일반적인 고전 소설과는 다르게 비극*으로 끝나는 소설이라고 적혀 있었다. 그래서 나는 이 책이 어떤 내용인지 호기심이 생겼다. 비극으로 끝나는 고전 소설 '운영전'.

2 주인공 운영은 안평대군의 궁녀였다. 조선 시대의 궁녀는 모시는 주인 외의 다른 남자와는 사랑을 할 수 없는 신분이었다. 그런데 어느 날 운영은 안평대군과 함께 시를 짓기 위해 궁에 들어온 김 진사를 만나게 되었고, 그와 사랑에 빠져 버렸다. 그 마음을 안평대군에게 들키면서 운영과 김 진사는 비극을 맞게 되었다. 주변의 도움에도 불구하고, 신분*의 한계를 뛰어넘을 수 없었던 두 사람은 자신들의 처지에 좌절하여 결국 죽음에 이르게 된 것이다. '운영전'의 줄거리.

3 나는 소설을 읽으면서 신분 때문에 사랑을 할 수 없었던 두 사람의 상황이 너무 안타까웠다. 김 진사를 향한 운영의 마음을 알게 된 안평대군은 그녀를 독방에 가두어 버렸다. 그러자 같은 궁녀이자 운영의 친구인 자란이 안평대군에게 "사람이 사랑을 하는 것은 본능이고 자연스러운 것일진대, 어찌 사랑을 한다는 이유로 운영에게 벌을 내리려 하십니까?"라고 눈물로 호소했다*. 나는 이 장면이 제일 인상 깊었다. 자란의 말처럼 누군가를 사랑하는 감정은 사람이라면 누구나 느낄 수 있는 것이고 매우 소중하고 아름다운 것이다. 이것은 금지한다고 해서 사라지는 것도 아니기에 안평대군의 행동은 옳지 않은 일이라고 생각했다. 사랑의 아름다움을 주장하는 자란의 말에 대한 공감.

4 신분 제도는 없어졌지만, 나이나 국적 등이 사랑의 장애가 되는 경우는 아직도 많다. 소설 속에서 운영과 김 진사는 신분의 ㉠벽을 결국 뛰어넘지 못했지만, 나는 자란의 말이 이 소설의 결말보다 더 중요한 내용이라고 생각한다. 자란의 말이 힘든 사랑을 하는 모든 사람들에게 힘이 될 수 있으면 좋겠다. 「운영전」이 오늘날 우리에게 주는 의미.

주제: 「운영전」을 읽은 후의 생각과 느낌.

* **비극**: 인생의 슬프고 애달픈 일을 당하여 불행한 경우를 이르는 말.
* **신분**: 개인의 사회적인 위치나 계급. 봉건 사회에서는, 사회관계를 구성하는 서열로, 제도상 등급에 따라 권리와 의무가 다르고 세습되는 것이 원칙이었다.
* **호소하다**: 억울하거나 딱한 사정을 남에게 간곡히 알리다.

1. 비극
글쓴이는 일반적인 고전 소설들이 행복한 결말을 맺는 것과 달리, 「운영전」은 비극으로 끝나서 호기심이 생겼어요.

2. ②
운영은 주인인 안평대군을 모시는 궁녀였어요. 자란은 궁녀이자 운영의 친구였지요.

3. ①
자란은 사랑은 자연스러운 것이며 본능이라고 생각하는 사람이에요. 궁녀가 다른 남자와 사랑하는 것이 잘못이라고 생각하지는 않았을 거예요.

4. ⑤
㉠의 '벽'은 '한계'라는 의미로 쓰였어요. ⑤의 '벽'도 '한계'라는 의미로 쓰였답니다.

「운영전」을 읽고 난 후에 작품에 대한 [☐사람들의 비판 / ☑자신의 의견과 느낌]을 쓴 [☐안내문 / ☑독서 감상문]입니다.

비극적인 사랑 이야기를 그린 소설, 「운영전」

알아두면 도움이 돼요!

작자와 창작 시기가 정확히 밝혀지지 않은 조선 시대의 소설이에요. 신분에 상관없이 누구나 사랑할 수 있다고 주장함으로써 신분제 사회였던 조선 시대에 큰 반응을 불러일으켰던 작품이랍니다. 표현과 서정성도 매우 뛰어난 작품이에요.

설명하는 글 문제 ❺~❽

1 숭례문은 대한민국 국보 제1호이다. 국보는 국가가 지정하여 법률로 보호하는 문화재이다. 시대를 대표하면서 보물의 가치를 지니고 있는 것 중에서 제작 연대*가 오래되고 유례가 드물며 우수하고 특이한 것들이 국보로 지정된다. 숭례문은 조선 초기에 지어진 건축물로 역사적 가치가 높고, 고려에서 조선으로 넘어오는 건축 양식의 변화를 엿볼 수 있기 때문에 국보로 지정되었다. 숭례문이 국보가 된 이유.

2 숭례문은 한양 도성의 정문이다. 남쪽에 있는 문이라고 해서 '남대문'이라고도 불렸다. 우리 조상은 남쪽을 매우 중요하게 생각하였다. 남쪽을 향해야 햇빛도 잘 들고, 좋은 일도 많이 생긴다는 믿음 때문이었다. [㉠] 7-③ 도성* 남쪽에 나 있는 숭례문을 도성의 정문으로 여긴 것은 당연한 일이다. 숭례문이 도성의 정문인 이유.

3 7-① 조선 시대에는 날마다 밤 10시 무렵에 통행을 금지하기 위하여 종을 치면서 숭례문을 닫았다가 다음 날 새벽 4시 무렵에 통행금지를 해제하기 위하여 종을 치면서 문을 열었는데, 이때 문 위에 종을 달아 그 시간을 알렸다. [㉡] 7-② 장마나 가뭄이 심할 때는 숭례문 등에서 임금이 몸소 기청제*와 기우제*를 지내는 등 국가의 중요한 행사를 거행하였다. 또, 7-⑤ 숭례문은 조선의 얼굴이자 선진 문물을 받아들이는 통로였다. 그 당시 조선은 명나라, 청나라와 외교 관계를 맺으면서 많은 사신이 드나들었는데, 그들이 드나들었던 문이 바로 숭례문이었다. 숭례문의 기능과 역할.

4 고려를 무너뜨리고 새 나라 조선을 세운 이성계는 도읍을 한양으로 옮겼다. 그러고는 새로 궁궐을 짓고 그 후에, 도읍을 감싸고 있는 백악산(북악산), 타락산(낙산), 목멱산(남산), 인왕산을 연결하여 성곽인 도성을 쌓았다. 7-④ 한양 도성과 함께 짓기 시작한 숭례문은 1398년에 완공되었다*. 새 나라 도성과 함께 탄생한 숭례문.

주제: 국보 제1호인 숭례문의 역사와 기능.

* **연대:** 지나간 시간을 일정한 햇수로 나눈 것.
* **도성:** 임금이나 황제가 있던 도읍지가 성으로 이루어져 있었다는 데서, '서울'을 이르던 말.
* **기청제:** 고려 · 조선 시대에, 입추(立秋)가 지나도록 장마가 계속될 때에 나라에서 날이 개기를 빌던 제사.
* **기우제:** 고려 · 조선 시대에, 하지(夏至)가 지나도록 비가 오지 않을 때에 비 오기를 빌던 제사.
* **완공되다:** 공사가 완성되다.

대한민국 [☑국보 / □보물] 제1호인 숭례문의 기능과 역할, 건축 시기 등에 대하여 [☑설명하는 / □주장하는] 글입니다.

5. 밤 10시부터 새벽 4시까지

숭례문을 닫고 여는 것으로 통행금지를 알리고 해제했어요. 시간은 밤 10시부터 새벽 4시까지였지요.

6. ⓐ 역사적 가치, ⓑ 조선 초기, ⓒ 건축 양식

조선 초기에 지어져 역사적 가치가 높고, 조선 초기의 건축 양식을 엿볼 수 있어서 국보로 지정되었다고 했어요.

7. ④

숭례문은 새로 궁궐이 다 지어진 다음, 한양 도성과 함께 지어지기 시작했어요. 따라서 궁궐과 함께 완공되었다는 것은 적절하지 않아요.

8. ①

㉠에 알맞은 '그러니'는 앞의 내용이 뒤의 내용의 이유나 근거 따위가 될 때 쓰는 말이에요. ㉡에 알맞은 '그리고'는 앞뒤의 내용을 나란히 연결할 때 쓰는 말이지요.

"각 문단의 중심 내용 파악하기"

알아두면 도움이 돼요!

설명문을 읽을 때는 각 문단의 중심 내용을 파악하며 읽어야 해요. 문단의 중심 내용을 파악하기 위해서는 먼저 문단의 중심 소재를 찾고, 문단에서 중심 소재의 어떠한 부분을 설명하고 있는지 찾으면 돼요.

14 일차

설명하는 글 문제 ❶~❹

1 18세기 이후 중산층과 평민들은 부와 명성을 쌓으면서, 점차 문화생활을 즐기는 시간이 많아졌다. 앞선 시대의 고전주의 음악이 반복과 대비를 통해 형식의 우아함을 표현하고자 했다면, 낭만주의 시대에는 기쁨, 슬픔 등 감정의 강렬함을 표현하고자 했다. 또한, 악기들도 많이 개량되어* 더 쉽게 연주할 수 있게 되었다. 따라서 다양한 악기를 위한 연주곡이 생겨나고 그전엔 없던 기법으로 연주하는 연주자들이 생겨나기 시작했다. 교향곡 역시 고전파 음악보다 더 웅장하며* 길어진 음악들이 성행했다.* 낭만주의 시대 음악의 변화.

2 낭만주의 시대의 음악은 아름다운 멜로디와 화려한 화음이 특징이다. 또한, 다양한 악기의 발달로 깊고 화려한 소리를 낼 수 있게 되었다. 그래서 오케스트라의 규모도 커지고, 다양한 음악 표현이 가능해졌다. 또한, 낭만파 시대에 스타 작곡가와 연주가들이 탄생하게 되면서 음악이 더욱 발전했다. 낭만주의 시대 음악의 특징.

3 「군대 행진곡」의 작곡가로 유명한 3-③ 슈베르트는 낭만주의 시대의 대표적인 음악가이다. 3-② 슈베르트 음악의 특징은 물 흐르듯 아름다운 선율*이다. 슈베르트의 곡을 듣고 있으면 가곡뿐만 아니라 피아노곡이나 교향곡마저도 선율이 시처럼 아름답다. 3-④ 그의 대표적인 작품에는 「아름다운 물방앗간의 아가씨」, 「겨울 나그네」 등이 있다. 낭만주의 시대 대표적 음악가인 슈베르트.

4 3-③ 이 시대에 ㉠활약한 또 다른 음악가로는 쇼팽이 있다. 폴란드에서 태어난 쇼팽은 20세가 되었을 때, 파리로 떠나면서 그의 피아노 인생이 새롭게 빛을 발하게 되었다. 훌륭한 피아니스트였던 3-⑤ 쇼팽은 오로지 피아노로만 표현할 수 있는 가장 아름다운 음악을 만들기 위해 노력했다. 그래서 3-① 「마주르카」, 「녹턴」, 「폴로네즈」, 「발라드와 즉흥곡」, 「소나타」, 「에뛰드」 등 많은 형식의 피아노 작품을 남겼다. 낭만주의 시대 대표적 음악가인 쇼팽.

주제: 낭만주의 음악의 특징과 대표적인 음악가.

* **개량되다:** 나쁜 점을 보완하여 더 좋게 되다.
* **웅장하다:** 규모 따위가 거대하고 성대하다.
* **성행하다:** 매우 성하게 유행하다.
* **선율:** 소리의 높낮이가 길이나 리듬과 어울려 나타나는 음의 흐름. 가락.

[☐고전주의 / ☑낭만주의] 음악의 특징을 소개하고 대표적인 음악가인 [☑슈베르트와 쇼팽 / ☐모차르트와 베토벤]에 대해 설명하는 글입니다.

1. ②
고전주의 음악은 형식의 우아함을, 낭만주의 음악은 감정의 강렬함을 표현하고자 했어요.

2. ⓐ 낭만주의, ⓑ 음악가
1문단에서는 고전주의 음악에서 낭만주의 음악으로의 변화를 3, 4문단에서는 낭만주의의 대표적 음악가인 슈베르트와 쇼팽에 대해 말하고 있어요.

3. ③
슈베르트와 쇼팽은 낭만주의 시대의 대표적인 음악가들이에요.

4. 화랴칸
'활약한'은 [화랴칸]이라고 발음해야 해요.

"낭만주의 음악"

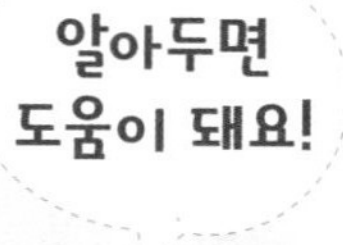

낭만주의 음악은 일반적으로 서양 음악사에서 19세기의 유럽 음악을 말해요. 낭만주의는 형식과 이성을 중시하는 고전주의에 대한 반항으로 시작되었어요. 그래서 이 시기에는 기존의 음악적 형식에서 벗어난, 새롭고 개성 있는 음악들이 작곡되었답니다.

본문 ➜ 76쪽

설명하는 글 문제 ❺~❽

1 인간은 오랜 역사를 거치면서 여러 방면에서 살기 편하고 효율적인 방법을 찾아냈고, 그것을 반복적으로 지키다 보니 관습이 생겨났다. 인사도 일종의 관습이다. 인사를 잘하면 자연스레 사이가 좋아지고 서로 협력하는 게 수월해진다. 인사를 안 하면 버릇없는 사람이라고 욕을 먹듯이, 관습을 지키지 않으면 사회적으로 따돌림을 당하거나 ⓐ눈총*을 받는다. 관습의 의미.

2 도덕은 관습 중에서도 중요한 것을 논리적으로 정리한 것으로, 교육을 통해 사람의 마음속에 자리잡은, 마땅히 스스로 지켜야 할 바람직한 행동 기준을 말한다. 누가 강요해서 지키는 것이 아니라 스스로 알아서 지킬 때 도덕적이라고 한다. 도덕적인 사람은 '훌륭하다, 믿을 수 있다, 협력할 수 있다'와 같은 칭찬을 들으며 양심의 가책으로부터 자유롭다. 그러나 ㉠도덕을 지키지 않는 사람은 '비인간적이다, 믿을 수 없다, 함께 일할 수 없는 사람이다'와 같은 비난을 받고 양심의 가책*을 느낀다. 도덕의 의미.

3 법은 국가가 만들어 집행하는 사회 규범이다. 이 법을 위반하면 국가 기관이 감옥에 보내거나 벌금을 물리는 등의 대가를 치르게 한다. 다른 사람을 헐뜯는 것은 도덕적으로 옳지 않다. 어떤 사람을 헐뜯는 말을 많은 사람에게 퍼뜨리면, 당하는 사람은 매우 불쾌하고 화가 난다. 그래서 국가는 이러한 행위를 '명예훼손죄'로 정하고 처벌을 한다. 도덕 중에서도 중요한 것을 법으로 만들어 반드시 지키도록 한 것이다. 법의 의미.

4 '㉡법은 도덕의 최소한.'이라는 말이 있다. 인간 생활에서 중요한 것은 되풀이되면서 관습이 되었고, 관습 중에서 중요한 것은 논리적으로 정리되어 도덕이 되었고, 도덕 중에서 중요한 것은 국가에 의하여 강제력*을 부여받은 법이 되었다. 관습과 도덕, 법의 관계.

주제: 관습과 도덕, 법의 의미와 관계.

* **눈총:** 눈에 독기를 띠며 쏘아보는 시선.
* **가책:** 자기나 남의 잘못에 대하여 꾸짖어 책망함.
* **강제력:** 행정청에서 상대가 의무를 이행하지 않은 경우에 의무를 이행하게 할 수 있는 힘.

관습과 도덕, 법의 [☑의미 / □종류]를 알려 주고, 그 관계에 대해 [☑설명하는 / □광고하는] 글입니다.

5. ①
이 글에 따르면, 관습 중에 중요한 것이 도덕, 도덕 중에 꼭 지켜야 하는 것이 법이에요. 따라서 관습의 범위가 가장 넓고, 그 속에 도덕이, 도덕 속에 법이 포함되어 있는 것이지요.

6. ⑤
도덕은 마땅히 스스로 지켜야 할 바람직한 행동 기준을 말해요. 따라서 단순히 도덕을 지키지 않은 행위와 법을 어긴 행위는 구분해서 이해할 수 있어야 해요. 버스에서 할머니가 타신 것을 모른 척하고 노약자석에 앉아 있는 것은 법을 어긴 것은 아니지만 도덕을 지키지 않은 사람의 행동으로 볼 수 있어요.

7. ③
'법은 도덕의 최소한.'이라는 말은, 도덕 중에서도 반드시 지켜야 하는 최소한의 규범이 법이라는 뜻이에요.

8. ①
'눈총'은 '눈에 독기를 띠며 쏘아보는 시선.'이라는 뜻으로, '눈살'과 같은 뜻이에요.

알아두면 도움이 돼요!

"관습과 유행의 차이"

관습은 여러 사람이 공유하며 서로 일체감을 확인한다는 점에서 유행과 비슷한 면이 있지만, 역사적으로 오랜 시간에 걸쳐 형성된다는 점에서 일시적인 유행과 차이가 있어요. 한 사회에서 어떠한 행동이나 가치가 관습으로 굳어지려면, 오랫동안 지속되어야 해요.

15 일차

설명하는 글 문제 ❶~❹

1 계면 활성제란 성질이 다른 두 물질이 [㉠] 경계면을 허물어뜨려서 두 물질이 잘 섞이게 하는 물질을 말한다. 물에 기름을 넣거나 기름에 물을 넣고 흔들어 보면 처음에는 섞이는 것 같지만 결국은 두 액체가 섞이지 않고 분리되어 층을 이룬다. 그러나 여기에 계면 활성제를 넣고 흔들어 주면 층이 없어지고 두 액체가 섞인다. 계면 활성제의 개념과 기능.

2 우리가 섭취하는* 식품에도 계면 활성제가 들어 있는 것이 많다. 음식을 조리하는 과정에서 계면 활성제 성질을 가진 재료는 여러 가지 식재료를 잘 섞이게 하고, 새로운 맛을 낸다. 우유에는 단백질, 지방 등의 필수 영양소가 골고루 들어 있는데, 사실 이 영양소들은 물에 잘 녹지 않는 성분이다. 하지만 레시틴이라는 천연 계면 활성제의 역할 덕분에 우유 속 단백질과 지방은 물에 녹을 수 있다. 레시틴이 단백질과 지방, 물 모두와 섞이면서 단백질과 지방이 물에 녹을 수 있도록 돕는 것이다. 천연 계면 활성제 레시틴의 기능 1

(3-⑤ / 계면 활성제 사례 1 / 3-①, ③)

3 레시틴은 우리 식탁에 자주 올라오는 계란에 많이 들어 있는 영양소이기도 하다. 계란 노른자와 콩기름은 서로 성질이 달라 쉽게 섞이지 않는다. 그러나 이 둘을 충분히 저어 가며 섞어 주면 계란 노른자 속의 천연 계면 활성제인 레시틴 때문에 잘 섞여서 마요네즈를 만들 수 있다. 천연 계면 활성제 레시틴의 기능 2

(3-④ / 계면 활성제 사례 2)

4 비누 또한 아주 오래전부터 사용해 온 계면 활성제이다. 손이나 옷에 묻어 있는 기름때는 물과 섞이지 않기 때문에 물만으로는 깨끗하게 씻을 수가 없다. 그러나 비누는 계면 활성제이기 때문에, 비누를 사용하면 물과 기름때가 섞이게 되어 기름때를 씻어 낼 수가 있다. 손만 깨끗이 씻어도 기름때로 인한 세균 감염을 크게 예방할 수 있기 때문에, 비누의 사용은 질병 예방에도 큰 도움을 주었다. 계면 활성제 비누의 기능.

(계면 활성제 사례 3)

주제: 생활 속에 쓰이는 계면 활성제의 역할.

* **섭취하다:** 생물체가 양분 따위를 몸속에 빨아들이다.

계면 활성제의 [□감염 / ☑기능]과 우리 생활 속에서 계면 활성제가 쓰이는 사례에 대해 [☑설명하는 / □주장하는] 글입니다.

1. 섞이는, 분리

1문단에서 물과 기름은 서로 섞이지 않는 성질이 있기 때문에, 처음에는 섞이는 것처럼 보여도 나중에는 분리된다고 했어요.

2. ⓐ 계면 활성제, ⓑ 감염

비누는 계면 활성제 성분이어서 물과 기름때를 섞이게 해 줘요. 그래서 기름때는 물에 씻겨 나갈 수 있고, 기름때에 있는 세균으로 인한 감염을 막을 수 있지요.

3. ②

레시틴이 계란에 많이 들어 있다고는 했지만, 콩 속에 많이 들어 있는지는 이 글을 통해 알 수 없어요.

4. ①

'마주 닿다.'라는 뜻으로 ㉠에 들어갈 단어는 '맞닿은'이라고 써야 해요.

"계면 활성제의 부작용"

알아두면 도움이 돼요!

계면 활성제 중에는 성질이 다른 두 물질이 더 잘 섞이도록, 다른 성분을 첨가하는 합성 계면 활성제들이 있어요. 그런데 이때 첨가하는 물질에 독성이 있는 경우가 있어요. 따라서 다른 성분을 첨가한 계면 활성제를 사용할 때에는 성분을 잘 살펴보고 사용해야 해요.

주장하는 글 문제 ❺~❾

1 연명* 치료는 질병의 회복이 불가능하다는 의사의 판단 하에서 생명의 연장을 위해 이루어지는 치료로, 연명 치료를 중단하게 되면 환자는 자연적으로 죽음에 이르게 된다. 연명 치료를 하는 중에는 심장이 뛰고 호흡이 이루어지기 때문에 환자는 의학적으로 살아 있는 상태이다. 그래서 연명 치료를 중단하는 행위에 대하여 생명 연장을 할 수 있는 의료 기술이 있는데, 이를 시행하지 않는 것은 살인과 다름없다는 의견도 있다. 연명 치료의 개념과 의미.

2 그러나 연명 치료를 하는 환자가 과연 진정으로 살아 있는 것인지를 생각해 보아야 한다. 연명 치료를 하는 환자는 중환자실에 계속 누워 아무것도 하지 못한 채, 병으로 인한 극심한 고통을 느끼면서 살아간다. 회복될 가망*이 없는 상태에서 엄청난 고통을 느끼며 지내는 것은 죽는 것보다 더 힘든 일일 수도 있다. 그리하여 환자들 중에는 연명 치료를 중단하는 행위를 문제 삼지 않는 나라를 찾아가 치료를 중단하는 경우도 있다. 연명 치료에 따른 문제점.

3 환자의 자유로운 의지에 따라 연명 치료는 중단할 수 있어야 한다. 인간에게는 존엄하게* 살아갈 권리가 있고 존엄하게 죽을 권리도 있다. 우리에게는 편안하고 품위를 지킬 수 있는 상태에서 죽을 권리가 보장되어야 한다. 연명 치료를 원하지도 않는 사람이, 정해진 법 때문에 어쩔 수 없이 남은 인생을 중환자실에 누워서 고통 속에 살아야 한다면 그것이 [㉠] 존엄한 삶과 존엄한 죽음일까? 존엄과 삶과 죽음을 위해 연명 치료를 중단해야 하는 이유.

4 물론 연명 치료를 중단하는 것을 법으로 허용하면 이것을 살인에 악용하는* 경우가 생길 수도 있다. 그러나 이것은 조건을 엄격하게 하면 막을 수 있는 일이다. 반드시 환자 본인의 의사에 따르도록 하고, 의사와의 상담을 여러 번 거쳐 시행한다면 문제는 생기지 않을 것이다. 환자가 원치 않는 생명 연장을 강제로 하게 하는 것은 법이 국민에게 폭력을 행사하는 일이다. 연명 치료 중단의 부작용에 대한 대책.

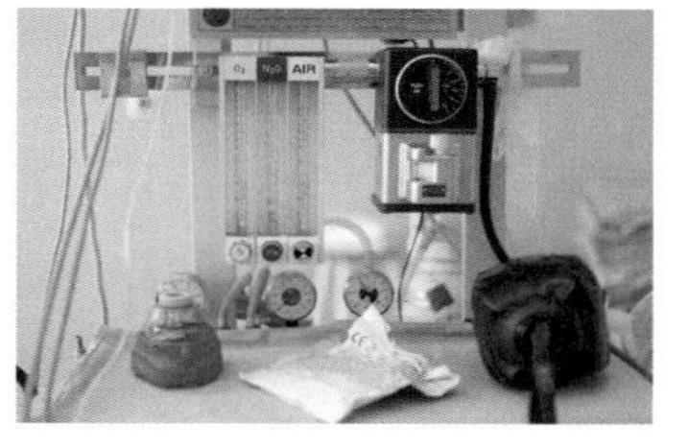

주제: 환자의 의사를 존중하여 연명 치료를 중단할 수 있어야 한다.

* **연명:** 목숨을 겨우 이어 살아감.
* **가망:** 될 만하거나 가능성이 있는 희망.
* **존엄하다:** 인물이나 지위 따위가 감히 범할 수 없을 정도로 높고 엄숙하다.
* **악용하다:** 알맞지 않게 쓰거나 나쁜 일에 쓰다.

환자의 의사에 따라 연명 치료를 [☑중단할 수 있어야 한다 / □중단해서는 안 된다]는 것을 [□설명하는 / ☑주장하는] 글입니다.

5. 불가능, 연장
'연명 치료'란 질병의 회복이 불가능하다는 의사의 판단 아래 생명의 연장을 위해 이루어지는 치료를 의미해요.

6. (1) ○, (2) ×, (3) ○
우리나라의 연명 치료 기술이 부족하다는 내용은 이 글에 나와 있지 않아요.

7. ①
4문단에서 연명 치료를 중단할 때에는 반드시 환자 본인의 의사에 따르도록 해야 한다고 했어요.

8. 연명 치료를 중단할 수 있는 조건을 엄격히 하면 된다.
환자의 의사를 중요시하고, 의사와 여러 번 상담을 거치게 하는 등 조건을 엄격히 하는 것은 부작용을 막는 방법이에요.

9. ⑤
'과연'은 '결과에 있어서도 참으로.'라는 뜻이에요. ㉠이 포함된 문장은 '고통 속에 살아가는 것이 정말 결과적으로 존엄한 것일까?'라는 의미이므로, '과연'을 쓰는 것이 적절해요.

어휘력 쑥쑥 테스트 01. 거행 02. 인식 03. 눈총 04. 가책 05. 제거 06. 호소 07. 어김없이 08. 손실

십자말 풀이
[가로 열쇠] 1. 국유화 2. 해제 3. 완공 4. 개량
[세로 열쇠] 1. 소유권 2. 침해 3. 공급량

주장하는 글 문제 ❶~❹

1 텔레비전은 우리 주변에서 가장 쉽게 접할 수 있는 대중 매체이다. 전원만 누르면 어느 시간, 어떤 프로그램이라도 시청할 수 있는 편리한 매체이기도 하다. ㉠그런데 이런 편리성이 학생들에게는 독이 될 수 있다. 텔레비전 프로그램을 시청하는 데에 아무런 제약*이 없기 때문에, 학생들은 자신에게 부적절한 프로그램들을 쉽게 접할 수가 있다. 텔레비전의 부적절한 프로그램에 노출되어 있는 학생들.

2 물론 각 프로그램에는 시청 가능한 연령별 등급이 매겨져 있지만 이것은 크게 효과가 없다. 이 등급은 모든 연령*, 12세, 15세, 18세 관람 가능 등급으로 나누어져 있다. 이 등급에 따르면 초등학생은 모든 연령이 관람할 수 있는 프로그램만을 자유롭게 볼 수 있고, 그 외의 프로그램은 부모님의 지도를 받아 시청해야 한다. 그러나 실제로 등급 규정*에 따라 프로그램을 시청하는 경우는 극히 드물다. 텔레비전은 부모님이 안 계셔도 볼 수 있기 때문에, 적절한 관람가의 프로그램이 아니어도 얼마든지 시청할 수 있다. 관람 가능 등급 규정의 미비한 효과.

3 따라서 프로그램에 시청 가능한 연령별 등급을 매기는 것보다 더 실질적인 방안이 필요하다. 가장 좋은 방안은 프로그램의 내용을 전체적으로 더 건전하게 만드는 것이다. 잘못된 언어를 사용하는 장면(2-(1)), 지나치게 폭력적인 장면(2-(2)), 음주를 하는 장면(2-(3)) 등은 프로그램에서 과감히 삭제해야 한다. 유해한 장면으로부터 어린 학생들을 보호하기 위해서는 프로그램 제작자들의 노력이 필요하다. 유해한 텔레비전 프로그램으로부터 학생들의 보호할 방안 1-제작자들의 노력.

4 유해한* 텔레비전 프로그램으로부터 학생들을 보호하는 데에는 시청자들의 노력도 필요하다. 시청자들이 프로그램 속 유해한 내용을 제보하는 것이다. 프로그램을 보면서 정서에 유해하거나 적절하지 않은 장면들이 나온다면 방송국이나 다른 언론을 통해 해당 내용을 제보해야 한다. 이러한 제보는 제작자들에게 전달되어 그들이 프로그램을 더욱 신중하게 만들 수 있도록 도울 것이다.
유해한 텔레비전 프로그램으로부터 학생들을 보호할 방안 2-시청자들의 노력.

주제: 유해한 텔레비전 프로그램으로부터 학생들을 보호할 수 있도록 제작자와 시청자들이 노력해야 한다.

유해한 텔레비전 프로그램으로부터 어린 학생들을 보호하기 위해 [☑제작자와 시청자들 / □선생님과 부모님들]이 노력할 것을 [□설명하는 / ☑주장하는] 글입니다.

1. ④
기존의 연령별 등급 표시제가 효과가 없다는 것을 지적하면서, 더 실질적인 방안을 제시하고 있어요.

2. (1) 언어, (2) 폭력, (3) 음주
글쓴이는 잘못된 언어를 사용하는 장면, 지나치게 폭력적인 장면, 음주를 하는 장면은 유해하기 때문에 프로그램에서 과감히 삭제해야 한다고 주장하고 있어요.

3. 부모님
글쓴이는 부모님이 계시지 않아도 학생들의 텔레비전 시청이 가능하다고 말하면서, 텔레비전 프로그램에 관람 가능 등급을 매기는 것은 크게 효과가 없다고 말하고 있어요.

4. ③
㉠은 편리한 특성이 오히려 의도와는 다르게 나쁜 결과를 가져올 수도 있다는 뜻이에요. 그런데 ③은 이러한 상황으로 볼 수 없어요.

* **제약:** 조건을 붙여 내용을 제한함. 또는 그 조건.
* **연령:** 나이.
* **규정:** 규칙으로 정함. 또는 그 정하여 놓은 것.
* **유해하다:** 해로움이 있다.

"반대 의견을 예상하기"

알아두면 도움이 돼요!

글쓴이는 자신의 주장에 반대하는 의견을 미리 예상하고, 반대 의견이 적절하지 않다는 것을 미리 글에서 쓸 수 있어요. 이 방법은 글쓴이의 주장에 더욱 힘을 실어줄 수 있어요.

소설 문제 ❺~❽

나흘 전 감자 조각만 하더라도 7-④ 나는 저에게 조금도 잘못한 것은 없다. 7-① 계집애가 나물을 캐러 가면 갔지 남 울타리 엮는 데 귀찮게 하는 것은 다 뭐냐. 그것도 발소리를 죽여 가지고 등 뒤로 살며시 와서,

"얘! 너 혼자만 일하니?"

하고 수작*을 하는 것이다. 7-③ 어제까지도 저와 나는 이야기도 잘 않고 서로 만나도 본척만척하고 이렇게 점잖게 지내던 터이련만 오늘로 갑작스레 대견해진 것은 웬일인가. 더군다나 망아지만한 계집애가 남 일하는 놈 보고.

괜히 말을 거는 점순이와 퉁명스러운 '나'의 반응.

"그럼 혼자 하지 떼로 하니?"

내가 이렇게 퉁명스런 소리를 하니까,

"너 일하기 좋니?" / 또는,

"한여름이나 되거든 하지 벌써 울타리를 하니?"

잔소리를 두루 늘어놓다가 남이 들을까 봐 손으로 입을 틀어막고는 그 속에서 [ⓐ]댄다. 별로 우스울 것도 없는데 날씨가 풀리더니 이놈의 계집애가 미쳤나 하고 의심하였다. 게다가 조금 뒤엔 제 집 쪽을 [ⓑ] 돌아보더니 행주치마 속으로 꼈던 오른손을 뽑아서 나의 턱밑으로 불쑥 내미는 것이다. 언제 구웠는지 아직도 더운 김이 확 끼치는 굵은 감자 세 개가 손에 뿌듯이 쥐였다.

"느 집엔 이거 없지?"

하고 생색* 있는 큰소리를 하고는 7-⑤ 제가 준 것을 남이 알면 큰일 날 테니 여기서 얼른 먹어 버리란다. 그리고 또 하는 소리가, 내게 감자를 주며 호의를 표현하는 점순이.

"너 봄감자가 맛있단다." / "난 감자 안 먹는다. 너나 먹어라."

7-② 나는 고개도 돌리려 하지 않고 일하던 손으로 그 감자를 도로 어깨너머로 쑥 밀어 버렸다. 그랬더니 그래도 가는 기색*이 없고 뿐만 아니라 [ⓒ]하고 심상치 않게 숨소리가 점점 거칠어진다. 이건 또 뭐야, 싶어서 그때서야 비로소 돌아다보니 나는 참으로 놀랐다. 우리가 이 동리에 들어온 것은 근 삼 년째 되어 오지만 ㉠여태껏 가무잡잡한 점순이의 얼굴이 이렇게까지 홍당무처럼 새빨개진 법이 없었다.

점순이의 호의를 거절한 '나'와 화가 난 점순이.

주제 : 시골 남녀의 풋풋하고 순수한 사랑.

5. 감자 세 개

점순이는 일하고 있는 나에게 감자 세 개를 주었어요.

6. ③

점순이는 나에게 감자를 주며 호의를 표현했는데, 나는 감자를 쳐다보지도 않고 거절했지요. 그래서 점순이는 민망하고 화가 나, 얼굴이 새빨개졌어요.

7. ②

나는 점순이가 준 감자를 거절했지요. 이것은 점순이의 호의를 받아들이지 않은 것이에요.

8. ⓐ 깔깔, ⓑ 힐끔힐끔, ⓒ 쌔근쌔근

ⓐ에는 웃는 모습을 나타내는 단어가, ⓑ에는 눈치를 보며 어딘가를 쳐다보는 모습을 나타내는 단어가, ⓒ에는 숨소리를 나타내는 단어가 들어가야 어울려요.

* **수작:** 서로 말을 주고 받음. 또는 그 말.
* **생색:** 다른 사람 앞에 당당히 나설 수 있거나 자랑할 수 있는 체면.
* **기색:** 어떠한 행동이나 현상 따위가 일어나는 것을 짐작할 수 있게 하여 주는 눈치나 낌새.

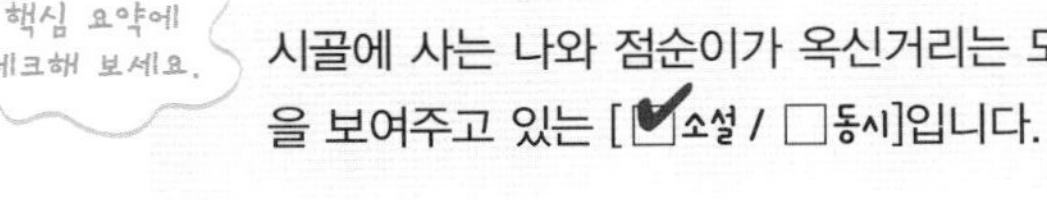

시골에 사는 나와 점순이가 옥신거리는 모습을 통해 [☑순수한 / □성숙한] 사랑을 보여주고 있는 [☑소설 / □동시]입니다.

"동백꽃"

알아두면 도움이 돼요!

1930년대 강원도 산골 마을에 살고 있는 열일곱 동갑 남녀의 순박한 사랑을 익살스러우면서 재미가 있게 다룬 소설이에요. 사랑에 눈을 뜬 점순이와, 점순이의 마음을 전혀 알아채지 못하는 주인공이 투닥투닥 싸우는 모습이 재미있게 그려져 있답니다.

17 일차

설명하는 글 문제 ❶~❺

1 현대에 이르러 다양한 서비스업의 등장과 함께 국가 경제에서 서비스업이 차지하는 비중이 점차 커지고 있다. 그래서 서비스업의 발전 정도는 경제 및 생활 향상의 지표*로 간주되며* 서비스업의 발달은 산업 사회의 특징으로 인식되고 있다. 4–① 산업 구조가 고도화되면서 서비스업의 비중이 커지는 것이다.
현대 사회 서비스업의 비중 확대.

2 서비스업은 소득이 증가할수록 수요가 크게 늘어나는 특성이 있다. 소득이 10% 늘어났다고 가정했을 때, 농산물이나 공산품의 수요 증가보다 서비스업의 수요 증가가 훨씬 크게 나타난다. 한 국가의 경제가 성장하면 소득 수준이 높아져 서비스업의 수요가 증가하지만 4–② 서비스업의 특성상 기계화가 어렵기 때문에 4–③ 서비스업 수요가 늘어날수록 고용도 함께 늘어나는 것이다. 서비스업의 특성–소득 증가에 따른 수요 증가.

3 서비스업, 즉 3차 산업은 생산품 종류에 관계없이 농수산업과 공업 등의 1, 2차 산업을 제외한 그 밖의 모든 산업을 지칭하는 것으로 여러 성격의 경제 활동을 포함한 개념이다. 4–④ 서비스업의 비중이 늘어나면서 서비스업의 종류 또한 엄청나게 늘어나 서비스업을 범주화할* 필요성이 제기되었다. 이에 따라 편의상 3차 산업을 금융 · 보험 · 운송 등으로 한정하고, 4차 산업은 정보 · 의료 · 교육 등 지식 집약형 산업으로, 5차 산업은 취미 · 오락 · 패션 산업 등으로 구분하기도 한다. 서비스업의 분류.

4 서비스업이라고 하면 흔히 편의점처럼 물건을 파는 가게나 음식점 등을 떠올린다. 이는 4–⑤ 서비스업이 소비 산업이라는 편견을 가지고 있기 때문이다. 이제 서비스업도 고도의 지식과 정보를 필요로 하며 고소득을 올릴 수 있는 산업이라는 인식의 전환*이 필요하다. 탈공업화 단계에 접어든 선진국의 경우 다른 산업의 발전을 지원하는 생산자 서비스가 활성화되어 서비스업 부문의 생산성이 향상되고 있다.
서비스업에 대한 인식 전환의 필요성.

주제: 서비스업이 단순한 소비 산업이라는 인식에서 벗어나야 한다.

* **지표:** 방향이나 목적, 기준 따위를 나타내는 표지.
* **간주되다:** 상태, 모양, 성질 따위가 그와 같게 보이다. 또는 그렇다고 여겨지다.
* **범주화하다:** 비슷한 성질을 가진 것이 일정한 기준에 따라 모여 하나의 종류나 부류로 묶이게 하다.
* **전환:** 다른 방향이나 상태로 바뀌거나 바꿈.

산업 구조가 고도화되면서 서비스업의 비중이 [□줄어드는 / ☑늘어나는] 현상에 대해 [☑설명하는 / □주장하는] 글입니다.

1. 산업 사회

산업 구조가 고도화되면 서비스업의 비중이 늘어나요. 그래서 서비스업의 발달은 산업 사회의 특징으로 여겨지지요.

2. <

소득이 늘어나면 농산물 수요의 증가보다 서비스업 수요의 증가가 더 커져요. ⓒ에서 ⓐ를 뺀 것은 농산물 수요의 증가량, ⓓ에서 ⓑ를 뺀 것은 서비스업 수요의 증가량이므로 부등호는 ⓒ–ⓐ<ⓓ–ⓑ가 되지요.

3. ③

3문단에서 교육과 같은 지식 집약형 산업은 4차 산업으로 분류한다고 했어요.

4. ③

서비스업의 수요가 늘어나면 고용도 늘어나게 되지요. 왜냐하면 서비스업은 기계가 대신할 수 없어서 사람이 해야 하기 때문이에요.

5. ④

'소득이 높다.', '소득이 늘다.', '비중이 높다.', '비중이 늘다.'를 사용할 수 있어요. '비중이 무겁다.'는 사용할 수 있지만, '소득이 무겁다.'는 어색해요.

"서비스업"

물질이 아닌 것을 제공하는 산업을 서비스업이라고 해요. 일반적으로 손에 잡히는 물질이나 돈을 생산하는 것이 아니라 지식, 정보 등을 생산하는 산업이지요. 예전에는 상업이 서비스업의 대부분을 차지했는데, 요즘에는 서비스업의 종류가 매우 다양해졌어요.

주장하는 글 문제 ❻~❾

1 몇 년 전부터 10월의 마지막 날이면 기괴한 복장과 분장을 하고 거리를 행진하는 무리를 만날 수 있게 되었다. 바로 핼러윈 데이를 기념하는 사람들이다. 핼러윈 데이는 원래 고대 아일랜드 민족인 켈트족이 악령을 쫓기 위해서 귀신 복장을 하고 돌아다니는 풍습에서 비롯된 축제이다. 그런데 어느새 이 문화가 우리나라에 들어와 우리나라 젊은이들의 새로운 문화로 자리 잡고 있다. 우리나라 젊은이들의 문화로 자리잡은 핼러윈 데이.

2 외국으로부터 들어온 문화라고 해서 문제가 되는 것은 아니다. 문제는 사람들이 핼러윈 데이의 유래*나 정확한 의미도 모르면서, 보이는 것에만 ㉠치중하여 핼러윈 데이가 과시적인* 성격으로 변질되었다는 것이다. 핼러윈 데이를 즐기는 사람들 중에 일부는 기괴한 분장과 함께 보기에 불쾌한 복장으로 공공의 거리를 활보하여 사람들의 눈살을 찌푸리게 만드는 경우가 있다. 핼러윈 데이의 문제점 1–과시적인 성격으로 변질됨.

3 핼러윈 데이가 너무 상업적으로 이용되는 것도 문제이다. 핼러윈 데이에 입는 의상이 평소에 입는 의상이 아니다 보니, 사람들은 이날 하루를 위해 새로 의상이나 소품을 구입하게 된다. 그런데 어린 학생들 중에는 핼러윈 데이의 의상을 구입하기 위해 과도한* 소비를 하는 경우가 있다. 독특한 복장을 위해 비싼 의상이나 많은 소품을 사들이다 보니 과소비가 이루어지는 것이다. 핼러윈 데이의 문제점 2–지나치게 상업적으로 이용됨.

4 핼러윈 데이를 즐기는 것은 좋다. 그러나 핼러윈 데이가 과시적인 행사로 흐르거나 상업적으로 휩쓸리는 것은 바람직하지 않다. 독특한 의상으로 개성을 뽐내되, 다른 사람들의 눈살을 찌푸리게 하거나 너무 비싼 의상을 사 입는 것은 삼가야 한다. 진정한 핼러윈 데이의 재미는 신선한 아이디어에서 나온다. 꼭 자극적이고 값비싼 치장*이 아니더라도, 기발한 아이디어를 통해 핼러윈 데이를 즐길 수 있다. 핼러윈 데이를 즐기는 바람직한 방법.

주제: 핼러윈 데이가 과시적이고 상업적으로 변질되지 않도록 노력하자.

* **유래:** 사물이나 일이 생겨남. 또는 그 사물이나 일이 생겨난 바.
* **과시적이다:** 자랑하여 보이다.
* **과도하다:** 정도에 지나치다.
* **치장:** 잘 매만져 곱게 꾸밈.

핼러윈 데이가 [☑과시적·상업적 / □독단적·폐쇄적]으로 변질되지 않도록 노력하자고 [☑주장하는 / □설명하는] 글입니다.

6. 과시적, 상업적
이 글은 핼러윈 데이가 과시적이고, 상업적으로 변질되고 있는 문제점과 그에 대한 해결 방안을 말하고 있어요.

7. ④
이 글의 3문단에서는 핼러윈 데이가 상업적으로 변질되고 있다는 문제점을 지적하였어요. 따라서 3문단의 내용이 핼러윈 데이의 장점이라는 것은 잘못된 내용이에요.

8. ④
글쓴이는 핼러윈 데이에 과시적이고 비싼 복장 대신에, 기발한 아이디어로 재미를 추구하자고 말하고 있어요.

9. ①
'치중하여'는 '특히 어떠한 것에 중점을 두다.'라는 뜻으로, 무엇을 중요하게 생각한다는 말이에요. '고개를 저어'는 어떤 일에 동의하지 않음을 나타내는 말이지요.

"핼러윈 데이"

매년 10월 31일에 벌어지는 축제이다. 고대 아일랜드 켈트족의 제사에서 유래한 것으로, 현재는 미국의 대표적인 축제가 되었다. 기괴한 유령, 괴물 복장을 하여 악령들이 도망치도록 유도한다는 의미가 있다.

설명하는 글 문제 ❶~❺

1 오페레타는 음악과 연극이 합쳐진 음악극으로 그 형식이 오페라와 비슷하다. 하지만 오페라보다 가볍고, 줄거리는 조금 더 낭만적이며, 대사는 훨씬 더 구어체* 에 가깝다. 노래가 아닌 일반 대사도 섞여 있다. 또, 화려한 춤이 어우러져 오페라보다는 더 편하게 즐길 수 있는 음악극이다. 오페레타는 이후에 탄생한 뮤지컬에도 커다란 영향을 미친 장르*이다. 오페레타의 특징.

2 『박쥐』는 작곡가 요한 슈트라우스 2세의 대표적인 오페레타이다. 이 작품은 섣달그믐 밤 가장 무도회에서 일어나는 해프닝*을 소재로 하고 있다. 주인공인 아이젠슈타인 남작은 시장을 모욕한 죄로 일주일간 집 밖에 나다니지 못하는 벌을 받게 되었는데, 어느 날 밤 오를로프스키 공작의 파티에 가자는 친구의 말에 솔깃하여 집을 나선다. 그리고 그를 포함하여 파티에 모인 모든 사람들은 가면을 쓰고 자신이 누구인지를 [㉠]. 『박쥐』의 줄거리.

3 『박쥐』에서 가장 유명한 곡은 극중의 선율*을 모은 「서곡」이다. 이 곡은 경쾌한 춤곡인데 거기에 슈트라우스 특유의 우아함과 화려함이 더해졌다. 그래서인지 최근 들어 피겨 스케이팅 선수들이 경기 주제곡으로 많이 선택하고는 한다. 한국의 피겨 여왕으로 불리는 김연아 선수도 2007~2008년 시즌 쇼트 프로그램에서 이 곡을 사용했다. 『박쥐』의 대표적인 노래인 '서곡'.

4 『박쥐』에는 「서곡」 외에도 귀에 익은 명곡들이 많이 있다. 하녀가 자기 신분을 의심하는 남작 앞에서 부르는 「여보세요, 백작님」과 헝가리 귀족 부인으로 변장한 남작 부인이 부르는 「차르다슈」, 오를로프스키 공작이 손님들에게 술을 권하며 부르는 「샴페인의 노래」 등이다. 요한 슈트라우스 2세는 이렇게 흥겨운 음악으로 당시 사람들의 모습을 묘사하였다. 『박쥐』의 명곡들.

주제: 요한 슈트라우스 2세의 대표적인 오페레타 『박쥐』

* **구어체:** 글에서 쓰는 말투가 아닌, 일상적인 대화에서 주로 쓰는 말투.
* **장르:** 작품의 분야.
* **해프닝:** 우연히 일어난 일. 또는 우발적인 사건.
* **선율:** 소리의 높낮이가 길이나 리듬과 어울려 나타나는 음의 흐름. 가락.

오페레타의 특징을 언급하고, 대표적 오페레타인 『박쥐』의 줄거리와 [☑음악 / □무대 미술]에 대하여 [☑설명하는 / □주장하는] 글입니다.

1. 음악, 연극
오페레타는 음악과 연극이 합쳐진 장르예요. 오페라와 비슷한 음악극이지요.

2. ①
1문단에서 오페레타는 화려한 춤이 어우러져 오페라보다는 더 편하게 즐길 수 있다고 했어요.

3. 3, 4
이 글의 1문단은 오페레타의 특징을, 2문단은 오페레타 『박쥐』의 줄거리를 설명하고 있어요. 3문단과 4문단은 모두 오페레타 『박쥐』의 음악에 대해 설명하고 있기 때문에 하나로 묶을 수 있지요.

4. ①
오페레타 『박쥐』에서 가장 유명한 곡은 「서곡」이라고 3문단에서 밝히고 있어요. 따라서 이것을 궁금해하는 것은 적절하지 않아요.

5. ②, ③
㉠에는 '다른 사람들이 모르도록 하다.'라는 의미의 서술어가 들어가야 해요. 따라서 '숨긴다'와 '감춘다'가 적절해요.

"오페레타"

알아두면 도움이 돼요!

1800년대 후반에 발달한 대중적인 음악 희극으로, '오페레타'라는 말은 '작은 오페라'라는 의미예요. 1920년 경에는 미국으로 건너가서 뮤지컬로 발전하였지요.

설명하는 글 문제 ❻~❾

1 시골 할머니 댁에 가면 줄지어 늘어서 있는 장독들을 볼 수 있다. 볼록한 배에 무거운 뚜껑으로 덮여 있는 장독은 그냥 보기에는 된장과 고추장이 들어 있는 일반적인 양동이와 다를 바가 없어 보인다. 하지만 장독과 양동이에는 큰 차이점이 있다. 그것은 바로, 장독은 숨을 쉰다는 것이다. 숨을 쉬는 장독.

2 장독의 겉면을 현미경으로 관찰해 보면 아주 작은 구멍들이 송송 뚫려 있는 것을 볼 수 있다.(8-①) 이것은 루사이트 현상에 의한 것이다. 루사이트 현상은 800℃ 이상의 온도에서 흙이 루사이트로 변하면서 수분이 빠져나가는 현상을 말한다. 장독은 고령토*를 사용하여 만드는데, 고령토는 800℃ 이상의 열을 받으면 루사이트라는 성분으로 변한다.(8-③) 이 과정에서 흙 속에 있던 수분이 빠져나가면서 미세한 구멍을 만들어 낸다. 이 구멍은 산소는 통과시키지만 물은 통과시키지 못하는 정도의 아주 작은 구멍이다.(8-⑤) 이 구멍을 통해 산소가 장독 속을 드나들게 된다. 말 그대로 장독은 표면*의 구멍을 통해 숨을 쉬는 것이다. 장독의 루사이트 현상.

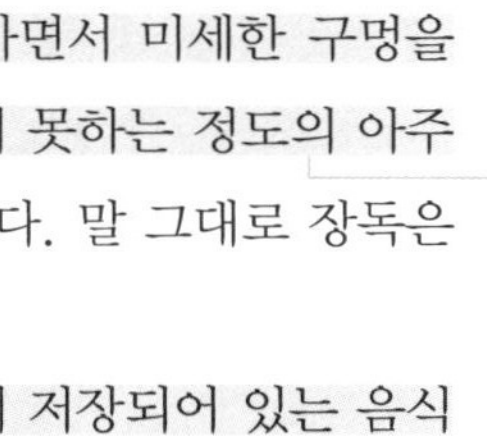

3 이처럼 장독은 산소를 들여보낼 수 있기 때문에, 장독 속에 저장되어 있는 음식들은 발효되는* 과정에서 산소를 공급받을 수 있다.(8-④) 신선한 산소를 받아들인 김치나 간장은 더욱 깊은 맛을 낸다. 장독 속에 ㉠스며드는 산소 덕분에, 일반 통에 넣어 둔 김치와 장독 속에 보관한 김치의 맛은 하늘과 땅 차이가 난다. 장독이 산소를 들여서 얻는 효과.

4 우리 조상들은 장독에 이러한 놀라운 과학적 원리가 숨겨져 있으리라 짐작이나 했을까? 조상들은 음식을 보관하는 과정에서 무수한 경험과 숱한 시행착오*를 겪었을 것이다. 그런 후에야 장독을 활용해 음식을 저장하는 방법을 생활 속에서 자연스레 터득하게 되었을 것이다. 이처럼 장독에는 우리 조상들의 생활 속 지혜가 깃들어 있다고 할 수 있다.(8-②) 조상들의 지혜로 만들어진 장독.

주제: 장독에 담긴 조상들의 과학과 지혜.

* **고령토:** 바위 속의 장석(長石)이 풍화 작용을 받아 이루어진 흰색 또는 회색의 진흙.
* **표면:** 겉으로 나타나거나 눈에 띄는 부분.
* **발효되다:** 효모나 세균 따위의 미생물이 유기 화합물을 분해하여 알코올류, 유기산류, 이산화탄소 따위가 생기다.
* **시행착오:** 학습 양식의 한 가지로 실패를 거듭하여 적용하는 일.

핵심 요약에 체크해 보세요.
[☑루사이트 현상 / □발효 현상]을 통해 산소를 받아들이는 장독의 과학적 원리에 대해 [☑설명하는 / □주장하는] 글입니다.

6. 숨

장독에는 미세한 구멍들이 있어, 산소가 드나들 수 있어요. 그래서 장독은 살아 숨 쉰다고 하는 것이지요. 반면 양동이는 그렇지 않아요.

7. ⓐ 800, ⓑ 수분

ⓐ 800℃ 이상의 열이 가해지면 고령토는 루사이트로 변해요. ⓑ 고령토가 루사이트로 변하면서 흙 속의 수분이 빠져나오고, 그 자리에 구멍이 생기게 되지요.

8. ⑤

장독 속의 음식이 잘 발효되는 것은 장독 속으로 들어온 산소 때문이에요. 물은 입자가 커서 장독 속으로 들어올 수 없어요.

9. ①

'스며들다'는 '속으로 배어들다.'라는 뜻이 있어요. 따라서 '스며드는' 대신 '배어드는'을 쓸 수 있어요. '달려들다'는 '사나운 기세로 무섭게 다가오다.'라는 뜻이고, '끼어들다'는 '자기 순서나 자리가 아닌 틈 사이를 비집고 들어서다.'라는 뜻이므로 적절하지 않아요.

"과학적 원리를 설명하는 글"

알아두면 도움이 돼요!

과학적 원리를 설명하는 글을 읽을 때에는 현상이 일어나는 단계나 순서, 원인과 결과를 생각하며 읽는 것이 좋아요. 본문의 경우, '고령토가 구워진다. → 수분이 빠져 나간다. → 흙에 구멍이 생긴다.'와 같이 순서를 정리하면 장독의 원리를 이해하기가 더 쉬워지지요.

19 일차

설명하는 글 문제 ❶~❺

1 맑고 고운 소리부터 무겁게 울리는 웅장한* 소리까지, 피아노는 다양한 음을 다양한 방법으로 연주할 수 있는 악기이다. 우리는 이 악기를 보통 피아노라는 이름으로 알고 있지만, 사실 피아노의 본래 이름은 '피아노 포르테'이다. 여리게* 연주하라는 뜻의 '피아노'와 세게 연주하라는 뜻의 '포르테'가 합쳐진 단어인데, 사람들은 이 악기의 이름을 줄여서 피아노라고 부른다. 피아노의 본래 이름.

2 피아노는 손가락으로 건반을 눌러 소리를 내는 건반 악기이다. 하지만 엄밀히 말하면 건반에 연결된 망치로 줄을 때려 소리를 내기 때문에 현악기에 속하며, 타악과 현악이 결합되었다는 뜻으로 타현악기라고도 부른다. 피아노는 망치로 줄을 때리는 독특한 방식을 통해, 하프시코드나 클라비코드와 같은 피아노의 전신* 악기들의 단점이었던 강약 조절의 어려움을 극복해 냈다. 건반을 누르는 손가락의 힘을 다르게 함으로써 소리의 세기를 조절할 수 있게 된 것이다. 피아노가 소리를 내는 원리.

3 줄을 누르고 그어야 하는 바이올린 같은 현악기나, 바람을 불어 넣어야 하는 트럼본 같은 관악기와 달리 피아노는 건반을 누르면 소리가 나기 때문에 소리 내기가 훨씬 쉬워 악기 초보자들이 선호하는* 악기이다. 또한 한 번에 한 음만을 낼 수 있는 대부분의 다른 악기와 달리, 피아노는 한 번에 여러 개의 건반을 눌러 여러 음을 동시에 낼 수 있다. 이렇게 소리를 풍부하게 만들 수 있기에 피아노는 사람들에게 인기를 누려 왔다. 사람들이 피아노를 선호하는 이유.

4 피아노는 그 풍부한 음과 큰 소리로 인해 솔로 악기로도 많은 사랑을 받고 있지만, 다른 악기와의 협연*이나 성악을 위해 반주하는 역할로도 인기가 많다. 그리고 모든 음을 표현할 수 있다는 장점 때문에 여러 악기를 사용하는 오케스트라를 작곡할 때 피아노 한 대만으로 여러 악기를 모두 대신하기도 한다. 이처럼 피아노는 피아니스트에게만이 아니라 작곡이나 다른 악기를 전공하는 음악가들 모두에게 꼭 필요한, 기본적이면서도 중요한 악기이다. 피아노의 다양한 쓰임새.

주제: 피아노의 특징과 중요성.

* **웅장하다:** 규모 따위가 거대하고 성대하다.
* **여리다:** 빛깔이나 소리 따위가 약간 흐리거나 약하다.
* **전신:** 바뀌기 전의 본체.
* **선호하다:** 여럿 가운데서 특별히 가려서 좋아하다.
* **협연:** 한 독주자가 다른 독주자나 악단 따위와 함께 한 악곡을 연주함. 또는 그런 연주.

1. ②
'피아노'는 여리게 연주하라는 뜻이고, '포르테'는 세게 연주하라는 뜻이에요.

2. (1) ㉡, (2) ㉢, (3) ㉠
바이올린은 줄을 누르고 그어야 하며, 트럼본은 입으로 바람을 불어 넣어야 해요. 반면 피아노는 건반을 눌러서 소리를 내요.

3. ⓐ 건반, ⓑ 망치
손가락의 힘이 건반으로 전달되고, 건반이 망치와 연결되어 그 힘이 망치로 가서 망치가 줄을 때리게 되지요.

4. ①
피아노는 줄을 때려 소리를 내기 때문에 엄밀히 말하면 현악기라고 할 수 있어요.

5. ⑤
피아노는 솔로 악기로도 사랑을 받았지만 다른 악기와 협연하는 역할로도 많은 사랑을 받았어요. 어떤 것으로 더 사랑을 받았는지는 이 글에 나와 있지 않아요.

피아노와 다른 악기들의 [☐공통점 / ☑차이점]을 바탕으로 피아노의 장점에 대해 [☑설명하는 / ☐주장하는] 글입니다.

"대조하기"

알아두면 도움이 돼요!

한 번에 한 음만 낼 수 있는 대부분의 현악기와 관악기를 동시에 여러 음을 낼 수 있는 피아노와 대조하였어요. 이렇게 설명하고자 하는 대상과 다른 대상을 대조하면 설명하고자 하는 대상의 특징이 읽는 사람에게 더 잘 이해된답니다.

주장하는 글 문제 ❻~❾

1 우리나라 청년들은 외모 가꾸기에 대한 관심이 매우 뜨겁다. 학교 성적이 아무리 좋더라도 외모 때문에 ㉠번번이 입사 면접에서 탈락하다 보면 자연히 외모에 공을 들이게 된다. 연애나 결혼을 할 때에도 마찬가지이다. 외모를 필요 이상으로 중요하게 생각하는 사람들 때문에, 지금 우리 사회에는 결혼도, 취직도 외모가 받쳐 주지 않으면 안 된다는 분위기가 팽배*하다. (7-⑤) 그야말로 외모 지상주의가 만연한* 사회이다. 외모 지상주의가 팽배한 우리 사회.

2 '외모 지상주의'란 외모가 개인 간의 우열뿐 아니라 인생까지 좌우한다고 믿고, 외모에 지나치게 집착하는 사회 풍조*를 아우르는 말이다. 외모가 연애나 결혼 같은 사생활은 물론, 취업이나 승진 같은 사회생활 전반을 좌우하기 때문에, 외모를 가꾸는 데 많은 시간과 노력을 기울이게 되는 것이다. (7-③) 이는 우리 사회에 성형이나 다이어트 열풍을 불러일으킨 원인이 되었다. 외모 지상주의의 문제점-성형, 다이어트 열풍을 일으킴.

3 외모 지상주의의 더 심각한 문제는 따로 있다. 얼굴이 못생기거나 키가 작거나 뚱뚱한 사람은 무시해도 된다는 분위기를 조장한다는* 점이다. 상업주의와 대중 매체가 아름답다고 정해 놓은 외모를 기준으로 잘난 사람과 못난 사람을 나누어 판단하는 비정상적인 사고를 하게 만드는 것이다. (7-④) 외모 지상주의의 문제점 2-외모를 이유로 사람을 무시함.

4 사람이 타고나는 외모는 모두 다르며 미의 기준도 제각각이다. 그런데 오늘날 우리가 아름답다고 느끼는 기준은 친구나 '나'나, 옆 반의 또 다른 친구나 모두 비슷하다. 스스로 인지하지 못하는 사이에 같은 미의 기준을 갖게 된 것이다. (7-①) 이제 우리는 외모 지상주의적 사고에서 벗어나야 한다. 외모는 말 그대로 겉모습일 뿐이다. 중요한 것은 겉모습이 아니라 사람의 진정한 마음이다. 외모가 얼마나 아름다운지보다, 얼마나 사려* 깊으며 따뜻한 사람인지 내면을 보아야 한다. 사람의 가치는 외모에서 나오는 것이 아니라 마음에서 나오는 것이기 때문이다. 사람의 가치 판단 기준으로서 내면의 중요성.

주제 : 외모 지상주의에 빠지지 말고, 내면을 중요하게 여기자.

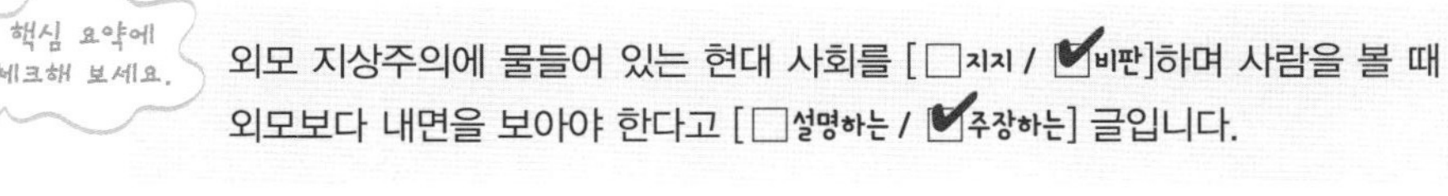

외모 지상주의에 물들어 있는 현대 사회를 [□지지 / ☑비판]하며 사람을 볼 때 외모보다 내면을 보아야 한다고 [□설명하는 / ☑주장하는] 글입니다.

6. ⑤
글쓴이는 외모에 지나치게 집착하는 사회 풍조인 '외모 지상주의'를 비판하고 있어요.

7. ②
글쓴이는 외모 지상주의에 대한 문제점을 지적하고 있을 뿐, 사회적 지위와 재력으로 사람의 가치를 판단하는 행위를 문제로 보고 있지는 않아요.

8. ③
글쓴이는 외모보다 내면을 중요히 여기자고 주장하고 있어요. 따라서 이 글을 읽은 학생이 친구에게 할 말로는 '사람의 가치는 외모보다 내면에서 나온다.'라는 내용이 적절해요.

9. ④
'번번이'는 '매 때마다.'라는 뜻인데, '이따금'은 '얼마쯤씩 있다가 가끔.'이라는 뜻이에요.

* **팽배하다:** 어떤 기세나 사조 따위가 매우 거세게 일어나다.
* **만연하다:** 전염병이나 나쁜 현상이 널리 퍼지다.
* **풍조:** 시대에 따라 변하는 세태.
* **조장하다:** 바람직하지 않은 일을 더 심해지도록 부추기다.
* **사려:** 여러 가지 일에 대하여 깊게 생각함. 또는 그런 생각.

"외모 지상주의"

알아두면 도움이 돼요!

영어로 루키즘(Lookism)이라고도 해요. 지나치게 외모에 집착하고, 외모를 가장 중요하게 여기는 사고방식을 뜻하지요. 하지만 세상에는 외모보다 더 중요한 가치가 많답니다. 사랑, 배려, 공감, 이해 등 삶의 중요한 가치를 외모 때문에 잃어버리지 말아야 해요.

설명하는 글 문제 ❶~❹

❶ 제1차 세계 대전은 약 1천만 명이 죽고 약 2천만 명이 부상을 당한 큰 전쟁이었다. 이 전쟁은 유럽의 제국주의* 국가들 사이에서 일어났다. '세계 대전'은 여러 나라들이 한꺼번에 전쟁에 참가해서 붙은 이름이다. 제1차 세계 대전의 개념.

❷ 제1차 세계 대전이 일어난 곳은 발칸반도였다. 발칸반도에 위치한 세르비아는 주변 지역을 하나로 합쳐 국가를 세우려 했는데, 1908년 오스트리아가 세르비아 주변 지역인 보스니아와 헤르체고비나를 차지해 버렸다. 이에 화가 난 한 세르비아 청년이 1914년에 사라예보(보스니아의 수도)를 방문한 오스트리아 황태자 부부를 암살하는* 일이 일어났다. 이것이 바로 사라예보 사건이다. 제1차 세계 대전이 일어난 계기.

❸ 1914년, 오스트리아는 사라예보 사건을 이유로 세르비아에 전쟁을 선포했다.* 그러자 같은 슬라브족 나라인 러시아가 세르비아 편에 섰다. [㉠], 오스트리아와 독일 세력은 발칸반도에서 게르만족을 한데 묶어 세력을 키우려 하고 있었다. 그래서 전쟁은 민족 간의 싸움으로 번졌고, 이후 오스트리아의 동맹국들과 러시아의 동맹국들이 모두 전쟁에 참여하게 되면서 제1차 세계 대전이 시작되었다. 제1차 세계 대전의 발발.

❹ 당시 오스트리아는 독일, 이탈리아와 함께 군사적으로 서로 도와주자는 '삼국 동맹'을 맺고 있었다. [㉠], 러시아는 영국, 프랑스와 동맹 관계에 있으면서 서로 연합해 독일이 힘을 키우지 못하게 하려는 '삼국 협상'을 맺었다. 독일은 1888년에 빌헬름 2세가 황제 자리에 오르면서 본격적으로 세력을 넓히고 있었고 영국, 프랑스, 러시아는 이런 독일의 움직임이 달갑지 않았다. 이런 배경으로 삼국 동맹의 동맹군과 삼국 협상의 연합군이 싸우게 되었다. 이 중 삼국 동맹국이었던 이탈리아는 중립*을 지키다가 나중에 연합군 쪽으로 돌아섰다. 당시 이탈리아는 영국과 싸울 힘도 없었고, 오스트리아와 영토 문제로 사이가 좋지 않았기 때문이다. 제1차 세계 대전의 전개.

주제: 제1차 세계 대전의 역사적 배경.

* **제국주의:** 우월한 군사력과 경제력으로 다른 나라를 정벌하려는 침략주의.
* **암살하다:** 몰래 사람을 죽이다.
* **선포하다:** 세상에 널리 알리다.
* **중립:** 국가 사이의 분쟁이나 전쟁에 관여하지 아니하고 중간 입장을 지킴.

핵심 요약에 체크해 보세요.

제1차 세계 대전을 벌인 나라들을 소개하고 전쟁의 [☑역사적 배경 / □비극적 결과]에 대해 [☑설명하는 / □주장하는] 글입니다.

1. ⓐ 사라예보, ⓑ (삼국 협상) 연합군

전쟁이 시작된 계기는 사라예보 사건이었어요. 그리고 이탈리아는 삼국 동맹을 맺고 있었지만, 나중에 연합군 쪽으로 돌아섰지요.

2. ②

오스트리아, 독일, 이탈리아는 군사적으로 서로 도와주자는 삼국 동맹을 맺고 있었어요.

3. ⑤

오스트리아 황태자 부부는 세르비아 청년에 의해 보스니아의 수도인 사라예보에서 암살되었어요.

4. ②

'한편'은 어떤 일에 대하여, 앞에서 말한 측면과 다른 측면을 말할 때 쓰는 말이에요.

"제1차 세계 대전"

1914년 오스트리아가 세르비아에 대한 선전 포고를 하면서 시작되었으며, 1918년 독일의 항복으로 끝난 세계적 전쟁이에요. 이 전쟁으로 유럽의 많은 사람들이 희생되었어요.

독서 감상문 문제 ⑤~⑧

1 병으로 죽어가는 사람이 건강을 회복하는 데에는 의사의 치료가 더 중요할까, 아니면 살고자 하는 환자의 의지가 더 중요할까? 나는 평소에 의사의 치료가 더 중요할 것이라고 생각했지만, 오 헨리의 「마지막 잎새」를 읽고 나서는 ㉠생각이 바뀌었다. '마지막 잎새'가 '나'의 생각을 바꿈.

5-②
2 화가인 수와 존시는 공동 화실을 마련하여 열심히 그림을 그리고 있었다. 그런데 어느 날, 5-① 존시는 폐렴에 걸리게 되어 살 확률*이 거의 없다는 진단을 받게 된다. 삶에 대한 의지가 전무했던* 존시는 6-⑤ 침대에 누워 창밖의 담쟁이를 자신의 처지와 똑같이 생각하며, 담쟁이의 마지막 잎새가 떨어지면 자신도 죽을 것이라고 말했다. 6-① 수는 이 이야기를 이웃인 베어먼 영감에게 전하며 슬퍼했다. 불치병 진단을 받고 실의에 빠진 존시.

3 마지막 잎새는 태풍이 지나간 뒤에도 떨어지지 않았다. 6-② 그리고 존시는 그것에 위안을 얻고 힘을 내어 결국 병을 이겨 냈다. 5-③ 사실 그 마지막 잎새는 존시가 삶을 포기하지 않도록 베어먼 영감이 몰래 그려 놓은 것이었다. 6-③ 베어먼 영감은 잎새가 떨어지는 것과 자신의 죽음을 관련짓는 존시의 약한 마음을 바꾸어 주기 위해서 태풍 속에서도 잎새를 정성스레 그린 것이다. 반전이 놀랍기도 했지만, 나는 이 부분에서 6-④ 주변 사람을 생각하는 베어먼 영감의 따뜻한 마음씨에 감탄했다. 존시에게 희망을 주려 했던 베어먼 영감.

5-⑤
4 마지막 잎새가 진짜인지 가짜인지는 중요하지 않다. 중요한 것은 항상 희망을 가지고 살아가는 일이다. 희망은 살 확률이 적은 병도 이겨 내게 만든다. 존시는 태풍에도 떨어지지 않은 마지막 잎새를 보며, 지난날 죽음만을 기다렸던 자신을 반성했다. 나도 아무리 어려운 일이 닥치더라도, 좌절하지 않고 끝까지 희망을 놓지 않으면서 어려움을 이겨 내겠다는 의지를 가지고 살아야겠다. 희망을 가지고 살아가는 일의 중요성.

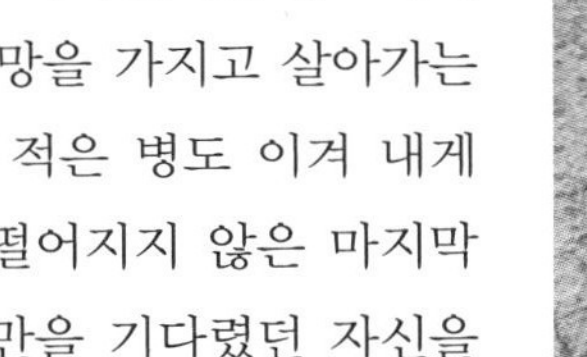

주제: 어려운 상황에서도 희망을 잃지 않는 자세.

* **확률:** 일정한 조건 아래에서 어떤 사건이나 사상이 일어날 가능성의 정도. 또는 그런 수치.
* **전무하다:** 전혀 없다.

오 헨리의 「마지막 잎새」를 읽고 어려운 상황에서도 [☑희망을 잃지 않는 / □목표를 달성하려는] 자세에 대해 생각한 바를 쓴 [□안내문 / ☑독서 감상문]입니다.

5. ①
존시는 살 확률이 거의 없다는 의사의 진단을 받고 삶의 의지를 잃어버린 채 죽을 날만 기다리고 있었어요.

6. ②
존시는 처음엔 삶의 의지를 잃고 죽을 날만 기다렸지만, 마지막 잎새가 떨어지지 않은 것을 보고 힘을 내어 병을 이겨 내게 되었어요.

7. 의지
글쓴이는 원래 건강을 회복하는 데 있어서 의사의 치료가 환자의 의지보다 더 중요하다고 생각했어요. 하지만 '마지막 잎새'를 통해 존시가 회복하는 모습을 보며, 환자의 의지가 더 중요하다고 생각하게 되었지요.

8. ①
낫기 어려운 병도 환자가 희망을 가지니 낫게 되었지요. 이때 떠올릴 수 있는 격언은 '모든 것은 마음먹기에 달려 있다.'예요.

어휘력 쑥쑥 테스트 01. 물론 02. 과시 03. 전환 04. 구어체 05. 흔히 06. 제약 07. 도로 08. 모욕

십자말 풀이
[가로 열쇠] 1. 울타리 2. 기색 3. 비로소 4. 갑작스레
[세로 열쇠] 1. 타악기 2. 수작 3. 소비 4. 소득

21 일차

설명하는 글 문제 ❶~❹

1 알파벳 J자 모양의 위는 몸통 중앙의 명치*에서 약간 왼쪽에 있다. 음식물이 들어가지 않은 상태의 위는 주먹 정도의 크기이지만, 음식물이 가득 차면 20배 이상으로 커진다. 위는 [ⓐ] 한 주름으로 되어 있어서, 음식물이 없을 때는 주름을 접고 음식물이 들어오면 주름을 펴서 크기를 조절할 수 있기 때문이다. 위의 위치와 크기.

2 위는 튼튼하고 유연한 세 개의 근육층을 가지고 있다. 이 근육들은 각각 가로, 세로, 비스듬한 방향으로 수축하면서 위에 들어온 음식물을 위액과 골고루 섞는 ㉠ 혼합 운동을 한다. 혼합 운동으로 세 시간 정도 충분히 섞인 음식물은 다시 ㉡ 꿈틀 운동으로 다음 소화 기관인 샘창자(십이지장)로 보내진다. 배에서 나는 꼬르륵 소리는 위에 있던 음식물이 샘창자로 빠져나가고 위가 비어 있을 때에 나는 소리이다. 위의 혼합 운동과 꿈틀 운동.

3 위에서 나오는 소화액인 위액 중에는 금속도 녹일 만큼 강한 산성*을 띤 위산이 있다. 이렇게 강한 산성 액체가 우리 몸에서 나오는 이유는 무엇일까? 우리 몸은 약 37℃의 높은 온도를 유지하고 있어서 여름철 실내와 같이 음식물이 상하기 쉬운 상태이다. 그렇기 때문에 위는 소화가 끝날 때까지 안전하게 음식물을 보관하기 위해서 강력한 산성 성분인 위산으로 음식물을 소독하여, 음식물과 함께 들어온 세균을 죽이고 음식물이 상하지 않게 보호하는 것이다. 그런데 이 강력한 위산에 위까지 녹는 건 아닐까? 다행히 위의 안쪽 벽에서는 뮤신이라는 점액*을 계속 내보내 위를 두텁게 덮어, 강한 산성 성분에 위가 상하지 않게 보호하고 있다. 이처럼 위산은 음식물을 소화시키고 세균으로부터 우리의 위를 보호하고 있다. 위산의 역할.

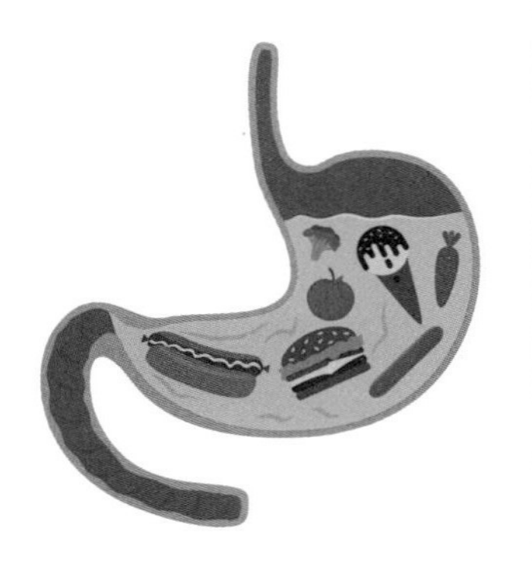

주제: 위의 특징과 위산의 역할.

* **명치**: 사람의 복장뼈 아래 한가운데의 오목하게 들어간 곳.
* **산성**: 신맛을 가지며, 푸른색 리트머스 종이를 붉은색으로 변화시키고, 알칼리를 중화시키는 성질.
* **점액**: 끈끈한 성질이 있는 액체.

우리 몸속에 있는 [☑위의 특징과 위산의 역할 / □뼈의 개수와 역할]에 대해 [□주장하는 / ☑설명하는] 글입니다.

1. ⑤
음식물이 위에 가득 차면, 위는 비어 있을 때의 20배 이상으로 커진다고 하였어요.

2. ②
꼬르륵 소리는 꿈틀 운동이 끝나고 위가 비어 있을 때 나는 소리예요. 따라서 꼬르륵 소리가 혼합 운동의 과정에서 나는 것이라는 설명은 틀린 것이지요.

3. ①, ④
3문단에서 위산은 음식물을 소화시키고 음식물이 상하지 않도록 보호한다고 말하고 있어요.

4. ③
'쭈글쭈글'은 '쭈그러지거나 구겨져서 고르지 않게 주름이 많이 잡힌 모양.'을 뜻해요. 따라서 주름과 함께 쓰일 단어로는 '쭈글쭈글'이 가장 적절해요.

"소화제"

알아두면 도움이 돼요!

위가 음식물을 잘 소화시키지 못할 때 우리는 소화제를 먹지요. 소화제는 음식물의 소화를 도와주는 약물이에요. 소화제는 혼합 운동이나 꿈틀 운동과 같은 위 운동을 원활하게 해 주고, 위산을 분비하도록 하여 위가 음식을 소화하는 것을 돕습니다.

일기 문제 ❺~❽

[앞부분의 줄거리] 1933년, 유태인을 탄압하는 독일의 히틀러가 집권하자* 독일에 살던 유태인 안네 가족은 네덜란드로 이사한다. 그러나 1941년 독일군이 네덜란드까지 쳐들어오면서 안네 가족은 두려움에 떤다. 1942년 안네 가족은 유태인을 수용소로 끌고 가기 위한 호출장*이 온 것을 계기로 준비해 둔 은신처*로 몸을 숨기러 간다.

1942년 7월 9일 목요일

키티에게

이리하여 아빠와 엄마와 나, 세 사람은 저마다 여러 가지 물건들을 터질 만큼 가득 담은 가방과 바구니를 들고, 억수같이 퍼붓는 비를 맞으며 걸어갔단다.

5-(1) 일하러 나가는 사람들은 우리를 불쌍한 듯이 보고 있었어. 차에 태워 주지 못하는 것을 미안해하는 눈치였어. 눈에 두드러져 보이는 노란 별표를 단 사람들을 아무도 태워 줄 리가 없으니까.

5-(2) 아빠와 엄마가 앞으로의 계획에 대해 나에게 이야기하기 시작한 것은 큰길로 나온 뒤였어. (은신처로 이사하게 된 안네 가족.) 몇 달 전부터 될 수 있는 대로 많은 가구와 생활필수품을 운반해 내어, 7월 16일까지는 은신처로 갈 준비를 끝낼 계획이었다고 해. 그런데 호출장이 왔으므로 예정을 앞당겨야만 했던 거야. 때문에 은신처의 준비는 아직 충분치 못하지만 참고 견디는 수밖에. 은신처는 아빠의 사무실이 있던 건물 안에 있어. 모르는 사람들은 이해하기 힘들겠지만, 나중에 설명할게. 아빠를 위해 일하는 사람은 크라이렐 씨와 코프하이스 씨와 미프, 그리고 23살의 엘리 포센, 이렇게 네 명뿐으로, 모두 우리가 오는 것을 알고 있었어. 엘리의 아버지 포센 씨와 두 소년이 창고에서 일하고 있었지만, 그들에게는 비밀로 하고 있었지. (갑작스럽게 이사를 하게 된 이유.)

이제 건물을 설명하겠어. 건물 1층에 큰 창고가 있고 창고 입구 곁에 사무실로 들어가는 바깥문이 있어. 바깥문을 들어서서 조금 가면 계단이 있고, 계단을 오르면 또 하나의 문이 있는데, 그 문의 비치지 않는 유리에 검은 글씨로 사무실이라고 씌어 있어. 이것이 가장 큰 사무실로 매우 넓고 밝은 방이야. (은신처가 있는 건물에 대한 소개.)

* **집권하다:** 권세나 정권을 잡다.
* **호출장:** 목적을 가지고 불러들이는 영장.
* **은신처:** 몸을 숨기는 곳.

독일군의 탄압을 피해 은신처에서 살아가는 소녀 안네가 [☑편지 / □소설]의 형식으로 자신의 일상에 대해 쓴 [☑일기 / □동시]입니다.

5. (1) O, (2) X

(1) 안네의 가족은 물건을 가득 담은 가방과 바구니를 들고 비를 맞으며 걸어서 은신처로 이동했어요.
(2) 아빠와 엄마는 큰길로 나온 후에 안네에게 앞으로의 계획에 대해 말해 주었어요.

6. ②

안네의 가족은 유태인을 수용소로 끌고 가기 위해 발송된 호출장을 받고, 독일군의 탄압을 피하려고 급히 은신처로 이사하게 되었어요.

7. ④

창고는 아빠의 사무실이 있는 건물 1층의 공간이에요. 따라서 창고는 독일군의 탄압과는 직접적인 관련이 없는 것이에요.

8. ③

안네의 가족이 원래 이사하려던 날은 7월 16일이었지만, 호출장이 날아왔으므로 7월 9일로 일정을 앞당겨야 했어요. 따라서 준비가 채 되지 않은 상태로 급히 이사를 하게 되었다고 볼 수 있어요.

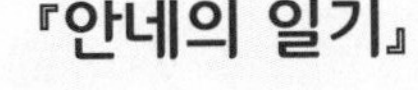

『안네의 일기』

알아두면 도움이 돼요!

유태인 소녀 안네는 1942년, 생일날 받은 일기장에 '키티'라는 이름을 붙이고 열심히 일기를 썼어요. 이 일기에는 안네의 두려움, 희망 등 다양한 마음이 드러나 있지요. 독일군의 탄압 속에서도 희망을 잃지 않은 『안네의 일기』는 많은 사람들에게 감동을 주었어요.

22 일차

설명하는 글 문제 ❶~❺

1 지구와 태양, 달의 움직임을 관찰하여 시간을 구분하고, 날짜의 순서를 매겨 나가는 방법을 '역법'이라 한다. 태양과 지구, 달은 서로 영향을 주고받으면서 돌고 있다. 4-⑤ 고대 천문학자들은 이러한 운동을 ㉠보고, 1년 또는 한 달의 길이를 정하고 달력으로 표시해 두었다. 역법을 표시하는 수단인 달력.

2 우리가 사용하는 달력에는 크게 두 종류가 있다. 하나는 양력이고, 하나는 음력이다. 양력은 지구가 태양을 한 바퀴 공전하는 시간을 1년으로 하고, 그것을 열두 달로 나누어 한 달의 시간으로 정한 것이다. 양력에서는 30일 또는 31일이 한 달이다. 양력을 세계에서 최초로 고안한* 사람들은 고대 이집트인들이다. 4-③ 양력을 사용하기 위해서는 지구와 태양의 움직임을 계산하는 뛰어난 수학 능력이 필요했는데, 고대 이집트인들은 수학적 능력이 탁월했기* 때문에 이러한 계산을 할 수 있었다. 양력을 정하는 방법.

3 음력은 달이 지구를 한 바퀴 공전하는 시간을 한 달로 정하고, 그것을 29일 또는 30일로 정한 달력이다. 음력에서 달을 정하는 기준은 달의 모양 변화이다. 4-②, ④ 달의 모양이 보이지 않는 날을 초하루라 하며, 15일이 지나 달이 동그랗게 보이는 날을 보름, 다시 달이 완전히 보이지 않게 되는 날의 전날, 즉 한 주기*의 마지막 날을 그믐이라 하여 한 달을 정하였다. 음력을 정하는 방법.

4 양력에서는 한 달을 30일 또는 31일로 정했는데, 음력에서는 한 달을 29일 또는 30일로 정했기 때문에 4-① 음력은 양력보다 1년에 10일 정도가 적다. 그래서 음력에서는 2~3년에 한 번씩 윤달이라는 달을 한 달 더 넣어서 양력과의 차이를 없애고 있다. 음력에서는 2~3년에 한 번씩 1년이 13달이 되는 것이다. 윤달이 필요한 이유.

주제: 달력의 종류와 달력을 정하는 방법.

* **고안하다:** 연구하여 새로운 안을 생각해 내다.
* **탁월하다:** 남보다 두드러지게 뛰어나다.
* **주기:** 같은 현상이나 특징이 한 번 나타나고부터 다음번 되풀이되기까지의 기간.

양력과 음력의 [☑계산 방법 / □계산 순서]에 대해 소개하며, 두 달력 간의 차이를 보완하는 방법을 [☑설명하는 / □주장하는] 글입니다.

1. ①
지구와 태양, 달의 움직임을 관찰하여 시간을 구분하고, 날짜의 순서를 매겨 나가는 방법을 '역법'이라 한다고 했어요.

2. ⑤
2문단에서는 지구가 태양을 한 바퀴 공전하는 시간을 1년으로 하고(ㅁ), 그것을 열두 달로 나누어 한 달의 시간을 정한다고 했어요(ㄱ) 따라서 한 달은 30일 또는 31일이 된다고 했어요(ㄴ).

3. 윤달
4문단에서 음력은 양력보다 1년에 10일 정도 적다고 했어요. 이것이 2~3년 정도 쌓이면 한 달의 차이가 나는데, 2~3년마다 음력에는 '윤달'이라는 달을 한 달 더 넣어서 두 달력 간의 차이를 없앤다고 했어요.

4. ①
양력과 음력은 1년에 10일 정도의 차이가 난다고 했어요.

5. ④
㉠은 '눈으로 대상의 존재나 형태적 특징을 확인한다.'라는 의미를 지니고 있어요. 별똥별이 떨어지는 모습을 보는 것도 눈으로 대상의 존재나 형태적 특징을 확인하는 의미를 가지고 있어요.

"윤달"

알아두면 도움이 돼요!

음력의 1년은 양력으로 354일이 된답니다. 양력보다 음력이 11일이 모자라는 것이지요. 그래서 남는 날짜들을 모아 30일을 만들어서, 한 달을 추가한 것이 바로 윤달이에요. 윤달은 이렇게 특이한 달이어서 여러 미신과 속설의 대상이 되어 왔어요.

기행문 문제 ⑥~⑩

1 강가를 따라 오솔길을 20여분 걸어가니 연꽃으로 가득한 정원이 나왔다. 사진에서나 볼 수 있었던 연꽃이 넓은 공간을 꽉 채우고 있는 것을 보니 정말 신기했다. 가까이 다가가 살펴보니 그것은 땅에 뿌리를 내리고 있는 것이 아닌, 물 위에 떠 있는 수련이었다. ㉠할머니가 원래 수련은 물 위에서 잎을 펴고 자란다고 말해 주었다. 연꽃의 꽃봉오리는 내 두 손을 모은 것보다 컸고, 연잎은 그보다 더 커서 내 얼굴의 두 배는 되는 것 같았다. 연꽃을 보고 신기해 함.

(기행 순서)

2 연꽃 정원을 지나 드디어 두물머리에 도착했다. 두물머리는 말 그대로 두 물이 만나는 곳이다. 금강산에서 흘러내린 북한강과 강원도 금대봉에서 발원*한 남한강의 두 물이 합쳐지는 곳이라는 의미이며, 한자로는 양수리(兩水里)라고 하는데 이 역시 두 물이 만나는 마을이라는 뜻이다. 북한강과 남한강이 만나는 두물머리는 시야가 넓고 앞이 탁 트여 있었다. 예전에 타던 나룻배가 물가에 놓여 있었는데, 나룻배의 모습이 아름다워서 많은 사람들이 그것을 배경으로 사진을 찍었다. 두물머리의 뜻과 광경.

3 물가에서 20발자국쯤 떨어져 있는 곳에는 커다란 느티나무가 있었다. 그냥 보기에도 매우 커서 오래된 나무일 것이라 ㉡생각했는데, 안내문을 보니 수령*이 400년이라고 하였다. 이 나무는 소원 하나를 꼭 들어준다고 해서 우리 가족은 모두 공손히 손을 모으고 소원을 빌었다. 나는 친구들과 친하게 지내게 해 달라고 빌었고, 할머니께서는 우리 가족의 건강을 빌었다고 하셨다. 엄마와 아빠는 비밀이라며 알려 주지 않으셨다. 두물머리에서 큰 느티나무를 봄.

4 돌아오는 길에는 배다리를 건너 식물원인 세미원에 들렀다. 그때는 이미 날이 어둑해져서 다리 위에 청사초롱*으로 불이 밝혀져 있었다. 낮에 보았던 밝고 환했던 두물머리의 경치도 아름다웠지만, 은은하게 물안개가 피어오르는 세미원의 밤경치도 깊은 인상을 주었다. 세미원의 아름다운 야경.

주제: 두물머리와 그 주변을 여행함.

* **발원하다:** 흐르는 물줄기가 처음 생기다.
* **수령:** 나무의 나이.
* **청사초롱:** 푸른 천과 붉은 천으로 상, 하단을 두른 초롱.

두물머리 주변의 [□먹거리 / ☑볼거리]를 소개하며 자신의 감상을 기록한 [□광고문 / ☑기행문]입니다.

6. ⑤
글쓴이는 오솔길을 걸어 연꽃 정원을 지나 두물머리에 도착했어요. 그 후 배다리를 건너 세미원으로 갔지요.

7. 북한강, 남한강
'두물머리'라는 이름은 북한강과 남한강, 즉 두 물이 만나는 곳이기 때문에 붙여졌어요.

8. ③
느티나무는 세미원이 아니라 두물머리 주변에 있었어요.

9. 할머니께서, 말씀해, 주셨다.
할머니는 높임의 대상이에요. 따라서 '가' 대신에 '께서'를, '말해줬다' 대신에 '말씀해 주셨다'라고 써야 해요.

10. ①
㉡의 '생각'은 '사정이나 형편 따위를 어림잡아 헤아리다.'라는 뜻으로 사용되었으므로, '짐작'과 바꾸어 쓸 수 있어요.

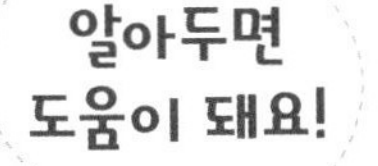

"우리말과 한자어 지명"

우리나라의 지명 중에는 순우리말 지명이었다가 한자어 지명으로 바뀐 것들이 꽤 있어요. 일제 강점기에 일본이 아름다운 우리말 지명을 자신들의 편의를 위해 비슷한 의미의 한자로 바꾼 것이 대부분이지요. '대전'은 '한밭'이었고, '대구'는 '달구벌'이었어요.

설명하는 글 문제 ❶~❺

1 널리 알려진 단원 김홍도의 「서당」이란 그림이다. 훈장 선생님이 책상 옆에 회초리를 놓아두었고 앞쪽에서 훌쩍거리고 있는 학생에게 야단을 친다. 그런데 왠지 그 표정은 무섭지 않고 오히려 친근감이 간다. 이 학생은 책을 등 뒤에 놓고 돌아앉아 있다. 예전에는 전날 배운 것을 다음날 선생님 앞에 돌아앉아 외워야 했다. 이것을 '공부 바친다'고 하였다. 김홍도의 그림 「서당」의 주요 내용.

2 훈장님 앞에서 훌쩍거리고 있는 녀석은 어제 배운 내용을 외우지 못해 야단을 맞았다. 그런데 왜 한 손은 왼쪽 발목의 대님*을 풀고 있을까? 이제 매를 맞으려고 종아리를 걷고 있는 중이다. 매 맞을 일이 겁이 나서 녀석은 벌써 찔끔거리고 있다. 그림 속 주요 인물 묘사.

3 그 옆에 다른 친구들은 고소하다는 듯이 낄낄거리며 웃는다. 가만히 살펴보면 그 표정들이 모두 조금씩 다르다. 왼쪽 가장자리에 앉은 녀석은 눈이 책 위를 맴돌고 있는 것으로 보아 아직 제 차례가 오지 않은 모양이다. 그 옆에 앉은 학생도 눈은 울고 있는 친구를 보면서 부지런히 책장을 넘기고 있는 것으로 보아 제 차례를 기다리고 있는 중이다. 나머지 활짝 웃고 있는 녀석들은 아마도 숙제 검사를 다 마친 듯하다. 주변 인물들의 표정과 태도.

4 그런데 그림의 오른쪽 맨 위에 앉은 학생은 혼자서 갓을 쓰고 있다. 다른 학생들은 모두 길게 땋은 더벅머리*인데……. 얼굴은 ⓐ앳되어* 보이는데 왜 그랬을까? 녀석은 벌써 장가를 들었기 때문이다. 이 때문에 어른 대접을 받아서 제일 윗자리에 앉았다. 맨 아래쪽의 꼬맹이는 몸집이 유난히 작은 것으로 보아, 서당의 막내임을 알 수 있다. 이렇게 꼼꼼히 살펴보면 ㉠화가가 얼마나 세심하게 배려하여 그림을 구성하고 있는지 느낄 수 있다. 화가의 세심한 그림 구성.

주제: 김홍도의 그림 「서당」의 내용과 구성.

* **대님:** 한복에서, 남자들이 바지를 입은 뒤에 그 가랑이의 끝 쪽을 접어서 발목을 졸라매는 끈.
* **더벅머리:** 더부룩하게 난 머리털.
* **앳되다:** 애티가 있어 어려 보이다.

1. ②
그림 속에서 훈장님께 야단을 맞고 있는 학생은 매 맞을 일이 겁이 나서 훌쩍이고 있어요.

2. ④
그림 속 학생은 훈장님을 뒤에 두고 돌아앉아 있지요. 예전 서당에서는 배운 것을 확인하는 방법으로, 훈장님을 등지고 전날 배운 것을 외우는 방법을 썼다고 했어요.

3. ⑤
장가를 들어 어른 대접을 받는 학생을 윗자리에, 몸집이 작은 막내인 학생을 맨 아래쪽에 배치한 것은 학생들의 특징을 그림의 구성에 반영한 것이에요. 글쓴이는 이러한 화가의 세심함을 칭찬하고 있어요.

4. ③
활짝 웃고 있는 학생들은 아마 숙제 검사를 다 마친 것 같다고 글쓴이는 생각하고 있어요.

5. ①
'앳되어'는 '애티가 있어 어려 보이다.'라는 뜻이에요. 따라서 '어려'와 바꾸어 쓸 수 있어요.

단원 김홍도의 그림 「서당」의 [☐제작 연도와 방법 / ☑내용과 구성]에 대해 [☑설명하는 / ☐주장하는] 글입니다.

"단원 김홍도"

알아두면 도움이 돼요!

김홍도는 조선 후기의 화가로, 궁궐의 전속 화실인 도화서의 화원으로 활동한 뛰어난 예술가예요. 자연을 그리는 산수화와 일반 사람들의 생활 모습을 그리는 풍속화를 모두 잘 그렸는데, 「서당」과 같은 풍속화가 특히 유명하지요.

설명하는 글 문제 ⑥~⑩

1 민주 정치의 원리 중 하나는 국가의 권력을 나누는 것이다. 우리나라에서는 입법부, 사법부, 행정부로 국가의 권력이 나뉜다. 국가의 권력을 세 개로 나누었다고 해서 '삼권 분립'이라고 한다. 삼권 분립은 국가 권력이 어느 한곳에 집중되어 생기는 [㉠] 등의 문제를 막기 위한 것이다. 권력이 한쪽에 치우치면 권력을 함부로 휘두르거나 국민의 권리와 자유를 해칠 수 있기 때문이다. 삼권 분립의 의미와 이유.

2 그렇다면 입법부, 사법부, 행정부는 각각 어떤 역할을 하고, 서로 어떻게 견제하는* 것일까? 입법부는 다름 아닌 국회를 일컫는 말이다. 그래서 입법부의 주 구성원은 국회의원들이다. '입법'이란 법을 세운다는 뜻인데, 입법부는 국회에서 하는 주요 업무가 법을 만드는 일이기 때문에 붙여진 이름이다. 입법부는 대통령과 정부가 하는 일을 감시하고, 대법원장의 임명에 동의하거나 반대하는 방식으로 행정부와 사법부를 견제한다. 입법부의 역할.

3 사법부는 대법원, 고등 법원, 지방 법원을 비롯한 여러 법원 조직을 일컫는 말로, 사법부는 재판에서 심판을 하는 법관으로 구성되어 있다. 사법부의 권한은 법을 바탕으로 사회의 갈등을 심판하는 것이다. 그밖에 입법부가 만든 법률*이 헌법에 어긋날 경우 고칠 것을 명령하고, 행정부가 만든 명령, 규칙 등이 헌법을 위반하고 있지는 않은지를 판단하고 심판하는 것이 사법부가 하는 일이다. 사법부의 역할.

4 행정부는 정부를 일컫는다. 대통령과 국무총리, 그리고 행정 각부의 장관 등으로 구성되어 있으며 나라의 살림을 맡는다. 행정부는 입법부가 만든 법률을 거부할 수 있는 권리를 가지고 있고, 대법원장을 임명하는 권한을 가지고 있어서 입법부와 사법부를 견제한다. 행정부의 역할.

주제: 삼권 분립의 이유와 각 권력 기관의 역할.

우리나라의 권력을 입법부, 사법부, 행정부로 나누는 [☑삼권 분립 / □지방 자치]의 의미를 이야기하고, 각 조직의 역할에 대해 [□광고하는 / ☑설명하는] 글입니다.

6. 삼권 분립

1문단에서 국가의 권력을 입법부, 사법부, 행정부로 나누는 것을 삼권 분립이라 한다고 했어요.

7. 국민, 자유

권력이 한쪽으로 치우치면 국민의 권리와 자유를 해칠 수 있기 때문에, 권력을 나누는 삼권 분립이 필요하다고 했어요.

8. ⑤

3문단에서 사법부의 권한은 법을 바탕으로 사회의 갈등을 심판하는 것이라고 했어요.

9. ③

입법부는 대통령과 정부가 하는 일을 감시함으로써 행정부를 견제하지요.

10. ②

제시된 뜻을 가장 잘 나타내고 있는 단어는 '독재'예요. 민주 정치의 반대 의미로 쓰이지요.

* **견제하다:** 일정한 작용을 가함으로써 상대편이 지나치게 세력을 펴거나 자유롭게 행동하지 못하게 억누르다.
* **법률:** 국가의 강제력을 수반하는 사회 규범.

"민주주의"

알아두면 도움이 돼요!

민주주의는 국가의 주권이 국민에게 있고 국민을 위하여 정치를 행하는 제도를 말해요. 민주주의는 영어로 데모크라시(democracy)라고 하는데, 이 단어는 민중 또는 다수를 뜻하는 말이랍니다. 다수의 국민이 의사 결정을 하는 제도라는 뜻이지요.

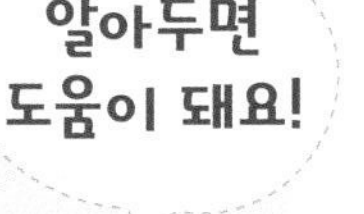

안내문 문제 ❶~❺

【복약* 안내서】

■ 이 약을 복용*하면 안 되는 사람

- 이 약의 구성 성분 또는 요오드에 특별 반응이 있는 환자
- 심장에 문제가 있는 환자
- 갑상선*에 이상이 있는 환자
- 임신 또는 수유 중인 환자
  → 태아 또는 영아에게 영향을 끼칠 수 있습니다.
- 다른 약을 복용하고 있는 환자
  → 특정한 약과 이 약을 함께 복용할 경우 심각한 문제를 일으킬 수 있기 때문에, 복용 중인 약이 있다면 즉시 의사에게 미리 알려 함께 먹어도 되는 약인지 확인하시기 바랍니다.

■ 이 약의 복용 방법

- 의사의 처방을 받아 정확하게 복용합니다.
- 복용 시간을 놓치면 건너뛰고 예정대로 다음 복용 시간에 드십시오. 다음 복용 시간에 2회 용량을 한꺼번에 복용해서는 안 됩니다.

■ 이 약의 보관 방법

- 실온(5~25℃)에서 원래 약이 담겨 있던 ㉠용기에 담아 직사광선을 피해 보관하십시오.
- 어린이의 손에 절대 닿지 않도록 유의하십시오.
- 유효 기간이 지난 약은 먹지 말고 약국에 가져다주세요.

주제 : 안전한 복약을 위한 안내.

* **복약:** 먹어서 병을 치료하는 약.
* **복용:** 약을 먹음.
* **갑상선:** 목 앞쪽에 있는 내분비샘. 갑상샘 호르몬을 분비하여 대사율을 조절한다.

1. 복용
이 글은 사람들이 안전하게 약을 복용할 수 있도록 복용 방법과 주의 사항 등을 알려 주는 안내문이에요.

2. ②
이 약이 의사의 처방을 받고 복용해야 한다는 점은 이 글에 나와 있지만, 의사에게 처방을 받는 방법에 대해서는 나와 있지 않아요.

3. ⓑ, ⓒ
복용 시간을 놓쳤다고 해서 시간을 지키지 않고 먹거나, 한꺼번에 2회분의 약을 먹으면 안 된다고 했어요.

4. ①
이 약을 다른 약과 함께 먹으려면 의사의 확인이 필요하다고 했어요.

5. ②
㉠은 '그릇'이라는 의미로 쓰였어요. ①, ③, ④, ⑤의 '용기'는 '씩씩하고 굳센 기운.'이라는 의미의 '용기'가 쓰였고, ②는 '그릇'이라는 의미의 '용기'가 쓰였어요.

약의 복용과 보관 방법 등을 알려 주고, [□약의 성분 / ☑복용 시 주의점]에 대하여 쓴 [☑안내문 / □감상문]입니다.

"복약 안내서"

알아두면 도움이 돼요!

안전하고 정확하게 약을 복용할 수 있도록 정보를 제공하는 글이에요. 대부분 약을 구입할 때 받을 수 있어요. 약은 생명과 직결된 것이기 때문에, 복약을 하기 전에 복약 안내서의 주의 사항을 꼼꼼히 읽는 것은 매우 중요해요.

본문 ➔ 128쪽

주장하는 글 문제 ❻~❾

1 현대에 들어서면서 의학이 발달하고 생활 수준이 향상됨에 따라 사망률이 현저하게 줄어들었다. 또 우리나라를 비롯해서 선진국에서는 매년 출산율이 떨어지고 있다. 그러다 보니 소년 인구 비율과 청년 인구 비율은 점점 감소하게 되고 평균 수명은 길어져, 우리나라는 사회 구성원 중 노인의 비율이 높은 고령화* 사회가 되었다. 고령화 사회가 된 우리나라.

2 수명이 늘어난 것은 좋지만, 고령화 사회의 노인들에게는 몇 가지 문제점이 있다. 가장 큰 문제점은 경제적인 문제이다. 노인들의 대부분은 일을 하고 싶어도 나이가 많다는 이유로 고용되지 못한다. 그래서 경제적으로 어려움을 겪고, 아플 때에도 병원에 가지 못하는 상황이 발생한다. 나이가 들면 병원에 갈 일이 더 많아지는데도 불구하고 [㉠] 진료를 받을 수 없는 것이다. 고령화 사회 노인들의 문제 1-경제적 문제.

3 또한 심리적인 문제도 있다. 핵가족화와 급격한 사회 변화 등으로 인해 사회와 가족으로부터 소외되는* 노인들이 많아져, 노인들이 사회와 가족 내에서 역할이 없어지는 것에 대해 심리적으로 불안감을 갖게 되는 것이다. 고령화 사회 노인들의 문제 2-심리적 문제.

4 이러한 문제를 해결하기 위해서는 건강한 노후 생활을 위한 노인 보건 사업을 실시해야 한다. 의료 보험 제도를 개선(8-③)해서 수입이 없는 노인일지라도 부담 없이 의료 보험 혜택을 받아 질병으로부터 벗어날 수 있도록 해야 한다. 경로 연금을 확대(8-①)해서 누구든지 젊었을 때 번 돈의 일부를 적립해서* 나이가 들면 혜택을 받도록 하는 것도 좋은 방법이다. 또한 노인들이 소통하고 즐길 만한 문화적 서비스를 제공(8-④)하는 정서적인 지원도 필요하다. 이제는 오래 사는 것만이 아니라, 즐겁게 사는 것 또한 중요한 시대이기 때문이다. 고령화 사회의 문제점을 해결하는 방안.

주제: 고령화 사회의 문제점을 해결하기 위한 방안.

* **고령화:** 한 사회에서 노인의 인구 비율이 높은 상태로 나타나는 일.
* **소외되다:** 어떤 무리에서 기피되어 따돌림을 당하거나 배척되다.
* **적립하다:** 모아서 쌓아 두다.

우리나라가 [☑고령화 사회 / □산업화 사회]가 되었음을 이야기하며, 고령화 사회의 문제점과 해결책에 대해 [□설명하는 / ☑주장하는] 글입니다.

6. ⑤
출산율이 떨어지고, 소년과 청년 인구 비율이 떨어지면 비교적 노인의 비율이 높아지며, 고령화 사회가 되지요.

7. ②
이 글은 고령화 사회의 문제점과 그 해결 방안에 대해 주장하는 글이에요.

8. ②, ⑤
노인들의 일자리가 없다는 내용이 제시되어 있지만, 고령화 사회의 문제를 해결하기 이해 노인들의 일자리를 마련해야 한다는 내용은 이 글에 나와 있지 않아요. 또한 노인 대상의 심리 치료를 지원해야 한다는 내용도 찾을 수 없어요.

9. 오히려
'일반적인 기준이나 예상, 짐작, 기대와는 전혀 반대가 되거나 다르게.'라는 뜻을 가진 단어는 '오히려'예요.

"고령화 사회"

알아두면 도움이 돼요!

65세 이상 인구가 총 인구 중 차지하는 비율이 7% 이상인 사회를 고령화 사회, 14% 이상을 고령 사회라고 해요. 우리나라는 2000년 고령화 사회로 들어선 지 17년 만인 2017년에 고령 사회로 진입했어요.

25 일차

1 뇌에서 기억을 담당하는 기관은 해마이다. 해마는 뇌의 가운데에 위치해 있으며, 학습과 기억, 감정 조절에 관여하고 신경 세포를 만들어 내는 역할을 한다. 신경 세포는 뇌가 다른 신체 기관을 통제하는* 수단이자, 다른 기관들로부터 정보를 획득할* 수 있도록 하는 정보 전달의 수단이기 때문에 신경 세포의 유무는 생명체의 생존에 필수적이다. 해마가 뇌에서 차지하는 크기는 아주 작지만, 뇌의 다른 부위로 신호를 전달하는 신경 세포를 만들어 낸다는 점에서 매우 중요한 기관이라고 할 수 있다. 해마의 역할과 중요성.

2 해마에서는 주로 어린 시절에 신경 세포가 새로 만들어진다. 하루에 만들어지는 새로운 신경 세포의 수는 연구에 따라 다양하게 나타나며, 지금까지는 성인의 해마에서도 새로운 신경 세포가 만들어질 수 있다고 생각되어 왔다. 신경 세포의 생성에 대한 기존의 생각.

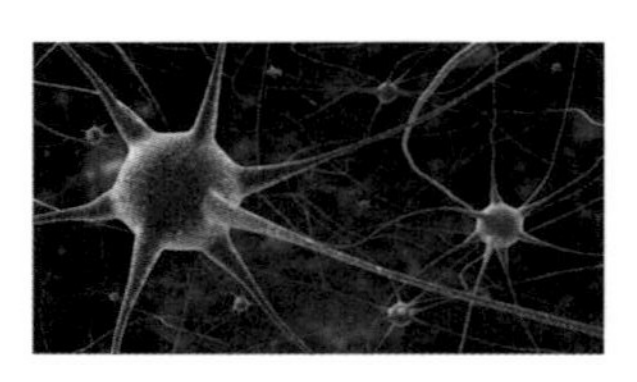

3 미국 캘리포니아 대학의 소렌스 박사팀은 성인의 해마에서도 신경 세포가 새로 만들어질 수 있는지를 알아보기 위해, 다양한 연령대의 뇌 해마를 조사해 보았다. 조사 결과, '신경 줄기세포'나 [㉠] 새로 만들어지는 '어린 신경' 세포의 수가 유아기*에 매우 빠른 속도로 감소하고 이후에는 거의 신경 세포가 만들어지지 않는다는 것을 알아냈다. 특히 13세가 지난 사람의 해마에서는 새로운 신경 세포가 새로 만들어지는 것을 관찰할 수 없었다고 보고했다. 성인의 신경 세포 생성에 관한 연구 결과.

4 소렌스 박사팀은 붉은털원숭이의 해마도 조사했다. 붉은털원숭이의 해마에서도 사람의 경우와 마찬가지로 출생 후 이른 시기에는 새로운 신경 세포가 만들어지는 것이 보였지만, 성장함에 따라 현저하게* 감소했다. 이 연구는 지금까지의 생각과는 달리 영장류의 해마에서 새로운 신경 세포가 만들어지는 일은 어린 시절에 빠르게 감소하고 성인에서는 거의 일어나지 않을 가능성을 보여 주었다. 영장류의 신경 세포 생성에 관한 연구 결과.

주제: 성인의 해마에서는 신경이 새로 만들어지지 않는다는 연구 결과.

* **통제하다:** 일정한 방침이나 목적에 따라 행위를 제한하거나 제약하다.
* **획득하다:** 얻어 내거나 얻어 가지다.
* **유아기:** 젖으로 양육되는 생후 약 1년간의 시기.
* **현저하다:** 뚜렷이 드러나 있다.

성인의 해마에서는 [☑신경 세포 / □단백질 세포]가 만들어지지 않는다는 것을 발견한 소렌스 박사팀의 연구에 대해 [□주장하는 / ☑설명하는] 글입니다.

1. 신경 세포
해마는 학습, 기억, 감정 조절 등 여러 역할을 하지만, 신경 세포를 만들어 낸다는 점에서 매우 중요한 기관이라고 했어요.

2. ④
신경 세포는 뇌가 다른 신체 기관을 통제하고, 다른 신체 기관들로부터 정보를 얻을 수 있게 해 주지요.

3. ④
신경 세포는 주로 어린 시절에 만들어지지만, 성인이 되어서도 만들어진다고 알려져 있었어요. 소렌스 박사팀은 그것이 정말인지 알아보기 위해 뇌 해마를 조사해 보았다고 했어요.

4. ④
성인의 해마와 붉은털원숭이의 해마는 모두 신경 세포를 만들어 내는 역할을 하고 있어요.

5. 갓
'이제 막.'이라는 뜻의 단어는 '갓'이라고 써야 해요.

"신경"

알아두면 도움이 돼요!

몸의 각 부분에서 받아들이는 자극을 뇌에 전달하는 가느다란 실 모양의 조직을 말해요. 우리가 감각을 느끼고 운동을 할 수 있는 것은 모두 신경 덕분이지요. 신경은 뇌를 중심으로 각 기관에 퍼져, 기관들을 연결하고 있어요.

본문 ➔ 132쪽

토론 문제 ❻~❾

사회자: 우리는 예전부터 거짓말은 절대 하면 안 되는 나쁜 것으로 배워 왔습니다. 하지만 때로는 착한 의도*를 가지고 거짓말을 할 때가 있는데, 이런 거짓말을 '선의의 거짓말' 혹은 '하얀 거짓말'이라고 합니다. 오늘은 '선의의 거짓말은 해도 된다.'라는 주제로 이야기를 나눠보겠습니다. 먼저 해도 된다고 생각하는 찬성 측의 의견부터 들은 다음 반대 측의 의견을 듣겠습니다. 사회자가 토론 주제와 발언 순서를 알림.

소영: 네, 제가 먼저 발언하겠습니다*. 저는 선의의 거짓말은 해도 된다고 생각합니다. 왜냐하면 선의의 거짓말은 좋은 의도를 바탕으로 좋은 결과를 가져오기 때문입니다. 예를 들어보겠습니다. 외모로 고민하고 있는 친구에게 예쁘다고 말해 주는 것은 거짓말입니다. 하지만 거짓말을 한 사람은 친구가 슬퍼하지 않았으면 좋겠다는 좋은 의도에서 거짓말을 한 것이고, 그 결과로 친구가 자신감을 갖게 되었다면 좋은 결과를 낸 것입니다. 이렇게 의도와 결과가 모두 좋다면 그것은 좋은 일이라고 생각합니다. 찬성 측의 의견.

상민: 저는 생각이 다릅니다. 9-① 선의의 거짓말도 결국은 거짓말입니다. 9-⑤ 어떤 거짓말은 해도 되는 좋은 거짓말이고, 어떤 거짓말은 하면 안 되는 나쁜 거짓말이라고 구분하는 것은 매우 어려운 일이라고 생각합니다. 게다가 예외를 허용하기* 시작하면 9-③ 거짓말을 해서는 안 된다는 규범이 무너질 것입니다. 9-② 규범은 선택해서 지키는 것이 아니라 반드시 지켜야 하는 것이기 때문입니다. 반대 측의 의견 1

현수: 저도 상민 친구의 의견에 동의하며, 소영 친구의 발언에 반론을 제기하려고 합니다. 소영 친구는 의도와 결과가 좋으면 거짓말이라도 좋은 거짓말이라고 하였지만, 결과는 미리 짐작하여 알 수 있는 것이 아닙니다. 거짓말이 어떤 결과를 가져올 것인지 알 수도 없는 상황에서, 규범을 어기며 거짓말을 하는 것은 결코 옳은 행위가 아니라고 생각합니다. 반대 측의 의견 2

주제: 선의의 거짓말을 해도 되는지에 대한 토론.

핵심 요약에 체크해 보세요.

'선의의 거짓말은 해도 된다.'라는 주제에 대해 서로 [□같은 / ☑다른] 의견을 가진 친구들이 자신의 주장을 펼치는 [□토의 / ☑토론]입니다.

6. 주제, 발언

사회자는 토론 주제를 제시하고, 발언의 순서를 정하는 역할을 하고 있어요.

7. ⑤

소영은 얼굴이 잘생기지 않아 고민하고 있는 친구의 예를 들면서 '선의의 거짓말'은 해도 된다는 주장을 펼치고 있어요.

8. 의도, 결과

소영은 선의의 거짓말을 해도 된다고 말하고 있지요. 왜냐하면 좋은 의도와 결과를 가져오는 거짓말은 좋은 거짓말이라고 생각하기 때문이에요.

9. ④

상민은 예외를 두면 규범이 무너지기 때문에, 좋은 의도를 가진 거짓말이라도 해서는 안 된다는 입장이에요. 따라서 듣는 이의 마음을 고려한 거짓말은 인정할 수 있다는 것은 상민의 의견을 잘못 이해한 것이지요.

* **의도:** 무엇을 하고자 하는 생각이나 계획. 또는 무엇을 하려고 꾀함.
* **발언하다:** 말을 꺼내어 의견을 나타내다.
* **허용하다:** 허락하여 너그럽게 받아들이다.

어휘력 쑥쑥 테스트

01. 선의 **02.** 그믐 **03.** 관여 **04.** 혜택 **05.** 주로 **06.** 임명 **07.** 더벅머리 **08.** 대접

십자말 풀이

[가로 열쇠] **1.** 직사광선 **2.** 발언 **3.** 핵가족 **4.** 고령화

[세로 열쇠] **1.** 청사초롱 **2.** 발원 **3.** 가능성 **4.** 고안

[숨마 어린이®]는

중·고교 상위권 선호도 1위 브랜드 숨마쿰라우데®가 만든

초등학생들을 위한 혁신적인 **초등 브랜드**입니다!

초등국어 **독해왕** 시리즈 (수준별 1~6단계)

"초등국어 독해왕" 시리즈는

교사·학부모님들의 의견을 적극 반영하였습니다.

의견 1 **다양한 종류의 글을 읽히고 싶어요.** 설명문, 논설문, 전기문, 동화, 동시, 생활문, 기행문 등 다양한 장르의 글과 인문, 사회, 과학, 예술 등 다양한 제재의 글이 모여 있는 책이 있으면 좋겠어요.

의견 2 **평소 책을 좋아하지 않는 아이도 쉽고 재미있게 글 읽기 훈련**을 할 수 있는 책이 있으면 좋겠어요.

의견 3 **글 읽기를 20~30분 짧게 집중해서 하고 잘 이해했는지를 점검**할 수 있는 문제집이 있으면 좋겠어요.

의견 4 **글 읽기에서 어떤 부분이 부족한지**, 또 어떤 종류의 글 읽기를 좋아하고 싫어하는지 판단할 수 있었으면 좋겠어요.

의견 5 **글 읽기의 핵심인 글 전체의 주제나 요지 파악, 제목 찾기** 등을 쉬운 단계부터 차근차근 훈련이 가능한 책이 필요해요.

의견 6 **혼자 집에서 조금씩 꾸준하게 공부**할 수 있도록 학습 계획(스케줄)을 쉽게 짤 수 있는 교재가 있으면 좋겠어요.

의견 7 **아이를 지도하기에 편하게 해설이 자세한 독해 연습서**가 있으면 좋겠어요.